ÍNTIMO E PERIGOSO

Da Autora:

Reencontros

Beije-me Enquanto Durmo

Matar por Prazer

Revelações

Atração Implacável

Íntimo e Perigoso

LINDA HOWARD

Íntimo e Perigoso

Tradução
Carolina Caires Coelho

BERTRAND BRASIL

Título original: *Up Close and Dangerous*

Capa: Leonardo Carvalho
Foto da Autora: Brian Valenchenko

Editoração: DFL

Texto revisado segundo o novo
Acordo Ortográfico da Língua Portuguesa.

2010
Impresso no Brasil
Printed in Brazil

CIP-Brasil. Catalogação na fonte
Sindicato Nacional dos Editores de Livros – RJ

H844i Howard, Linda, 1950-
Íntimo e perigoso/Linda Howard; tradução Carolina Caires Coelho. – Rio de Janeiro: Bertrand Brasil, 2010.
308p.

Tradução de: Up close and dangerous
ISBN 978-85-286-1416-9

1. Romance americano. I. Coelho, Carolina Caires. II. Título.

09-6017
CDD – 813
CDU – 821.111(73)-3

EDITORA BERTRAND BRASIL LTDA.
Rua Argentina, 171 — 2º andar — São Cristóvão
20921-380 — Rio de Janeiro — RJ
Tel.: (0xx21) 2585-2070 — Fax: (0xx21) 2585-2087

Atendimento e venda direta ao leitor:
mdireto@record.com.br ou (21) 2585-2002

AGRADECIMENTOS

Meus mais sinceros agradecimentos vão para dois homens que se esforçaram para responder a muitas de minhas perguntas: Jim Murphy e o Major Marc Weintraub, USMC. Obrigada, rapazes, por me ensinarem a derrubar um avião. Qualquer erro que houver é meu, ou porque minha imaginação foi longe demais, ou porque eu não soube fazer as perguntas certas.

1

Bailey Wingate acordou chorando. De novo.

Ela detestava quando isso acontecia, porque não conseguia ver motivos para tal reação. Se estivesse desesperadamente infeliz, se estivesse sozinha ou sofrendo, chorar enquanto dormia faria sentido, mas ela não estava triste. No máximo, irada.

Nem mesmo a ira ocupava sua mente o tempo todo; isso só acontecia quando tinha de lidar com seus enteados, Seth e Tamzin, o que, graças a Deus, geralmente acontecia apenas uma vez ao mês, quando precisava assinar uma pensão que eles recebiam da herança de seu falecido marido. Eles, quase sempre, entravam em contato nessa época do mês, ou antes, para pedir um dinheirinho a mais, o que ela ainda tinha de aprovar, ou depois, para que soubesse, ao modo de cada um, que eles a viam como uma vagabunda.

Seth era de longe o mais maldoso e, várias vezes, ele a havia deixado emocionalmente abalada, mas pelo menos sua hostilidade era clara. Por mais difícil que fosse lidar com ele, Bailey preferia enfrentar Seth a ter de se sujeitar à atitude passivo-agressiva de Tamzin.

Aquele era o dia em que a pensão mensal deles era transferida para suas contas, o que significava que ela podia esperar pelos telefonemas ou visitas que faziam. Que alegria! Um dos castigos favoritos de Tamzin era visitá-la e trazer consigo seus dois filhos pequenos. Tamzin, por si só, já era osso duro de roer, mas, quando seus dois filhos chorões, mimados e exigentes estavam juntos, Bailey sentia vontade de sumir.

— Eu devia ter pedido adicional de guerra — ela declarou, em voz alta, ao afastar os cobertores e sair da cama.

E então, mentalmente, ela se repreendeu. Não tinha nada sobre o que reclamar, muito menos pelo que chorar ao acordar. Concordara em se casar com James Wingate sabendo muito bem como eram os filhos dele, e como reagiriam ao planejamento financeiro que o pai havia feito para eles. Ele havia previsto aquelas reações e planejado de acordo. Entrara na situação totalmente consciente, por isso não tinha motivos para reclamar. Mesmo morto e enterrado, Jim estava lhe pagando muito bem para fazer o trabalho.

Ao entrar no belo banheiro, olhou para seu reflexo — era difícil evitá-lo quando, ao entrar, a primeira coisa que encontrava era um espelho que ia do chão ao teto. Às vezes, ao olhar para seu reflexo, ela, por um instante, sentia uma desconexão entre a pessoa refletida e o modo como se sentia por dentro.

O dinheiro a havia mudado — mais por fora do que por dentro. Ela estava mais magra, com o corpo mais definido, já que agora tinha tempo e dinheiro para contratar um personal trainer que ia até sua casa e fazia com que suasse na sala de ginástica. Seu cabelo, antes de um loiro sujo, agora era tão perfeitamente tingido com diferentes tons de loiro que parecia completamente natural. O corte sofisticado favorecia seu rosto e tinha um caimento tão bom que, mesmo ali, após acabar de acordar, estavam lindos.

Ela sempre fora jeitosa e sempre se vestira da melhor maneira que seu salário permitia, mas havia uma enorme diferença entre "jeitosa" e "bem cuidada". Nunca havia sido linda, e certamente não seria descrita como tal mesmo com todos os recursos a que tinha acesso, mas chegava a ser "simpática" ou até "bonita". Com a aplicação dos melhores cosméticos disponíveis no mercado, o verde de seus olhos se tornava mais intenso e vibrante. As roupas eram feitas sob medida, perfeitas para ela, e não adequadas para milhões de outras mulheres que vestiam o mesmo tamanho.

Como viúva de Jim, podia usufruir total e inquestionavelmente de sua casa em Seattle, de outra em Palm Beach e ainda de outra no Maine. Nunca tinha de voar em um avião comercial, a menos que quisesse; o Grupo Wingate disponibilizava jatos particulares para ela. Só pagava por seus pertences pessoais, o que significava que não tinha de se preocupar com contas. Esse era, com certeza, o ponto mais interessante do acordo que firmara com o homem que se casara com ela e, em menos de um ano, a deixara viúva.

Bailey foi pobre e, apesar de nunca ter tido a ambição de reunir uma fortuna, tinha de admitir que ter dinheiro tornava sua vida muito mais fácil. Continuava tendo problemas, e os maiores eram Seth e Tamzin, mas os problemas eram diferentes quando não envolviam o pagamento de contas na data de vencimento: o desespero não mais existia.

Tudo que ela tinha de fazer era cuidar do fundo fiduciário — uma tarefa que realizava com muita seriedade, mesmo que os enteados não acreditassem nisso — e, tirando esse ponto, necessitava procurar atividades para preencher seus dias.

Sentia muito tédio.

Jim havia pensado em tudo relacionado a seus filhos, refletiu ao entrar no boxe redondo de vidro fosco. Ele havia protegido a herança de ambos; até onde pôde, também garantira que sempre tivessem respaldo financeiro, e de modo muito habilidoso levara a personalidade de cada um em conta. No entanto, seus planos não haviam considerado como seria a vida dela quando ele se fosse.

Provavelmente ele não se importara com isso, ela pensou com amargura. Ela havia sido o meio para um fim e, apesar de existir carinho entre eles, ele nunca havia fingido sentir nada além disso por ela. Tinham um acordo de negócios, que ele havia iniciado e controlado. Mesmo que ele soubesse antes, não se teria importado com o fato de seus amigos — que, enquanto estava vivo, a convidavam para seus eventos sociais, por obrigação — a terem tirado da lista de convidados rapidamente quando faleceu. A maioria dos amigos de Jim era de sua faixa etária, e muitos haviam conhecido e mantido amizade com a primeira esposa de Jim, Lena. Alguns também conheciam Bailey de outros tempos, quando ela ocupava o cargo de assistente pessoal de Jim. Sentiam-se pouco à vontade ao vê-la no papel de esposa. *Ela* se sentira desconfortável; então, será que podia culpá-los por se sentirem da mesma forma?

Aquela não era a vida que queria para si. Sim, o dinheiro era ótimo — maravilhoso —, mas ela não queria passar o resto da vida sem fazer nada além de dar dinheiro para outras duas pessoas que a detestavam. Jim tinha certeza de que Seth se sentiria humilhado por ter sua herança controlada por uma madrasta três anos mais nova que ele, a ponto de ficar chocado e passar a agir como um adulto responsável, e não como uma versão masculina mais velha de Paris Hilton, mas, até aquele momento, isso não havia acontecido e Bailey não mais acreditava que isso seria possível um dia. Seth tivera muitas chances de se endireitar, de se interessar pela empresa que financiava seu estilo de vida requintado e preguiçoso, mas não havia aproveitado nenhuma delas. Seth era a única esperança de Jim, porque Tamzin era completamente desinteressada e inadequada para qualquer tipo de decisão financeira que enormes somas em dinheiro exigiam. Tamzin só se preocupava com o resultado final, que era ter dinheiro à disposição — e queria toda a sua herança *já*, para poder gastá-la como bem desejasse.

Bailey fez uma careta ao pensar no assunto; se Tamzin tivesse controle de sua herança, gastaria todo o dinheiro em uns cinco dias, no máximo. Se Bailey não controlasse o dinheiro, outra pessoa teria de fazê-lo.

O telefone tocou assim que ela desligou o chuveiro e esticou o braço para pegar a toalha cor de champanhe com a qual poderia se enrolar. Envolvendo os cabelos molhados com outra peça, ela saiu do boxe e pegou o telefone sem fio da saleta na qual se vestia, olhou no identificador de chamada e soltou o telefone sem atender. O número havia sido bloqueado; ela tirara todos os seus números da lista disponibilizada na central telefônica, por isso o número bloqueado não devia ser de algum vendedor. Isso significava que Seth provavelmente estava em pé, pensando em insultos que pudesse usar, e ela se recusava a lidar com ele antes de tomar seu café da manhã. Seu comprometimento com o trabalho tinha limites, e atender Seth naquele momento ultrapassava esses limites.

Por outro lado, e se alguma coisa tivesse acontecido? Seth gostava de badalações, raramente dormia antes do amanhecer — pelo menos não na própria cama. Não seria comum para ele telefonar tão cedo. Ultrapassando um pouco seus limites, ela pegou o telefone de novo, apertou o botão "*talk*", apesar de a secretária eletrônica já ter atendido.

— Alô — ela disse em cima da voz masculina da secretária. Mantivera a gravação padrão em vez de gravar outra com a própria voz porque a mensagem padrão era mais impessoal.

O sistema de atendimento foi interrompido quando ela atendeu, fez um bipe e desligou.

— Olá, mãe.

O sarcasmo na voz de Seth era pesado. Bailey preparou-se. Não havia nada de errado; Seth estava apenas testando uma nova maneira de perturbá-la. Ser chamada de "mãe" por um homem mais velho não a irritava, mas ter de lidar com ele, sim, era irritante.

A melhor maneira de lidar com Seth era não mostrar reação alguma; em determinado momento, ele se cansaria de suas alfinetadas e desligaria.

— Seth. Como vai? — ela respondeu no tom frio e impassível que havia aperfeiçoado enquanto trabalhava como assistente de Jim. Nem o tom de voz nem sua expressão revelavam suas emoções.

— As coisas não poderiam estar melhores — ele respondeu com exaltação fingida —, levando em conta a vaca mesquinha de minha madrasta, que vive com o *meu* dinheiro, enquanto eu não posso nem tocá-lo. Mas o que são alguns roubos entre familiares, certo?

Em geral, ela deixava os insultos sem resposta. "Vaca" era um dos insultos que ele dissera assim que soube as condições do testamento do pai. Seth passou a acusá-la de ter se casado com seu pai por dinheiro, e tirado vantagem da doença de Jim para convencê-lo a deixar até mesmo o dinheiro de seus filhos sob seu controle. Ele também havia ameaçado contestar o testamento na justiça, e nesse momento o advogado de Jim suspirou e o aconselhou a não fazer isso, pois seria um desperdício de tempo e de dinheiro. Jim havia cuidado de todo o seu império até as últimas semanas antes de sua morte, e o testamento fora assinado quase um ano antes disso — um dia depois do casamento dele com Bailey, na verdade.

Ao saber disso, Seth ficara vermelho de ódio, disse alguma coisa nojenta a ela, com a qual todos na sala ficaram surpresos, e saiu batendo portas. Bailey já se havia preparado para não demonstrar qualquer reação, por isso um simples "vaca" não a tiraria do sério.

Por outro lado, ser chamada de ladra estava começando a incomodá-la.

— Por falar na sua herança, há uma oportunidade de investimento que quero estudar — ela disse delicadamente. — Para maximizar os lucros, vou ter que investir o máximo que puder na aplicação. Você não vai se importar se sua mesada for cortada pela metade, não é? Temporariamente, claro. Um ano deve bastar.

Um milésimo de segundo se passou entre a proposta e a reação:

— Sua cadela, vou matá-la.

Essa era a primeira vez em que ela respondia aos insultos dele com uma ameaça, o que o deixou chocado. A ameaça não a assustou. Seth era bom em fazer ameaças que não podia cumprir.

— Se você tiver qualquer outra proposta de investimento que quiser que eu analise, ficarei feliz em fazê-lo — ela disse da maneira mais educada possível, como se ele tivesse perguntado sobre coisas comuns, sem tê-la ameaçado de morte. — Pesquise a respeito e faça as propostas por escrito. Posso analisá-las assim que possível, o que levará algumas semanas. Saio de férias depois de amanhã e ficarei fora por algumas semanas.

Ele não respondeu, apenas desligou o telefone com força.

Não é uma maneira muito boa de começar o dia, ela pensou, mas pelo menos seu contato mensal com Seth havia sido feito.

Se pelo menos pudesse evitar Tamzin...

2

Cameron Justice olhou para o pequeno campo de aviação e para o estacionamento rapidamente ao estacionar seu Suburban na vaga designada. Embora ainda não fossem 6h30, ele não tinha sido o primeiro a chegar. Ao ver o Corvette prateado, percebeu que seu amigo e sócio, Bret Larsen — o L da J&L Transporte Aéreo Executivo —, já estava lá, e o Ford Focus vermelho acusava a presença da secretária deles, Karen Kaminski. Bret chegara cedo, mas Karen tinha o costume de chegar ao escritório antes de todos; dizia que só assim conseguia trabalhar sem ser interrompida constantemente.

A manhã estava clara e ensolarada, embora a previsão do tempo indicasse que o dia ficaria cada vez mais nublado. Mas, naquele momento, o sol reluziu nos quatro aviões da J&L, e Cam parou por um instante para apreciar a vista.

A pintura customizada havia custado caro, mas valera o preço pela imagem apresentada, com a faixa preta brilhante sobreposta por uma linha fina branca curvando-se para cima, da ponta à cauda. Os dois Cessnas — um Skylane e um Skyhawk — estavam quitados, adequados e dentro das normas; Cam e Bret haviam trabalhado a valer nos primeiros anos, mantendo outras ocupações além do trabalho como pilotos, para conseguir pagar tudo o mais rápido possível e melhorar as condições de caixa. O Piper Mirage era *quase* deles e, depois que estivesse quitado, eles planejavam pagar de duas em duas as prestações do Lear 45 XR, de oito assentos, o xodó de Cam.

Apesar de, na realidade, o Lear ter quase o mesmo comprimento e envergadura do F-15E Strike Eagle que o sócio de Cam havia pilotado enquanto fazia parte da força aérea, Bret, desde então, se acostumara aos Cessnas, bem menores, e ao Mirage, de tamanho médio, preferindo a agilidade deles. Cam, que havia pilotado o enorme KC-10A Extender enquanto fazia parte da aeronáutica, preferia as aeronaves maiores. As preferências de cada um ilustravam as diferenças básicas existentes entre eles como pilotos. Bret era o piloto de combate, valentão e com reflexos rápidos como raios; Cam era o estável, o cara preferido para situações em que o avião precisasse ser reabastecido estando a vários pés de altura, a centenas de quilômetros por hora. O Lear precisava de cada centímetro da pista que o campo de aviação tinha para decolar, por isso Bret ficava satisfeito por Cam estar no comando nesses voos.

Eles haviam feito a coisa certa, trabalhando em alguma coisa que amavam, Cam pensou. Voar estava no sangue de ambos. Eles se haviam conhecido na aeronáutica e, apesar de Bret estar um ano à frente de Cam, eles se tornaram amigos e continuaram assim ao longo de departamentos diferentes, carreiras diferentes, tarefas diferentes. Eles se haviam apoiado ao longo de três divórcios — dois de Bret e um de Cam — e muitas namoradas. Quase sem planejar de fato, eles de alguma forma, por meio de telefonemas e e-mails, decidiram abrir um negócio juntos quando saíram da aeronáutica; o tipo de empreendimento nunca foi questionado. Uma empresa pequena de táxis-aéreos parecia perfeita para eles.

O plano deu certo. Eles tinham, agora, três mecânicos, um piloto de meio período, uma equipe de limpeza com um funcionário em período integral e outro em meio período, e Karen, a funcionária indispensável, que comandava a todos com pulso firme e sem paciência para bobagens. A empresa era estável e ambos ganhavam dinheiro com ela. Os voos diários não davam a emoção dos voos militares, mas Cam não precisava de adrenalina para curtir a vida. Bret, é claro, era diferente; os pilotos de combate *viviam* pela emoção, mas ele se acostumara e às vezes se aventurava com a Patrulha Aérea.

Também haviam acertado na localização. O campo de aviação era perfeito para suas necessidades. Era conveniente, acima de tudo, para as instalações do Grupo Wingate, o principal cliente da J&L. Sessenta por cento dos voos eram para o Wingate, na maioria das vezes levando e trazendo altos executivos, embora, em algumas ocasiões, a família usasse a J&L para viagens particulares. Além da conveniência, o campo de aviação oferecia boa segurança e uma construção de boa qualidade na qual a J&L mantinha um escritório de três salas. Os contatos de Bret os colocaram em proximidade com o Wingate e ele costumava levar os membros da família, enquanto Cam encarregava-se de transportar os funcionários da empresa. O acordo era bom para ambos, uma vez que Bret se dava melhor com a família do que Cam. O Sr. Wingate era um homem gentil, mas seus filhos eram uns imbecis, e a esposa troféu que ele deixara viúva era tão amistosa quanto uma pedra de gelo.

Cam saiu do Suburban. Ele era um homem alto e de ombros largos, e o veículo grande combinava com ele, dando-lhe espaço para as pernas e para a cabeça. Atravessando o estacionamento com seu modo despretensioso e sem pressa de andar, ele cruzou a entrada lateral e restrita do prédio, passando seu cartão de identificação para destrancá-la. Um corredor estreito levava a seu escritório, onde Karen estava sentada, digitando, concentrada. Havia flores frescas dentro de um vaso sobre a sua mesa, com o perfume delas misturado ao do café. Ela *sempre* aparecia com flores, mas Cam suspeitava de que ela mesma as comprava. Seu namorado — um motociclista barbudo e que vestia uma jaqueta preta de couro — não parecia ser o tipo que gostava de dar flores. Cam sabia que ela beirava os 30 anos, sabia que ela gostava de fazer mechas pretas em seu cabelo curto e ruivo, e que fazia o escritório funcionar perfeitamente bem, mas, além disso, tinha receio de perguntar. Bret, por outro lado, dedicava-se a se arriscar e a provocava sem parar.

— Bom-dia, flor do dia! — Cam disse a ela. Afinal, também podia se arriscar a provocá-la.

Ela lançou a ele um olhar observador por cima do monitor do computador e voltou a digitar. Karen estava longe de ser alguém que alegrava o dia de uma pessoa. Bret, certa vez, revelara sua teoria de que ela trabalhava como cão de guarda à noite, pois era tão durona quanto uma fera e só assumia feições humanas às nove da manhã. Karen não dissera nada na hora, mas as correspondências pessoais de Bret desapareceram por mais de um mês, até ele perceber e pedir desculpas. A partir de então, suas cartas voltaram a ser entregues, mas, por isso, suas contas ficaram atrasadas.

Primando pela cautela, Cam não disse mais nada a ela; serviu-se de café e entrou na sala de Bret, que estava com as portas abertas. — Você chegou cedo — ele disse, recostando-se no batente.

Bret olhou para ele com desgosto. — Não foi porque eu quis.

— Quer dizer que a Karen telefonou e mandou você vir para cá? —Atrás de si, Cam escutou um som que poderia ter sido uma risada ou um resmungo. Com Karen, era difícil distinguir um do outro.

— Quase isso. Algum idiota esperou até a última hora para marcar um voo às oito.

— Não os chamamos de "idiotas" — Karen disse automaticamente. — Eu enviei um memorando a você. Nós os chamamos de "clientes".

Bret estava tomando um gole de café quando Karen falou e acabou engasgando e rindo ao mesmo tempo. — Clientes — repetiu.

— Sei. — Mostrou a folha de papel onde estava rabiscando, que Cam reconheceu como uma ficha de agendamento. — Chamei Mike para que ele pilote o Spokane esta tarde, no Skylane. — Mike Gardiner era o piloto em meio período. — Assim, ficarei livre para levar o Mirage a Los Angeles se você quiser pegar a rota do Eugene no Skyhawk. Ou podemos trocar se você preferir ir para Los Angeles.

Quem chegava ao escritório antes começava a acertar a papelada, e essa era uma das razões pelas quais Bret quase nunca chegava cedo. Ele estava relacionando a frota com a duração dos voos, o que fazia sentido, porque economizavam tempo quando não precisavam parar para abastecer as aeronaves durante uma viagem. Normalmente, Cam preferia a rota de Los Angeles, mas já fizera algumas viagens longas naquela semana e precisava de um descanso. Também precisava de algumas horas em um dos Cessnas; voava tanto no Lear e no Piper Mirage que precisava se esforçar para manter-se atualizado com as aeronaves menores. — Não, está bom desse jeito. Preciso das horas. O que temos para amanhã?

— Apenas dois voos. Amanhã também preciso chegar cedo. Vou levar a Sra. Wingate a Denver, ela está saindo de férias, por isso vou voltar, a menos que pegue alguma coisa. E o outro é... — Ele fez uma pausa, analisando os papéis sobre a sua mesa, as folhas do contrato que Karen havia feito.

— Uma viagem a Sacramento — Karen disse da outra sala, sem se preocupar em mostrar que estava escutando a conversa.

— Uma viagem a Sacramento — Bret repetiu, sorrindo, como se Cam não tivesse escutado a secretária perfeitamente bem. O resmungo surgiu de novo. Bret rabiscou algo em um papel e o escorregou pela mesa; Cam se inclinou, colocando um dedo na folha e girando-a para ler.

Pergunte a ela se sua vacina antirrábica está em dia, estava escrito.

— Claro — ele disse em voz alta. — Karen, o Bret quer que eu pergunte...

— Cala a boca, seu imbecil! — Bret ficou de pé e acertou Cam no ombro para impedi-lo de completar a frase. Rindo, Cam saiu da sala e entrou em seu escritório.

Karen lançou seu olhar inquisidor mais uma vez. — O que o Bret quer saber? — ela perguntou.

— Nada. Não era importante — Cam disse de modo inocente.

— Sei, sei — ela resmungou.

O telefone tocou quando ele se sentou e, apesar de, tecnicamente, ser tarefa de Karen atender os telefonemas, ela estava ocupada e ele, não, por isso apertou o botão da linha um e atendeu:

— Transporte Aéreo Executivo.

— Aqui é Seth Wingate. Quero saber se minha madrasta tem um voo marcado para amanhã.

A voz do homem era ríspida, o que chamou a atenção de Cam, mas ele manteve o tom de voz normal. — Sim, tem.

— Para onde?

Cam gostaria de poder dizer ao cretino que o destino da Sra. Wingate não era da conta dele, mas, pensando bem, cretino ou não, ele era um Wingate e tinha influência. — Denver.

— Quando vai voltar?

— Não tenho a data exata aqui, mas acredito ser daqui a duas semanas.

A única resposta que recebeu foi o corte da ligação, sem um “obrigado”, “vá se ferrar” ou qualquer coisa que o valha.

— Filho da mãe — ele disse ao desligar.

— Quem? — Karen perguntou. Será que ela deixava de escutar alguma coisa? O mais impressionante é que os toques nas teclas não paravam nunca, ela nunca hesitava. A mulher era de assustar.

— Seth Wingate — ele respondeu.

— Concordo com você, chefe. Ele está controlando os passos da Sra. Wingate, pelo visto. Gostaria de saber por quê. Aqueles dois não se bicam.

Isso não era surpresa; a primeira Sra. Wingate, a quem ele havia conhecido por pouco tempo e de quem gostava bastante, morrera apenas um ano antes de o Sr. Wingate se casar com sua assistente pessoal, mais jovem que ambos os filhos dele. — Talvez ele planeje dar uma festa enquanto ela estiver fora.

— Que coisa infantil!

— Mas ele é infantil.

— Talvez, por isso, o Sr. Wingate, o falecido, deixou a esposa no controle do dinheiro.

Surpreso, Cam levantou-se e foi até a porta. — Não brinca — ele disse a ela.

Ela olhou para trás para ver Cam, com os dedos parados acima do teclado. — Você não sabia?

— Como eu ia saber? — Nenhuma pessoa da família nem os executivos do grupo conversavam com ele sobre as finanças pessoais, e ele não acreditava que eles discutissem esses assuntos com Karen.

— *Eu* sei — ela disse.

É, mas você é assustadora. Ele controlou as palavras antes de entrar em apuros. Karen tinha sua maneira de descobrir as coisas.

— *Como* você sabe?

— Escuto coisas.

— Se isso for verdade, não é à toa que eles não se biquem. — Se ele estivesse no lugar de Seth Wingate, provavelmente também detestaria sua madrasta.

— É verdade, pode acreditar. O Sr. Wingate era um homem esperto. Pense bem: *você* deixaria Seth ou Tamzin responsável por milhões e milhões de dólares?

Cam nem precisou pensar: — Claro que não.

— Pois é, nem ele. E eu gosto dela. É esperta.

— Espero que tenha sido esperta o suficiente e trocado todas as fechaduras das portas quando o Sr. Wingate morreu — Cam disse. E devia tomar cuidado, porque ele não duvidava de que Seth Wingate podia ficar violento se tivesse oportunidade.

3

Cam acordou com o telefone tocando na manhã seguinte e procurou por ele sem abrir os olhos. Talvez se tratasse de um engano; se não abrisse os olhos, conseguiria voltar a dormir até que o alarme de seu relógio de pulso tocasse. Sabia que, se abrisse os olhos, teria de se levantar, pois não conseguiria dormir de novo.

— Alô.

— Chefe, vista-se e venha.

Karen. Droga. Ele não manteve os olhos fechados e levantou no mesmo instante, com a adrenalina tirando sua sonolência.

— O que houve?

— Seu sócio idiota acabou de aparecer com os olhos inchados, quase fechados, mal conseguindo respirar, e acha que consegue voar para Denver hoje.

Ao fundo, Cam escutou uma voz rouca e grave que em nada parecia com Bret dizendo algo incompreensível.

— É o Bret falando aí?

— Isso. Ele quer saber por que eu o chamo de "chefe" e a ele de "idiota". Porque algumas coisas são óbvias, isso sim — ela disse, evidentemente respondendo a Bret. Voltando sua atenção a Cam, ela disse: — Telefonei para Mike, mas ele não tem como chegar a tempo para o voo para Denver, por isso vou passar a ele o seu voo para Sacramento e você precisa se preparar.

— Já estou indo — ele disse, desligando, e foi para o banheiro. Tomou um banho e se barbeou em quatro minutos e 23 segundos, vestiu o terno preto, pegou seu quepe e a mala que sempre deixava preparada para o caso de situações como aquela acontecerem e saiu em seis minutos. Voltou para desligar a cafeteira que estava programada para começar a passar o café dentro de uma hora e, então, sem saber se teria tempo de tomar o café da manhã, pegou algumas barras de cereal do armário e as colocou dentro do bolso do blazer.

Merda, merda, *merda*. Ele xingou ao enfrentar o trânsito da manhã. Sua passageira naquele dia era a fria Viúva Wingate. Bret relacionava-se bem com ela, mas ele se dava bem com quase todo mundo; nas poucas vezes em que Cam tivera o azar de estar perto dela, ela agira de maneira esnobe, como se ele fosse uma pedra em seu sapato. Ele já havia lidado com pessoas daquele tipo antes, no exército; ele não sabia lidar bem com aquela atitude na época e certamente continuava sem saber agora. Manteria a boca fechada, mas, se ela tentasse dizer qualquer coisa, ele faria com que sua viagem fosse a pior de sua vida; faria com que ela vomitasse antes de chegar a Denver.

Chegou rapidamente; ele vivia em um bairro residencial de Seattle; além disso, estava se afastando do centro da cidade, por isso o lado da estrada onde ele trafegava estava relativamente tranquilo, enquanto o outro suportava todo o tráfego pesado. Estacionou o carro apenas 27 minutos depois de desligar o telefone.

— Você foi rápido — Karen disse quando ele entrou no escritório com a mala na mão. — Tenho mais notícias ruins.

— Pode falar. — Ele colocou a mala no chão para encher uma xícara de café.

— O Mirage está no conserto e Dennis disse que ele não ficará pronto a tempo para o voo.

Cam tomou seu café em silêncio, pensando na logística. O Mirage poderia chegar a Denver sem reabastecimento. O Lear certamente conseguiria, mas eles usavam a aeronave para o transporte de grupos, e não apenas para uma pessoa — e, apesar de conseguir pilotar o Lear sozinho, preferia contar com um copiloto. Nenhum dos Cessnas tinha amplitude, mas o Skylane tinha um teto operacional de 18 mil pés, enquanto o teto do Skyhawk era de 135. Alguns picos de montanhas no Colorado tinham mais de 14 mil, portanto a escolha da aeronave foi simples.

— O Skylane — ele disse. — Vou reabastecê-lo em Salt Lake City.

— Foi o que eu pensei — Bret disse, saindo de seu escritório. Sua voz estava rouca, mais parecida com o coaxar de um sapo com congestão nasal. — Eu mandei a equipe prepará-lo.

Cam olhou para o sócio. Karen não havia exagerado a situação de Bret; na verdade, não dissera o suficiente. Os olhos dele estavam tão inchados e vermelhos que quase não se abriam. Seu rosto estava inchado e ele respirava pela boca. Estava péssimo e sua expressão não negava isso. Independentemente do que acometera seu amigo, Cam queria distância daquela doença.

— Não se aproxime — Cam disse, erguendo a mão como um guarda de trânsito impedindo o avanço dos carros.

— Já espirrei desinfetante nele — Karen disse, olhando para Bret do outro lado da sala. — Uma pessoa com o mínimo de bom-senso teria ficado em casa e *telefonado*, em vez de vir trabalhar para espalhar seus germes por aí.

— Posso pilotar — ele disse. — É você quem está dizendo que não posso.

— Tenho certeza de que a Sra. Wingate gostaria de ficar cinco horas presa com você dentro de um aviãozinho — ela disse de modo sarcástico. — Eu não quero passar nem cinco minutos no mesmo ambiente que você. Vá para casa.

— Eu apoio essa ordem — Cam disse. — *Vá para casa.*

— Tomei um descongestionante — Bret resmungou. — É que ainda não fez efeito.

— Então não vai fazer efeito a tempo para você voar.

— Você não gosta de transportar a família.

Principalmente a Sra. Wingate, Cam pensou, mas disse: — Não tem nada de mais.

— Ela gosta mais de mim.

Bret agora parecia uma criança mimada, mas ele sempre agia daquela maneira quando algo o impedia de voar. — Ela vai resistir por cinco horas — Cam disse, irredutível. Se ele era capaz, ela também o seria. — Você está doente, eu não estou. Fim de papo.

— Puxei os relatórios meteorológicos para você — Karen disse. — Estão em seu computador.

— Obrigado. — Indo para seu escritório, ele se sentou à mesa e começou a ler. Bret ficou de pé, encostado na porta do escritório, com cara de quem não sabia o que fazer. — Pelo amor de Deus — Cam disse —, procure um médico. Você está um caco. Parece estar tendo uma reação alérgica.

— Beleza. — Ele espirrou com força e começou a tossir sem parar.

De onde Cam estava, não conseguia ver Karen, mas escutou um som de algo sendo espirrado e viu Bret envolvido em uma névoa. — Oh, por Deus — o homem doente reclamou, balançando os braços para afastar a névoa. — Não deve fazer bem respirar essa coisa.

Ela simplesmente espirrou mais. — Desisto — ele disse depois de alguns segundos de discussão, porque estava perdendo a disputa. — Já vou, já vou. Mas, se eu tiver uma parada respiratória porque você espirrou desinfetante em mim até eu morrer, você estará no olho da rua!

— Se você morrer, não vai poder me demitir. — Ela espirrou o produto de novo, nas costas dele, enquanto ele saía do escritório.

Depois de um instante de silêncio, Cam disse: — Espirre um pouco mais. Espirre mais dessa coisa em tudo que ele tocou.

— Preciso de mais um frasco. Este aqui está quase vazio.

— Quando eu voltar, vou comprar uma caixa inteira.

— Por enquanto, vou espirrar nas maçanetas que ele tocou, mas fique longe do escritório dele.

— E o banheiro?

— Não vou entrar no banheiro masculino. Eu pensava que os homens eram seres humanos, mas fiquei abismada quando entrei em um banheiro masculino certa vez e quase desmaiei de susto. Entrar em outro faria com que eu passasse a ter surtos psicóticos. Se quiser que o banheiro seja desinfetado, vai ter de cuidar disso sozinho.

Ele pensou por um momento a respeito do detalhe inacreditável de que *ela* trabalhava para *eles*, e também pensou na possibilidade de o escritório se tornar um caos completo se ela não estivesse ali. A probabilidade era de que ela transformaria tudo em um caos. Ao pensar em ambas as situações, concluiu que não era obrigação dela desinfetar o banheiro. — Não tenho tempo para isso agora.

— O banheiro não vai sair do lugar... e eu uso o das mulheres. — O que significava que ela não se importava se o banheiro masculino fosse desinfetado ou não.

Ele olhou pela porta aberta, percebendo que muitas das conversas entre eles eram feitas de uma sala à outra, e na maioria das vezes ele não conseguia vê-la. — Vou colocar um grande espelho redondo — ele disse. — Bem aqui, perto da porta de fora.

— Por quê?

— Para poder ver você quando conversamos.

— Por que quer fazer isso?

— Para saber se você fica sorrindo.

Cam colocou a mala no compartimento de bagagem e inspecionou o Skylane, olhando ao redor, procurando por peças soltas ou gastas. Apertou, empurrou, chutou. Entrou na cabine e realizou os procedimentos de pré-voo, verificando todos os itens relacionados em uma lista em uma prancheta. Ele conhecia os procedimentos de cor, podia fazer isso dormindo, mas nunca contava apenas com a memória; em um momento de distração, podia acabar se esquecendo de algo crucial. Checava a lista para ter a certeza de que havia verificado tudo. Não podia descobrir algo errado em pleno voo.

Verificando seu relógio, ele viu que já estava quase na hora da chegada da Sra. Wingate. Acionou o motor, prestando atenção ao som que ele fazia. Verificou o painel para ver os sinais dos equipamentos nos monitores, checou duas vezes para ter certeza de que os dados eram normais e analisou o tráfego aéreo na região antes de se dirigir ao portão de correntes na frente do terminal onde pegaria sua passageira. De soslaio, ele viu um movimento na direção do estacionamento e olhou para aquela direção por tempo suficiente para ver que um Land Rover verde-escuro estava estacionando na vaga mais próxima.

Vê-la dentro do Land Rover sempre o deixava surpreso. A Sra. Wingate não parecia o tipo de mulher que dirigiria um utilitário ou um SUV; se a estivesse vendo pela primeira vez, diria que ela era alguém que preferia um modelo grande e luxuoso — e não um carro esportivo, um veículo conduzido por alguém enquanto ela ficava no banco de trás. Mas ela sempre dirigia, guiando o carro grande como se pretendesse disparar por um campo a qualquer momento.

Ele estava agindo de modo diferente. Normalmente, Bret a esperava no portão e a ajudava a tirar a bagagem do carro. Cam viu que ela ficou de pé por um instante, observando o Skylane se aproximar, então fechou a porta e deu a volta, indo para a parte de trás, para começar a tirar a bagagem sozinha. Ele ainda estava cerca de 60 metros distante do portão; não teria como chegar a tempo de ajudá-la.

Ótimo. Provavelmente ela já começaria a viagem irritada, porque não havia ninguém ali para ajudá-la. Por outro lado, pelo menos ela não havia ficado esperando, com o nariz empinado, até alguém aparecer.

Ao se colocar em posição, ele desligou o motor e desceu. Ao se virar na direção do portão, ele a viu sair do terminal, puxando uma mala com uma das mãos enquanto, com a outra, carregava uma bolsa grande. Karen, quem diria, estava com ela, trazendo mais duas malas.

A Sra. Wingate observou Cam se aproximar e virou-se para Karen. — Pensei que Bret seria meu piloto — ela disse de modo frio.

— Ele está doente — Karen explicou. — Acredite: a senhora não gostaria de ficar perto dele.

A Sra. Wingate não deu de ombros, nem deixou sua expressão revelar o que estava pensando. — Certamente não — ela disse brevemente, com os olhos completamente cobertos pelas lentes de seus óculos escuros.

— Sra. Wingate — Cam disse para cumprimentá-la ao se aproximar das duas.

— Capitão Justice. — Ela atravessou o portão assim que ele o abriu.

— Deixe-me pegar suas malas.

Em silêncio, ela soltou a mala antes de a mão dele se aproximar da alça. Percebendo sua reação, ele não disse nada ao colocar a mala e as outras duas bolsas no compartimento de bagagem, tentando imaginar se ela poderia ter deixado alguma peça de roupa no armário. As malas eram tão pesadas que ela não teria embarcado em um voo regular de uma empresa aérea sem pagar uma taxa polpuda.

Quando havia apenas um passageiro, este costumava sentar-se ao lado do piloto e não em um dos quatro assentos na parte de trás. Ele ajudou a Sra. Wingate a entrar na aeronave, dando-lhe apoio enquanto ela se acomodava; ela se sentou atrás dele, deixando claro que não queria conversa.

— Pode se sentar do outro lado, por gentileza? — ele disse, seu tom de voz indicando uma ordem, mais do que um pedido, apesar de ter dito "por gentileza".

Ela não se moveu. — Por quê?

Ele já deixara a aeronáutica havia sete anos, mas os hábitos militares eram tão enraizados nele que Cam quase gritou para que ela tirasse seu traseiro dali naquele instante, o que provavelmente teria resultado no cancelamento do contrato deles. Precisou controlar-se, mas conseguiu dizer de modo relativamente tranquilo:

— Nosso peso ficará mais bem equilibrado se a senhora se sentar do outro lado.

Silenciosamente, ela se sentou no banco do lado direito fechando o cinto. Abrindo a bolsa, ela tirou dela um livro de capa grossa e imediatamente escondeu-se atrás dele, mas seus óculos eram tão escuros que ele duvidava de que ela conseguisse ler uma palavra que fosse. Apesar disso, sua mensagem havia sido transmitida de modo explícito: *não converse comigo*. Tudo bem. Ele também não queria conversar com ela.

Ele se acomodou em seu assento, fechou a porta e ajeitou o fone de ouvido. Karen acenou antes de entrar no escritório novamente. Depois de acionar o motor e automaticamente checar se todos os dados estavam normais, ele taxiou da rampa para a pista. Em nenhum momento, durante a decolagem, ela tirou os olhos do livro.

Sim, ele pensou, seriam cinco horas muito longas.

4

Ó*timo*, Bailey pensou assim que viu o Capitão Justice sair da cabine do Cessna e caminhar na direção do portão. Não havia como confundir aquele homem mais alto, mais esguio e de ombros mais largos com Bret Larsen, o piloto que costumava pilotar os aviões durante suas viagens. Bret era simpático e alegre, enquanto o Capitão Justice era sério, com cara de desagrado. Desde que se casara com Jim Wingate, ela havia passado a prestar atenção para perceber quando tal atitude era direcionada a ela e, apesar de não se considerar sensível, aquilo a deixava irritada.

Estava cansada de ser vista como uma interesseira sem coração que havia tirado vantagem de um homem doente. A situação toda fora ideia de Jim, não dela. Sim, ela estava fazendo aquilo pelo dinheiro, mas e daí? Ela fazia por merecer o salário que recebia todos os meses. As heranças de Seth e Tamzin estavam não apenas seguras sob seu controle, mas também aumentando de modo rápido. Ela não era, de modo algum, uma especialista em finanças, mas tinha bom faro para os investimentos e compreendia os mercados. Jim pensava que ela era um pouco conservadora demais em seus investimentos pessoais, mas, quando o assunto era preservar o dinheiro, era exatamente o que ele queria: uma atitude conservadora.

Ela pensou que podia muito bem colocar essas informações no jornal, mas por que se preocuparia em se justificar aos outros? Que todos se danassem!

Essa era uma filosofia simples para divulgar entre os velhos amigos de Jim, que agora eram bons demais para se socializarem com ela, e Bailey se sentia feliz por não ter de passar tempo com eles — nunca os vira como amigos, de qualquer forma. Mas ela tinha de passar várias horas presa em um pequeno avião com o Sr. Ranzinza, a menos que quisesse cancelar o voo e esperar até Bret ficar bem de novo — ou comprar uma passagem em um voo comercial para Denver.

A ideia era tentadora, mas ela talvez não conseguisse pegar o voo seguinte, isso se conseguisse chegar ao aeroporto a tempo, e se seu irmão e sua cunhada já estivessem indo para Denver, saídos do Maine. Logan alugaria um carro para esperá-la. Às oito horas daquela noite, eles estariam no local que haviam escolhido, para duas semanas de rafting. Todos os planos pareciam perfeitos para Bailey: duas semanas sem trabalho, sem olhares frios ou desaprovadores, e, principalmente, sem Seth e Tamzin.

O rafting era algo de que Logan gostava; ele e Peaches, sua esposa, haviam se conhecido em um rafting. Bailey havia praticado um pouco na época da faculdade e gostava da atividade, então aquela parecia a maneira ideal de passar algum tempo com eles. Sua família estava espalhada e nunca tinha sido muito boa em realizar encontros, por isso ela não via seus familiares com frequência. Seu pai vivia em Ohio com a segunda esposa; sua mãe, cujo terceiro marido morrera havia quase quatro anos, vivia na Flórida com a irmã de seu segundo ex-marido, que também era viúva. A irmã mais velha de Bailey, Kennedy, vivia no Novo México. Bailey era mais próxima de Logan, dois anos mais jovem que ela, mas não o via desde o enterro de Jim; ele e Peaches foram os únicos membros da família presentes no funeral. Peaches era muito querida, a favorita de Bailey entre todos os parentes: os de fato e "postiços".

A viagem tinha sido ideia de Peaches e eles trocaram e-mails por vários meses enquanto definiam os detalhes. O plano era que eles alugariam os itens maiores, como barracas, fogão e lanternas, de que precisariam para as duas semanas de acampamento na beira do rio, e comprariam alimentos, água e outros itens essenciais — como papel higiênico — em Denver, mas as malas de Bailey já estavam repletas de coisas que ela pensou que poderia precisar.

Sua experiência limitada com rafting lhe ensinara que era melhor ter algo de que não precisasse do que precisar de algo que não tivesse. Na segunda de suas duas viagens anteriores, sua menstruação começara alguns dias antes e ela foi pega completamente desprevenida. O que teria sido divertido acabou se transformando em problema, pois ela teve de usar meias como absorventes, o que fez com que seus pés ficassem frios e úmidos durante quase toda a viagem. *Nada* divertido. Dessa vez, ela havia estudado catálogos de produtos comprados pelo correio com antecedência e comprara tudo que conseguiu imaginar-se usando, como um pacote de escovas de dentes descartáveis, cartas de baralho impermeáveis e uma luminária para livros.

Logan certamente riria dos excessos delas, mas Bailey riria mais se ele, por acaso, precisasse de alguma coisa de suas malas. Estava levando até um pequeno rolo de fita adesiva para o caso de sua barraca rasgar, o que também havia acontecido na infeliz viagem anterior. Ela gostava de fazer rafting e, quando estava no bote, molhada e com frio, sabia que isso fazia parte da diversão, mas, quando não estava no bote, queria todos os confortos de sua casa. Certo, ela estava sendo meio fresca, mas tinha certeza de que Peaches preferiria os lenços com *Aloe vera* a ter de se lavar com um balde de água do rio e uma barra de sabão.

Estava esperando ansiosamente por aquela viagem e não conseguia tolerar a ideia de atrasar-se, mesmo que para chegar a tempo ela tivesse de aturar a companhia do Capitão Justice. Sentia vontade de reclamar sempre que escutava aquele nome. *Capitão Justice*, pelos céus! Parecia o nome de um personagem de história em quadrinhos.

Ele havia colocado suas três malas no compartimento de bagagem sem sequer gemer, mas, apesar de sua expressão estar séria, Bailey sabia o que ele estava pensando; que ela havia trazido o guarda-roupa inteiro. Se ele fosse um ser humano comum, teria, pelo menos, demonstrado certa incredulidade, ou perguntado se havia pedras dentro das malas; Bret teria resmungado e agido de modo a fazer parecer com que as malas pesavam mais do que de fato pesavam, fazendo piada da situação. Mas não o Sr. Cara de Pedra; ela nunca o vira nem mesmo sorrindo.

Quando ele a ajudou a entrar no avião, a firmeza de sua mão havia sido tão grande que ela quase hesitou. Bret não a ajudava, ela percebeu; apesar de toda a sua simpatia, ele tomava o cuidado de não ultrapassar os limites pessoais, que se haviam expandido muito desde que ela se casara com Jim. Ela simplesmente não acreditava na maioria das pessoas, o que a deixava rígida e distante. O Capitão Justice não percebera seus sinais de "não toque" ou simplesmente não se importava. Seu toque era forte, as mãos mais firmes e mais grossas do que as dos executivos e acionistas com quem ela costumava se relacionar. O choque por ser tocada e o calor da mão dele, na verdade, fizeram com que seu coração acelerasse.

Ela estava tão surpresa que mal percebeu quando ele pediu que ela se sentasse do outro lado. Assim que se acomodou no local designado, afundou o nariz no livro e fingira estar distraída, mas, por dentro, estava irritada consigo mesma.

Não era ridículo que sua reação ao simples toque de um homem fosse tão imediata? E não o toque de um homem qualquer, mas, sim, de um que claramente não gostava dela. Certo, ela não tinha uma vida amorosa no momento e as coisas continuariam assim enquanto tivesse de lidar com os filhos de Jim, porque se recusava a dar a eles motivos para que falassem dela ou um alvo. Sim, em determinados momentos ela sentia muito desejo sexual, mas esperava ter dignidade suficiente para não revelar esse fato a alguém como Justice, de fazer com que ele pensasse que ela se valorizava pouco, a ponto de qualquer homem lhe servir.

O problema era que, fisicamente, ele *era* um homem atraente — não bonito, não um rapaz belo, de jeito nenhum, pois seu rosto era sério demais para isso, mas definitivamente... atraente. Havia algo interessante em seus olhos de tom acinzentado, em um tom mais claro que o normal, com apenas um toque de azul. A expressão naqueles olhos era fria e distante, como se ele não tivesse nenhum sentimento.

Ele e Bret eram, evidentemente, bons amigos, apesar de ela não conseguir imaginá-lo mantendo uma amizade verdadeira com ninguém. Quando Bret falava sobre ele, no entanto, parecia de fato gostar de Justice e respeitá-lo. "Um piloto para todos os pilotos" era como Bret o descrevia. "Completamente tranquilo. Juro que ele não tem sentimentos. Conseguiria manter um KC-10 em um terremoto, sem se abalar."

Bailey ficara curiosa o bastante para, mais tarde, procurar na Internet para saber o que, exatamente, era um KC-10.

Agora estava fácil imaginá-lo na cabine do enorme avião-tanque, mantendo-o estável enquanto várias aeronaves se posicionavam atrás dele para serem reabastecidas. Ela não havia lido exatamente como ele funcionava, mas não pensava que isso poderia ser fácil, não a centenas de quilômetros por hora, enfrentando ventos fortes.

Saiu de seus pensamentos e percebeu que havia parado de olhar para o livro e observava as mãos dele, certas e firmes nos controles. Assustada, voltou a olhar para baixo. Felizmente, ela estava usando seus óculos escuros, assim ele não poderia ter certeza de que ela estava olhando para ele — mesmo que estivesse tentando imaginar como ela conseguia ler com as lentes escuras. E ela não conseguia mesmo, mas ele não precisava saber disso.

Ela se sentiu desconfortável, algo que não era natural para ela. Precisava relaxar e pensar em outras coisas. Se tirasse os óculos, conseguiria ler, e o livro era bom, mas, quando começou a tirar os óculos, logo mudou de ideia. Eles eram um bom escudo e ela sentia precisar de proteção.

Certo. Nada de leitura. Um cochilo, talvez?

Ainda estava cedo demais, metade da manhã. Ela poderia fingir que dormia, assim como fingira estar lendo, mas isso não redirecionaria seus pensamentos.

Se tivesse levado seu laptop, poderia jogar algum jogo, mas o deixara em casa. Ficaria sem acesso à Internet pelas duas semanas seguintes; então, depois que a bateria acabasse, o computador seria um peso inútil que ela teria de carregar, a menos que também desejasse carregar baterias extras, o que não desejava, já que estava levando coisas em excesso. O guia deles teria veículos que levariam seus equipamentos de acampamento e objetos pessoais de um local para outro, mas havia três botes, cada um com seis pessoas, o que significava que equipamentos e parafernálias de 18 pessoas teriam de ser transportados. Ela torceu para o guia ter veículos bem grandes.

Pensar nas duas semanas que viriam a deixava ansiosa. Alguns dos trechos percorridos seriam divertidos, outros excitantes, outros completamente perigosos, mas durante duas semanas ela não teria de prestar atenção a cada palavra que dissesse, e não ficaria cercada de pessoas que a detestassem ou que a olhassem com desconfiança. Poderia relaxar, rir e se divertir, ser *ela mesma*. Durante duas semanas, seria livre.

Olhou pela janela por algum tempo, observando a vastidão de Washington abaixo deles. Os aviões comerciais eram rápidos, mas ela preferia voar em aeronaves bem menores, porque conseguia ver muito melhor em altitudes mais baixas. O barulho forte do motor era hipnotizante e ela chegou a cochilar um pouco, com a cabeça apoiada no encosto do assento de couro. O sol da manhã batia no para-brisa, esquentando o lado de dentro do avião, até ela começar a sentir calor e tirar sua jaqueta de seda. Não voltaria a vestir seda nas próximas duas semanas, pensou distraidamente; o lençol de seda que ela tinha levado, para o caso de seu saco de dormir ficar quente ou frio demais, não contava.

Quando olhou para o relógio, viu com surpresa que eles estavam voando havia quase uma hora e meia; o tempo parecia estar se arrastando, mas talvez ela tivesse dormido mais do que pensara.

— Onde estamos agora? — ela perguntou, levantando a voz para que ele a escutasse.

Ele ergueu um dos fones que usava e olhou para ela.

— Senhora? — ele perguntou; sua expressão era fria, mas seu tom, educado. Mais ou menos.

— Onde estamos agora? — ela repetiu.

— Chegando a Idaho.

Ela olhou pelo para-brisa e viu enormes montanhas de picos brancos adiante. Seu coração acelerou e ela não conseguiu conter um suspiro de susto; eles estavam em rota de colisão com as montanhas, a menos que aquele aviãozinho conseguisse ir mais alto — bem mais alto.

Ele recolocou o fone, mas ela pensou ter visto um sinal de satisfação esboçado nos lábios dele. De onde estava, não podia ter certeza, mas, se ele havia escutado seu suspiro, não tinha dúvida de que ele estava se divertindo. É claro que o avião podia ir mais alto; eles não estariam dentro daquela aeronave se não fosse possível ultrapassar as montanhas com ela. *Idiota*, ela pensou irritada.

Acomodando-se de novo em seu assento, ela olhou para as montanhas. Elas continuavam bem distantes, mas eram tão grandes que pareciam estar bem diante dela, como feras pré-históricas enormes, esperando uma aproximação para que pudessem se erguer e atacar.

O que tinham as montanhas? Elas sempre mexiam com a imaginação de Bailey. Na verdade, ali estavam elas, grandes rugas na terra. De cima, lembravam folhas de papel que haviam sido amassadas, e, em seguida, meio alisadas. A menos que fossem vulcões, as montanhas nunca faziam nada, então por que elas pareciam tão vivas? Bailey não se referia a "vivas" por terem árvores nelas, nem animais pequenos e grandes ao redor, mas vivas no sentido de elas mesmas, as montanhas, parecerem viver e respirar, ter personalidade, comunicarem-se umas com as outras. Quando era pequena, pensava que os montes eram os filhos das montanhas e, conforme cresciam, todas as casas que haviam sido construídas nelas escorregavam. Lembrava-se de sentir muito medo sempre que ia a uma casa localizada em um monte, por menor que este fosse. Pensava que, a qualquer momento, o chão começaria a crescer sob seus pés e todos escorregariam e morreriam.

Aos 10 anos, ela não pensava mais nessas coisas, mas nunca perdeu a sensação de que as montanhas tinham vida.

Nuvens cinza se formavam adiante, contra as montanhas, enquanto a aeronave tentava reunir forças para subir e ultrapassá-las. As senhoras estavam se vestindo, ela pensou; as nuvens se reuniam ao redor dos ombros das montanhas como cachecóis, com os picos cobertos de neve em cima e as bases com vegetação verde abaixo.

Ao se aproximarem das montanhas, Justice começou a levá-los para uma altitude mais alta. O barulho do motor mudou, pois o ar se tornara mais rarefeito. Névoas finas se enrolavam ao redor deles, e em seguida se dissipavam; a aeronave passou por algumas turbulências no ar, assustando Bailey.

Inclinando-se para a frente, ela tentou ler a altitude no painel, mas eles passaram por outra área ruim e ela não conseguiu se concentrar nos números.

— A que altitude estamos? — ela perguntou.

— A 135 — ele disse sem tirar as mãos dos controles ou sem olhar para ela. — Vou para 160.

O ar ficou mais leve quando eles ficaram acima da área de instabilidade. Eles estavam a quatro quilômetros do solo. O *Titanic* havia afundado quase à mesma distância no mar. Era uma distância grande, ela pensou, imaginando o oceano brilhante apagando as luzes do navio, engolindo-o, quebrando e escurecendo, levando todas as vidas. Estremeceu, sentiu frio e pegou seu casaco. Parou antes de vesti-lo, observando a primeira montanha pela qual passaram.

O motor pareceu falhar.

Ela sentiu um frio na barriga como se estivesse em uma montanha-russa. O coração, de repente, acelerou. Bailey inclinou-se para frente de novo. — O que foi isso? — Seu tom de voz estava um tanto assustado.

Ele não respondeu. Sua postura mudara, já não estava mais relaxada, mas, sim, totalmente em alerta em um milésimo de segundo. Isso a assustou mais do que o breve "engasgo" do motor. Segurou-se na borda do assento, com as unhas apertando o couro.

— Tem alguma coisa errada?

— Tudo está normal — ele disse rapidamente.

— Então o quê...

— Não sei. Vamos descer um pouco.

Um pouco estava bem, então pensou, olhando para as enormes montanhas, que de repente pareciam perto demais deles, e se aproximando. Ele não podia descer muito ou eles acertariam o topo das montanhas. Mas o motor parecia estar normal; se aquele pequeno soluço fosse sinal de alguma coisa séria, ele não teria se repetido?

O motor engasgou de novo, com força suficiente para balançar a aeronave. Bailey ficou rígida, observando as pás propulsoras, escutando o motor, torcendo para que tudo voltasse ao normal.

— Continue, continue — ela disse baixinho. — Siga em frente. — Imaginou o som estável, pensou no propulsor movendo-se depressa o bastante de modo que ela não o visse. Em sua mente, o avião ergueu-se acima das montanhas; se ela se concentrasse o bastante, isso aconteceria...

O motor engasgou algumas vezes... e parou.

O silêncio se fez de modo repentino e completo. Chocada, sem nada dizer, ela viu o propulsor ficar lento, mostrando as pás, e então... parar.

5

— M*erda!*

O Capitão Justice articulou a palavra com os dentes cerrados; suas mãos agiram rapidamente enquanto tentava religar o motor, tentando manter a parte da frente da aeronave para cima. Eles estavam tão perto das montanhas que, se o nariz se voltasse para baixo, eles a acertariam em cheio. A paisagem abaixo era uma mistura de contrastes inóspitos e sombrios: picos cobertos por neve, uma neve tão branca que chegava a ser quase azul, com as sombras tão escuras que chegavam a ser pretas. As laterais eram íngremes e rugosas, em ângulos agudos, quase verticais. Não havia onde aterrissar, nenhuma área plana.

Bailey não se mexeu, não respirou. Não conseguiu. A paralisia terrível de terror absoluto e a sensação de impotência tomaram conta de seu corpo, de sua voz. Não havia nada que ela pudesse fazer para ajudar, nada que pudesse fazer para mudar o resultado. Não podia gritar; só podia observar e esperar a morte. Eles *iriam* morrer; ela não via escapatória. Dentro de poucos minutos, talvez poucos segundos, eles se chocariam contra um topo rochoso e coberto de neve da montanha. Por enquanto, por um breve momento, eles pareciam flutuar, como se o avião ainda não tivesse sucumbido às forças da gravidade — ou como se as montanhas estivessem brincando de fugir deles, deixando que ela sentisse uma leve e insensata esperança antes do choque.

— Mayday, mayday, mayday!

Escutou Justice ao rádio, enviando um aviso desesperado, a situação do avião, onde estavam naquele momento, e então ele xingou e calou-se ao lutar contra o inevitável.

O avião caiu de repente, um movimento que fez o estômago de Bailey parar em sua garganta, e ela fechou os olhos para não ver os picos rochosos na direção deles. E então a asa esquerda subiu quando a direita desceu e eles rolaram para a direita, um movimento nauseante que fez com que ela sentisse ânsia de vômito. Alguns segundos depois, a asa direita subiu e, por um breve instante, eles ficaram em uma posição reta de novo. E então a asa esquerda desceu e eles caíram para a esquerda.

Ela arregalou os olhos. Por um momento, não conseguiu concentrar-se em nada; sua visão estava limitada, fraca, e seu peito doía. Percebeu, distraidamente, que estava prendendo a respiração e, fazendo um grande esforço, soltou o ar e respirou o oxigênio. Mais uma respiração e sua visão ficou um pouco clara, o suficiente para que ela visse Justice. Ela só conseguiu ver aquele homem, como se a imagem tivesse sido ampliada e todo o restante permanecesse perdido na névoa. Conseguiu ver o lado direito do rosto dele, os músculos tensos, o suor, até mesmo a curva de seus cílios e a discreta aparência da pele recém-barbeada.

Um pensamento desesperado lhe ocorreu: ele era a última pessoa que ela veria! Respirou mais uma vez, profundamente. Ela ia morrer com ele, aquele homem que não gostava dela; uma pessoa deveria morrer perto de, pelo menos, um indivíduo que se importasse com ela. Mas a mesma coisa poderia ser dita a respeito dele e ela sentiu certa tristeza por ambos. Ele estava... ele estava... Ela voltou à realidade e prestou atenção. O que ele estava fazendo? E então percebeu que ele estava *guiando* o avião, com habilidade e pura determinação, e também rezando para todos os santos que conhecia, provavelmente. O motor havia falhado, mas ele continuava *pilotando* o maldito avião, conseguindo mantê-lo sob controle.

— Segure-se — ele disse, de qualquer modo. — Estou tentando descer a aeronave para o nível das árvores, mas pode ser que não consigamos.

Bailey sentia-se paralisada, incapaz de se mexer, de agir. Nível das árvores? De que isso adiantaria? Mas afastou o terror da mente por tempo suficiente para apertar o cinto de segurança, encostar a cabeça no encosto do assento de couro e segurar-se com força nas laterais do banco.

Fechou os olhos com força para não ver a morte chegar, mas conseguiu sentir o avião inclinar-se primeiro para um lado, depois para outro. *Termais*, ela pensou, com a palavra tomando sua atenção. Ele estava usando o movimento das correntes de ar para ajudá-los a se manter, para conseguir preciosos segundos. O avião era pesado demais para planar, mas as camadas de ar estavam tornando a descida mais lenta; ela não sabia se isso bastava e se faria diferença, mas o Capitão Justice devia estar pensando em alguma coisa, não é? Por qual outro motivo estaria tentando controlar o avião com tanto esforço? Se o resultado final terminaria sendo o mesmo, para que ele tentaria?

Apática até certo ponto, ela esperou pelo choque; o último milésimo de segundo de consciência. Esperava que morrer não doesse muito. Esperava que seus corpos fossem encontrados rapidamente, para que sua família não tivesse de sofrer ao longo de buscas sem-fim. Queria... queria muitas coisas, mas nenhuma delas aconteceria naquele momento.

Parecia, para ela, que uma hora se havia passado desde a falha do motor, mas, logicamente, apenas minutos tinham transcorrido... não, nem mesmo minutos. Menos de um minuto, com certeza, por mais infinito que parecesse.

Por que aquele avião estava demorando tanto para bater?

Por causa dele. Justice. Era ele quem estava arrastando aquela coisa. Estava vencendo as leis da gravidade, recusando-se a desistir. Ela sentiu uma vontade enorme de atacá-lo, de dizer: "Pare de prolongar isto!" Quanto terror ela teria de sofrer antes de seu coração se render sob tamanha pressão? Não que isso fizesse diferença naquelas circunstâncias...

WHAP!

O tranco fez com que ela rangesse os dentes; o que se seguiu instantaneamente foi um ronco ensurdecedor e horrível, mais trancos e barulhos e um impacto tão forte que tudo ficou escuro. O cinto em seu ombro se moveu a ponto de ficar insuportavelmente apertado. De certo modo, ela percebeu que o avião virara para a direita, balançara e caíra; o cinto de segurança a manteve no assento, mas seus braços e pernas balançaram como os de uma boneca de pano. Em seguida, o lado direito de sua cabeça chocou-se contra alguma coisa dura e ela foi engolida pela escuridão.

Bailey tossiu.

Sua mente percebeu, levemente, a reação involuntária. Havia alguma coisa errada; ela não estava respirando oxigênio suficiente. Sentiu certo susto e tentou se mexer, tentou se levantar, mas as pernas e os braços não responderam. Concentrou-se muito, totalmente, tentando mover-se, mas o esforço era demais para seu corpo e ela voltou à impotência.

Quando recobrou a consciência de novo, esforçou-se e concentrou-se, e, finalmente, conseguiu mexer os dedos da mão esquerda.

A princípio, percebeu apenas coisas pequenas, coisas que lhe vieram à mente facilmente: como era difícil mover-se, a sensação de que seu braço havia sido ferido, a necessidade de tossir de novo. Acima de tudo isso, estava a dor, insistente e implacável. O corpo todo doía, como se ela tivesse caído...

Caído. Sim. Ela havia caído. Isso mesmo. Lembrou-se de ter batido...

Não. O avião... o avião havia caído.

Finalmente se lembrou, uma lembrança misturada com surpresa e susto. O avião havia caído, mas ela estava viva. Viva!

Ela não queria abrir os olhos, não queria ver a extensão de seus ferimentos. Se alguma parte de seu corpo estivesse faltando, ela não queria saber. Se fosse o caso, ela morreria de qualquer modo, por choque e hemorragia, naquele tipo de montanha isolada a quilômetros e horas de qualquer possível ajuda. Queria apenas ficar deitada ali com os olhos fechados e deixar que ocorresse o que fosse ocorrer. Tudo lhe doía tanto que ela não podia nem mesmo pensar em se mexer e arriscar tornar a dor ainda pior.

Mas era irritante o modo como alguma coisa estava impedindo sua respiração e seu braço direito estava dolorido, com alguma coisa o apertando. Ela precisava se mexer, precisava sair dos escombros. Fogo. Sempre havia o risco de um avião pegar fogo quando batia, não é? Ela precisava se mexer.

Gemendo, ela abriu os olhos. A princípio, não conseguiu se concentrar. Só conseguia ver um borrão marrom. Continuou piscando até o borrão revelar ser, na verdade, um tipo de tecido. Seda. Era seu casaco de seda, cobrindo grande parte de sua cabeça. Com esforço, ela ergueu o braço esquerdo e afastou o casaco, conseguindo tirá-lo da frente de seus olhos. Estilhaços de vidro fizeram barulho quando o movimento fez com que caíssem.

Certo. Seu braço esquerdo estava normal. Bom sinal.

Ela tentou endireitar-se, mas alguma coisa estava errada. Nada estava onde deveria estar. Fez mais alguns esforços fracos para sentar, mas gemeu, frustrada. Em vez de se retorcer, precisava analisar a situação e ver exatamente com o que precisava lidar.

Concentrar-se não era fácil, mas era o que precisava fazer. Respirando profundamente, ela olhou ao redor, tentando entender o que via. Névoa, árvores, breves vistas do céu azul. Viu seus pés, o esquerdo descalço. Onde estava seu outro sapato? Então, de repente, outro pensamento lhe ocorreu: Capitão Justice! Onde ele estava? Ela levantou a cabeça o máximo que conseguiu e o viu imediatamente. Ele estava em seu assento, com a cabeça caída para a frente. Ela não conseguiu ver seus traços; seu rosto estava coberto pelo que parecia ser muito sangue.

Urgentemente, ela tentou endireitar-se, mas caiu ainda mais. Sua posição a deixou confusa. Ela estava deitada no chão da cabine — não, não era nada disso. Procurou se concentrar, forçando a mente a se ajustar à realidade, e de repente as coisas fizeram sentido. Ela ainda estava presa a seu assento, recostada ao lado direito do avião, que estava muito virado. Ela não conseguia se sentar porque precisava elevar o corpo e ir para a esquerda, e não poderia fazer isso a menos que conseguisse com os braços, mas seu braço direito estava preso e ela não conseguiria soltá-lo, a menos que, antes, tirasse o peso do corpo de cima dele.

Se Justice ainda não estivesse morto, logo morreria se ela não conseguisse adotar uma posição para ajudá-lo. *Sair do assento*. Era o que ela precisava fazer. Com a mão direita, procurou o cinto de segurança e o abriu. Quando o cinto se abriu, a parte de baixo de seu corpo se soltou do assento, sofrendo um choque que a fez gemer de novo, mas ela continuava presa pela parte de cima no cinto. Procurou se livrar dele e conseguiu ficar de joelhos.

Não era à toa que ela sentia que seu braço esquerdo estava com um corte: de fato, havia sofrido um. Um pedaço triangular de metal machucou seu tríceps. Com raiva da ferida, ela afastou o objeto e o jogou longe, e foi para a frente até conseguir alcançar Justice.

O ângulo do avião tornava difícil equilibrar-se, mesmo que ela não estivesse tonta, lutando contra suas dores e ferimentos, mas apoiou o pé direito contra a lateral do avião e endireitou-se para que pudesse alcançar o pequeno espaço entre os assentos dos dois pilotos.

Oh, Deus, havia muito sangue. Estaria ele morto? Ele havia se esforçado tanto para colocar o avião em um ângulo no qual eles pudessem sobreviver que ela não toleraria se ele tivesse salvo a vida dela e morrido na tentativa. Com a mão tremendo, ela esticou o braço e tocou o pescoço dele, mas seu corpo estava tomado pelos danos causados no acidente para parar de tremer e ela não sabia se ele estava vivo ou não. — Você não pode ter morrido — ela sussurrou desesperadamente, mantendo a mão sob o nariz dele, tentando detectar sua respiração. Acreditou que ele estava vivo e observou o peito dele. Finalmente, viu o movimento de respiração e sentiu um alívio tão grande que quase começou a chorar.

Ele ainda estava vivo, porém inconsciente e ferido. O que ela deveria fazer? Deveria movê-lo? E se ele tivesse machucado a coluna? Mas e se ela não fizesse nada e ele sangrasse até morrer?

Ela recostou a cabeça na lateral do assento dele apenas por um momento. Pense, Bailey!, ela disse a si mesma. Precisava fazer alguma coisa. Tinha de lidar com o que soubesse ser o problema dele, sem tentar adivinhar, e sabia com certeza que ele estava perdendo muito sangue. Por isso, a primeira coisa a fazer era interromper o sangramento.

Olhou para cima, procurando por algum lugar no qual pudesse se segurar para conseguir chegar ao cockpit, mas não encontrou nada, literalmente. A asa esquerda e grande parte da fuselagem daquele lado não estavam mais ali, haviam sido retiradas como se um abridor de latas gigante tivesse aberto a aeronave. Não havia nada em que se segurar, exceto pelas bordas afiadas do metal do avião. Parte de um tronco quebrado de árvore entrou pela abertura.

Não havia nada mais para usar, por isso ela se segurou na borda do assento de Justice e puxou-se para cima, enfiando-se entre o que havia restado do teto e a parte de cima do assento do copiloto. A melhor posição na qual conseguia ficar era agachada, com os pés apoiados na porta direita. — Justice — ela disse, porque lera em algum lugar que as pessoas inconscientes às vezes conseguiam escutar e reagir um pouco a seus nomes. Independentemente de isso ser verdade ou não, não custava tentar.

— Justice! — ela chamou de novo, com mais insistência, ao segurar os ombros dele e tentar endireitá-lo. Era como puxar um tronco de árvore. A cabeça dele pendeu para o lado e o sangue pingou de seu nariz e queixo.

Puxá-lo não daria certo. O cinto de segurança o estava segurando no assento, mas ela estava agindo contra a gravidade. Precisava soltar o cinto e tirá-lo do assento, tentar tirá-lo do avião.

Assim como havia acontecido com ela, ele cairia do assento assim que o cinto de segurança fosse solto, mas era um avião pequeno; a distância era de alguns metros, no máximo. Mesmo assim, a fuselagem havia sido amassada para dentro, no lado do copiloto, e o galho da árvore entrara pela peça de metal como uma estaca no coração de um vampiro. A ponta afiada do galho de árvore estava virada para trás, e não para cima, mas ela não queria correr o risco de ele se ferir ainda mais, por isso olhou ao redor à procura de alguma coisa para colocar acima do galho.

Logo pensou em sua bolsa, mas não a encontrou. Estava do lado esquerdo do banco, por isso deve ter voado longe quando aquele lado do avião se abriu. Ela só conseguiu ver seu casaco de seda manchado de sangue. Girando, gemendo pelo esforço que fazia, ela conseguiu puxar a peça pela manga até ela. O tecido era fino, não pesava nada. A seda era forte, mas precisava, naquele momento, de algo mais volumoso para cobrir a ponta afiada do galho.

E teve uma ideia. Rapidamente inclinou-se para a frente e tirou o sapato que ainda calçava, um calçado de marca muito cara, e o prendeu na ponta do galho. Depois, dobrou o casaco e colocou sobre o galho da árvore, para aumentar a proteção.

— Certo, Justice, vamos sair desse assento — ela disse delicadamente. — Depois vou ver como posso tirá-lo do avião, mas vamos começar por ordem. Quando eu soltar seu cinto de segurança, você vai cair um pouco, talvez meio metro. Pronto? — Ele provavelmente cairia sobre *ela*, levando em conta o espaço muito restrito, e então ela ficaria sem ter como escapar. Estava em uma posição muito ruim. Suspirando, ela saiu de cima do assento e foi para trás de novo.

Ele gemeu baixo.

Ela pulou, assustando-se com o som, a ponto de quase gritar.

— Oh, graças a Deus — ela disse a si mesma ao endireitar-se. Com uma voz um pouco mais alta do que o normal, ela chamou o nome dele de novo: — Justice! Acorde: Não consigo tirá-lo do avião sozinha; você precisa tentar me ajudar. Vou soltar o cinto de segurança agora, tudo bem? — Enquanto ela falava, passava a mão ao redor, procurando pelo cinto, até encontrar a peça de metal. Com um toque rápido, ele se soltou do cinto como uma pedra, para seu lado direito, com a cabeça e os ombros apoiando-se no chão, as pernas compridas ainda caídas sobre o painel e misturadas com os controles.

— Que droga! — ela gritou. Aquela posição não ajudava; ele estava de costas para ela, e ela ainda não conseguia ver muito de seu rosto ensanguentado. Tampouco havia espaço para ir para a frente, a fim de checar de onde o sangue estava saindo.

Bailey respirou profundamente mais algumas vezes, tentando pensar em como lidaria com aquela situação. O ar que aspirou estava frio, com cheiro de sempre-verde. O efeito foi forte. Mais uma vez, ela analisou a situação. Não conseguiria arrastá-lo — ele era muito pesado, e o avião estava muito inclinado. Por outro lado, se conseguisse abrir a porta do copiloto, poderia tirá-lo por ali. Analisando o galho protuberante, viu que ele havia entrado na cabine mais para a frente da porta, por isso não haveria impedimento. Mas, pela maneira como o avião estava virado, a porta poderia estar bloqueada. Ela olhou pelas janelas do lado direito, que estavam tão arranhadas que ela mal conseguia enxergar através delas, muito menos dizer se alguma coisa estava bloqueando a porta.

A janela do copiloto estava trancada. Se conseguisse empurrá-la e abri-la... e agiu logo depois de pensar, mas a estrutura estava presa o bastante a ponto de a dobradiça da janela não funcionar, e ela não conseguiria apoiar-se para tentar mais. Frustrada, ergueu o punho e usou a lateral dele para bater na janela, sem nada conseguir além de fazer a própria mão doer.

— Droga, droga, *droga*! — ela disse frustrada. Se não conseguia abrir a janela, provavelmente não conseguiria abrir a porta. — Por outro lado — ela disse a si mesma em voz alta —, por que estou perdendo tempo com a janela quando preciso abrir a *porta*? — Se conseguisse abrir a porta, não precisaria abrir a janela.

Sentiu que estava deixando de lado pontos óbvios, que seu cérebro não estava funcionando normalmente, mas estava fazendo o melhor que podia naquelas circunstâncias. Seu corpo todo doía, como se ela tivesse levado uma surra; a cabeça doía e o braço estava sangrando. Recobraria sua sanidade total quando pudesse, e, se alguém não gostasse disso, paciência.

Paciência. Muito engraçado. Rá-rá. E não havia ninguém ali para gostar ou não de suas decisões — além de Justice, que não estava em condições de dizer coisa alguma —, por isso aquela ideia era perda de tempo.

Pernas. As pernas eram muito mais fortes do que os braços, e ela era mais forte do que a maioria das mulheres graças às muitas horas de exercícios físicos. Conseguia erguer 180 quilos com as pernas. Ela não era uma fracote, e não podia pensar que era. Se a porta estivesse presa, talvez pudesse abri-la com as pernas.

O corpo de Justice estava no caminho, mas ela pensou que poderia se apoiar. Mas, antes de tentar, jogou o peso do corpo na porta para ver se a fechadura cederia. Sentiu resistência, mas esperara por isso e tentou com mais força. Finalmente a fechadura cedeu, mas a porta não abriu. Não era de surpreender.

Ela tinha de encontrar uma maneira de segurar a maçaneta na posição aberta ou nunca conseguiria abrir a porta. Não havia nada para prender a porta. Teria de enfiar algo mais rígido sobre ela, e no momento não havia qualquer material firme.

Talvez houvesse alguma coisa embaixo dos assentos. As pessoas colocavam coisas ali o tempo todo. Esticando a mão, ela procurou embaixo de todos os assentos. Nada.

Talvez uma meia resolvesse. Tirando uma de suas meias finas, ela a girou, formando uma corda, e a enrolou ao redor da maçaneta, girando de novo para mantê-la presa.

Girando no banco, ela dobrou o corpo no assento do copiloto do modo mais apertado que conseguiu e colocou os pés contra a porta. A posição era totalmente estranha, mas, ao usar a meia para segurar a maçaneta, ela ganhou preciosos centímetros. Fazendo força com o ombro e o braço, ela empurrou com os pés sobre a meia, mais uma vez sentindo o metal que não queria ceder finalmente soltar-se. Com a outra mão, ela segurou a beira do assento para não se lançar para trás, sem nada conseguir. — Por favor — ela sussurrou e lentamente começou a puxar. Os músculos de suas coxas se contraíram. Os músculos menores ao redor de seus joelhos enrijeceram quando ela aplicou pressão neles. Seus dedos, afundados na borda do assento, começaram a doer e então a escorregar. Com fúria, ela se segurou naquela posição e, com um esforço final, fez o que pôde para fortalecer as pernas.

A porta se abriu, a mão escorregou do assento e ela relaxou depois do esforço. Rapidamente endireitou-se, com o coração aos pulos. Isso! Tirando a meia da maçaneta, vestiu-a novamente, apoiou os pés contra a porta e empurrou mais, conseguindo uma abertura de cerca de 30 centímetros. Conseguiria passar por ali, pensou triunfante, inclinando-se para a frente para ver se havia alguma coisa em seu caminho, como uma árvore ou pedra. Não viu obstrução alguma, por isso virou-se até deitar-se de barriga para baixo, depois passou por Justice e, virando-se, saiu pela porta. O metal raspou em suas costas, quadril, mas ela passou e pisou no chão coberto por neve.

O frio passou por suas meias finas. Ela precisava calçar os sapatos e meias secas, naquele momento, para não sofrer geladuras. Mas seus pés teriam de esperar até ela ajudar Justice.

Analisando a abertura, pensou no tamanho do piloto; ele não passaria por ali; seu peito provavelmente era grande demais. Ela teria de abrir mais a porta. Segurando a borda, ela puxou até ganhar mais alguns centímetros no metal. Esse espaço precisava bastar, ela pensou, respirando mais rapidamente do que gostava. Àquela altitude, precisava ser cuidadosa e não se cansar demais, ou sofreria de mal das montanhas. Já estava suando um pouco, e isso era perigoso no frio. Estava vestindo apenas uma calça fina e uma blusa de seda, além de calcinha, sutiã e meias, e nenhuma peça ajudava a mantê-la aquecida. Havia muitas roupas em sua mala, mas pegá-las exigiria grande esforço e ela precisava tirar Justice dali em primeiro lugar.

Justice gemeu de novo. Lembrando de como havia recobrado a consciência lentamente, a dificuldade que sentira em reagir, começou a conversar com ele, agachando-se na porta aberta e colocando os braços para dentro, embaixo dos braços dele. — Justice, acorde. Vou tirar você do avião agora. Não sei se alguma parte de seu corpo está quebrada, por isso você precisa me dizer se eu machucá-lo, certo?

Nenhuma resposta.

Bailey enrijeceu os músculos das pernas e empurrou para trás. Da posição que estava, agachada, não conseguia muito apoio, mas ela o puxava para baixo, então a gravidade ajudava. Quando sua cabeça e ombros já haviam passado pela abertura, ela mudou de posição até estar mais embaixo dele; ele era um peso morto, completamente solto e incapaz de ajudar a si mesmo, por isso ela tinha de proteger sua cabeça. Parou por um instante para respirar e empurrou os joelhos para cima, pressionou os calcanhares no chão e empurrou-se para trás mais uma vez, arrastando-o com ela. Seu corpo foi para a frente e ele caiu para fora do avião, parando em cima dela e prendendo-a no chão gelado.

Oh, Deus. Ela conseguia ver o rosto dele naquele instante, viu o grande corte que começava cerca de sete centímetros atrás, em seu couro cabeludo, e atravessava a testa, terminando acima da sobrancelha direita. Ela não sabia muito sobre primeiros socorros, mas sabia que um corte como aquele na cabeça podia causar grande perda de sangue. A prova disso escurecia os traços dele, manchando sua camisa e calça.

Ele era muito pesado. Ofegante, ela saiu debaixo dele e o colocou de costas no chão. Sua energia estava acabando rapidamente, e ela ficou sentada por um instante, com a cabeça baixa, tentando, mais uma vez, retomar o fôlego. Seus pés doíam, estavam muito frios, e agora suas roupas estavam tomadas por neve e rapidamente ficavam molhadas. O acidente em si não a matara, mas a altitude e a hipotermia poderiam fazer isso rápido.

Justice começou a respirar de modo mais intenso. Bailey chamou: — Justice?

Ele engoliu em seco e respondeu: — Que porra é essa?

Ela riu rapidamente. A situação não era menos desesperadora, mas pelo menos ele recobrava a consciência. — O avião caiu. Estamos vivos, mas você tem um corte feio na cabeça e eu preciso parar o sangramento. — Lentamente, ela ficou de joelhos e inclinou-se na direção do cockpit, procurando o outro sapato e o casaco. Estava com muito frio e, apesar de o casaco ser fino, era melhor que nada. Começou a vesti-lo, mas parou. Virou uma das mangas para poder pegar a barra e começou a puxar. Precisava de alguma coisa que pudesse usar como curativo para o corte, a fim de aplicar pressão, e aquilo era tudo o que tinha.

Ele tossiu e disse mais alguma coisa. Ela parou. Não havia entendido tudo o que ele dissera, mas parte de suas palavras parecia ser "kit de primeiros socorros". Ela se inclinou para eles.

— O quê? Eu não entendi. Há um kit de primeiros socorros?

Ele engoliu em seco de novo. Não havia aberto os olhos, mas estava vencendo a guerra contra a inconsciência. — Porta-luvas — ele murmurou.

Graças a Deus! Um kit de primeiros socorros seria a salvação... se conseguisse abrir o porta-luvas, ela pensou. Agachou-se e voltou a entrar na aeronave. O porta-luvas estava na frente do banco do copiloto. Passando os dedos por baixo da trava, ela a segurou, mas o porta-luvas não queria cooperar como a porta fizera. Ela bateu nele com o punho e puxou mais. Nada.

Ela precisava de alguma coisa firme, com uma borda afiada, para abrir a caixa. Ela olhou ao redor pela trigésima vez. Deveria haver alguma coisa nos escombros que ela pudesse usar, como... como aquele pé de cabra preso por duas alças na lateral do assento do copiloto. Ela olhou para ele incrédula. Estaria alucinando? Piscou, mas o pé de cabra continuava ali. Ela o tocou, sentiu o metal frio e rugoso. A ferramenta era curta, cerca de 30 centímetros, mas era de verdade, exatamente o que ela precisava.

Retirando o pé de cabra das alças, ela enfiou a ponta afiada no meio da porta, onde ficava o mecanismo de tranca, e empurrou para cima. A tampa não cedeu a princípio, mas acabou abrindo.

Ela pegou a caixa verde-oliva com a cruz vermelha na tampa e, mais uma vez, saiu, ajoelhando-se ao lado dele na neve, ela abriu as travas da caixa. Por que tudo tinha de ter uma maldita trava. Por que as coisas não podiam simplesmente *abrir*?

Ele abriu levemente os olhos e conseguiu levar a mão até a cabeça. Bailey segurou o punho dele. — Não toque. Você está sangrando muito, por isso preciso aplicar pressão sobre o ferimento.

— Costure — ele disse, fechando os olhos com o sangue escorrendo entre eles.

— O quê?

Ele respirou algumas vezes; inspirar era difícil. — Na caixa. A linha.

Ela olhou para ele, chocada. Podia pressionar a ferida. Podia limpar o corpo, poderia aplicar as bandagens para fechar o ferimento. Poderia passar remédio. Mas ele queria que ela o *costurasse*?

— Que droga! — ela exclamou.

6

Discutir com um homem semiconsciente não fazia sentido, mas Bailey não conseguia parar:

— Não tenho conhecimento médico, a menos que conte ter assistido ao *Plantão Médico*. Ninguém, em sã consciência, desejaria que eu o costurasse, mas, é verdade, você não está em sã consciência, certo? Você tem um ferimento na cabeça. Levando em consideração que não devemos deixar uma pessoa provavelmente com dano cerebral tomar decisões, vou ignorar essa sugestão. Além disso, não sei costurar.

— Aprenda — ele disse. — Seja útil.

Ela ficou com raiva. Útil? O que ele achava que ela estava fazendo durante o tempo em que passou desmaiado? Achava que ele havia saído do avião sozinho? Estava molhada, com frio, porque estava deitada na neve, tirando-o de dentro do avião. Suas mãos estavam ficando azuis, e ela tremia tanto que seria benfeito para ele se ela realmente tentasse costurá-lo.

O frio fez com que ela pensasse no casaco. Esquecera-se dele, o que era prova ainda maior de que o choque ou o frio, ou ambos, haviam deixado mais lento seu raciocínio. Ela vestiu a peça, feliz por ter pelo menos aquela proteção fina do frio, mas estava tão molhada que não tinha certeza de que qualquer coisa fosse capaz de esquentá-la, a menos que ela se secasse.

Silenciosamente, ela abriu um pacote de gaze e colocou duas delas sobre o corte na cabeça de Justice, usando as mãos para mantê-las no lugar e para aplicar pressão. Ele gemeu, controlou-se e ficou deitado, sem se mexer.

Ela, provavelmente, deveria conversar com ele, pensou, para mantê-lo consciente e concentrado: — Não sei por onde começar — ela confessou. Tremeu um pouco e parou de falar, com os dentes rangendo com tanta força que não conseguia dizer mais nada. Quando o tremor passou, ela se concentrou em segurar as gazes no local certo. — Preciso parar esse sangramento. Mas estamos na neve. — Mais uma vez, ela tremeu e parou de falar. — Estou com tanto frio que mal consigo me mexer. Você vai entrar em choque...

Ele respirou profundamente algumas vezes, como se estivesse se preparando para o grande esforço de falar. — Kit — ele disse, finalmente. — Cobertor... embaixo do kit.

O único kit disponível era o de primeiros socorros. Deixando as gazes sobre a cabeça dele, ela começou a tirar coisas do kit e a colocá-las na tampa aberta. Embaixo de tudo, muito bem dobrado em um saco fechado, estava um cobertor fino. Abrindo o saco, ela o viu. Não sabia se ele ajudaria muito, pois nunca o usara antes, mas não queria levantar dúvidas sobre nada que pudesse usar como uma barreira entre eles e o frio. Sentiu vontade de se enrolar com o cobertor e ficar bem encolhida até se sentir menos gelada, mas ele perdera muito sangue e precisava do cobertor mais do que ela.

O que deveria fazer: colocar o cobertor sob ele para protegê-lo da neve ou sobre, para ajudar a manter qualquer calor corporal que ainda tivesse? Ele conseguiria se aquecer, deitado na neve? Droga! Ela não conseguia pensar! Teria de fazer tudo segundo sua intuição. — Vou estender o cobertor ao seu lado — ela disse, agindo depois de falar. — Agora, vou ajudá-lo a deitar-se sobre ele, para tirar seu corpo da neve. Você vai ter de me ajudar. Consegue fazer isso?

— Sim — ele disse, com esforço.

— Certo, vamos lá. — Ajoelhando-se sobre o cobertor, ela colocou o braço direito embaixo do pescoço dele, segurou a parte da frente do cinto dele com a mão esquerda e o ergueu. Ele ajudou até onde conseguiu, usando os pés e o braço direito; a vantagem era o fato de ele não mais ser um peso morto. Colocando todos os músculos em ação, ela o moveu de modo que a maior parte de seu tronco, pelo menos, ficasse sobre o cobertor, e decidiu que isso bastava. Rapidamente dobrou o resto do cobertor sobre ele, prendendo-o onde conseguiu.

De repente, tonta e com náuseas, ela caiu ao chão ao lado dele. *Mal das montanhas*, pensou. Ela estava quase no limite de sua capacidade. Se tentasse se esforçar mais, acabaria deitada na neve, incapaz de levantar, e morreria antes do amanhecer do dia seguinte — talvez antes do entardecer daquele mesmo dia.

Ainda assim, ela precisava chegar à bagagem deles, vestir uma roupa seca e muitas peças — já. Precisava agir ou ambos morreriam.

Passou a respirar lentamente e de modo curto para alimentar o corpo com oxigênio. Devagar — esse era o segredo. Ela deveria se movimentar lentamente, quando pudesse, sem deixar o pânico tomar conta de seu corpo. Precisava planejar todos os movimentos, pensar bem antes de agir e não permitir que qualquer esforço fosse desperdiçado.

A bagagem estava dentro da aeronave, no compartimento próprio, protegida por uma rede de carga que mantinha as malas juntas no caso de turbulência, apesar de ela ter pensado que suas malas eram, provavelmente, grandes demais para caberem no espaço entre o teto e a parte de trás dos assentos. O problema era que, apesar de a maior parte do teto não mais existir e de as malas caberem no espaço, elas teriam de ser erguidas quase retas, e eram muito pesadas. E ela estava tão fraca, com frio e tão exausta que acreditava não ser capaz de concluir a tarefa. Teria de abrir as malas ainda dentro do compartimento de bagagem, tirando delas o que precisasse.

Teria de abrir o compartimento de carga. Tinha certeza de que conseguiria encontrar os clipes, mas não sabia se seria capaz de abri-los se eles fossem muito fortes. Se fosse o caso, precisaria encontrar uma maneira de abrir a rede.

— Precisamos nos aquecer. Preciso pegar mais roupas de minha mala — ela disse a ele. — Se, por algum motivo, eu não conseguir abrir a rede, você tem um canivete que eu possa usar?

Os olhos dele abriram um pouco e voltaram a se fechar.

— Bolso esquerdo.

De joelhos, ela tirou o cobertor que havia acabado de prender sob o corpo dele e escorregou a mão direita dentro do bolso. O calor ali a surpreendeu, e estava tão bom que ela quase gemeu, mas seus dedos estavam tão gelados e adormecidos que não conseguia perceber se estava tocando o canivete ou não. Ela agarrou o que conseguiu.

— Tome cuidado — ele gemeu. — O Velho Charlie está por aí, e está preso.

Bailey reclamou: — Então, mantenha-o fora do caminho, ou pode acabar sendo cortado. — Homens. Eles estavam ali, prestes a morrer de hipotermia e, no caso dele, de hemorragia, mas ele ainda se preocupava em proteger o pênis. — Velho Charlie é o seu nariz —

ela murmurou, tirando a mão do bolso dele para ver se havia pegado o canivete.

Ele esboçou um leve sorriso por um instante e logo voltou a ficar sério.

Ela parou, olhando para o rosto ensanguentado de Justice. Aquele tinha sido o primeiro sinal de humor que ela o vira demonstrar, e ela ficou tocada, porque, apesar de tudo que pudesse fazer, era provável que eles não saíssem daquela situação vivos. Ele não havia desistido, descera o avião, mantendo-os vivos, e ela não conseguiria lidar com o fato de que, mesmo assim, ele poderia morrer porque ela havia tomado a decisão errada ou porque não fizera o suficiente. Ela devia a própria vida a ele, e faria qualquer coisa que pudesse para salvar a dele — mesmo que para isso precisasse costurá-lo. Droga!

O canivete e algumas moedas de troco estavam em sua mão. Pegando o canivete, ela devolveu o dinheiro ao bolso dele e voltou a cobri-lo. — Voltarei logo — ela disse, tocando-o de modo reconfortante no peito.

O avião estava diante dela, uma ave ferida com a asa direita destruída e a esquerda totalmente desaparecida. Eles estavam do lado para onde a aeronave estava tombada, que não era o ponto mais seguro para se estar se o avião começasse a escorregar, ela pensou. Não acreditava que isso pudesse ocorrer, uma vez que a asa destruída estava enterrada na neve. Além disso, três galhos de árvore presos à fuselagem eram mais um ponto de ancoragem, mas ela preferia se precaver e ir para o lado mais seguro, e tentaria fazer isso assim que colocasse mais roupas, ficasse mais aquecida e quando se sentisse mais capaz de realizar o esforço.

Ela não tinha bolsos nas roupas, por isso segurou o canivete com os dentes ao voltar para dentro da aeronave e foi para o fundo. Ajoelhada sobre o assento, ela esticou-se na direção do compartimento de bagagem, procurando os clipes da rede de carga na parte de trás da cabine. Para seu alívio, a rede se soltou facilmente. Colocando-a para o lado, ela procurou o zíper de uma das malas para abri-la; as malas eram idênticas, por isso ela não sabia o que havia em cada uma, mas não se importava. Queria se secar, queria ficar aquecida e não importava quais roupas vestisse.

A mala de Justice também estava ali, mas era uma pequena mala típica de pilotos, uma espécie de valise, grande o bastante para comportar o kit de barbear e uma troca de roupa. Pegou a mala e a colocou sobre o assento, pois não fazia sentido deixá-la dentro do avião, mesmo que ele não precisasse de nada que estava dentro dela. Por ora, tinha muitas roupas com as quais conseguiria agasalhá-lo. Ele não precisava de nada para vestir, uma vez que não conseguia nem ficar em pé. Ele precisaria de roupas, sim, mas ela pensou em guardá-las para quando ele conseguisse vesti-las, mais tarde.

Começou a tirar as roupas das malas que havia aberto. Quando encontrou uma camisa de flanela, parou e tirou o casaco e o top de seda, seu sutiã também estava molhado, por isso ela o tirou. Tremendo de frio, vestiu a camisa de flanela antes de terminar de esvaziar a mala. Ao encontrar peças quentes que poderia usar ali, parou e as vestiu. Meias. Calças de moletom. Outro par de meias. Uma blusa grossa com bolsos fundos para aquecer as mãos; colocou o canivete de Justice em um dos bolsos. Também precisava de algo para cobrir a cabeça, mas a única coisa que levara para a viagem com capuz era uma blusa de lã. Sem querer esperar até encontrar a peça, ela usou uma camisa de mangas compridas que encontrou, dobrando-a e amarrando as mangas sob seu queixo como se fosse uma bandana.

Ela já estava se sentindo melhor, se simplesmente não se sentir tão mal pudesse ser considerado "melhor".

Encontrou os sacos plásticos de lixo que ela havia colocado na mala para usar como sacos para roupas sujas, e começou a colocar as peças dentro deles. Depois de esvaziar uma das malas, ela a deixou de lado e virou a outra bolsa para poder encontrar o zíper. Nessa mala, encontrou o par de botas de escalada que havia levado e parou para calçá-las. Esquentar os pés *antes* de calçar as botas teria sido bom, mas não pôde se dar a esse luxo.

Possuía roupas suficientes para protegê-lo agora, por isso parou e deixou a segunda mala parcialmente aberta, e a outra sem abrir. Jogando a valise dele pela porta aberta, além de mais dois sacos de lixo repletos de roupas, saiu com as malas. Conforme saiu, olhou para o chão coberto por vinil na frente dos assentos do piloto e do copiloto. Pegando o canivete de Justice do bolso da blusa, abriu a proteção e começou o trabalho.

Ele estava deitado, sem se mexer, os olhos continuavam fechados. As gazes que cobriam sua testa estavam empapadas de sangue.

— Voltei — ela disse, colocando o pedaço de vinil ao lado dele e ajoelhando sobre a peça; secar-se tinha sido importante, mas manter-se seca era igualmente primordial. — Trouxe roupas para cobri-lo, assim que conseguir parar o sangramento e tirar você dessas peças sujas de sangue.

— Certo — ele disse.

Felizmente, ele não havia perdido a consciência de novo, mas a voz estava mais fraca. Pegando mais duas gazes do kit de primeiros socorros, ela as colocou sobre as já ensanguentadas e aplicou pressão. Dessa vez, ficou onde estava, conversando com ele o tempo todo, dizendo tudo que havia feito e como o fizera. Se discordasse de alguma coisa, poderia dizer, mas ele se manteve em silêncio.

Ela não havia pensado em contar o tempo que estivesse mantendo a pressão, mas, na terceira vez em que ergueu a ponta das gazes para ver, o sangramento diminuíra muito. Aplicou pressão mais uma vez, mantendo-a por cerca de cinco minutos, e voltou a olhar. Não havia mais sangue saindo do corte. — Acredito que já resolveu — ela disse. — Finalmente.

O passo seguinte seria lavar qualquer sujeira do corte, mas para isso precisava de água. Havia colocado uma garrafa de água em sua bolsa, mas não sabia onde estava naquele momento. Precisava estar em algum lugar por ali. Provavelmente havia caído do avião quando a asa esquerda foi destruída, por isso, se localizasse a asa perdida, a bolsa deveria estar entre ela e o restante do avião.

— Vou procurar por água — disse a ele.

— Não vou sair daqui.

Não ia mesmo; ela duvidava que ele fosse capaz de ficar em pé sozinho.

Colocando-se em pé, ela começou a examinar a área ao redor do avião. Quando não viu a bolsa, acompanhou adiante, com os olhos, o caminho que o avião havia tomado, marcado com galhos quebrados e espalhados.

Arregalou os olhos. As montanhas estavam diante dela, silenciosas e tomadas pela neve. O único barulho que se escutava era o soprar dos ventos nas árvores. Não se escutavam as folhas, nem o canto dos pássaros.

As montanhas eram enormes, surgindo acima dela de todos os lados, tão altas que logo bloqueariam o sol da tarde. Lentamente, sentindo-se perdida, girou. Não havia nada além de montanhas e mais montanhas até onde a vista alcançava. Elas se espalhavam abaixo, enormes bases cobertas com nuvens cinzentas. Aberturas profundas e incrivelmente rugosas na terra criaram sombras escuras onde o sol quase não alcançava. O avião não era nada além de um pontinho na encosta íngreme da montanha, já meio coberto pelos galhos das árvores nas quais havia batido, e aquelas sombras escuras se espalhavam em direção a ele.

Ela se sentiu pequena, insignificante, um nada. Ela e Justice *eram* nada, percebeu. Eram totalmente, completamente insignificantes para aquelas montanhas. Qualquer ajuda levaria dias para chegar. Estavam sozinhos.

7

Bailey procurou pela bolsa o máximo que pôde sem se exaurir, mas uma busca mais completa envolveria subir a encosta íngreme, vertical em alguns pontos, e ela simplesmente não seria capaz de fazer isso. Desistindo, por fim, ela voltou lentamente para onde estava Justice. Ele estava péssimo, ela pensou, e não era apenas por causa do sangue; ele estava deitado, parado, como se a vida lhe fugisse lentamente, apesar de o sangramento ter sido estancado. O que a hemorragia não havia conseguido sozinha o frio e o choque estavam concluindo. Ela sentiu um frio na barriga ao pensar nisso. — Justice, você está acordado?

Ele gemeu em resposta.

— Não consigo encontrar a garrafa de água que trouxe. Tem a neve, mas não tenho como acender uma fogueira para derretê-la. Se eu costurar esse corte sem lavá-lo antes, haverá um grande risco de infecção. Vou limpá-lo da melhor maneira que conseguir com os lenços umedecidos com álcool, mas antes vou tentar mantê-lo aquecido. — Ela lançou um olhar de preocupação para o avião.

Continuava achando que ele não escorregaria, mas não poderia contar com essa possibilidade. Mas tirá-lo daquele lugar era outra coisa que teria de esperar.

— Ótimo — ele disse, sussurrando.

Com rapidez, ela ergueu os pés dele e colocou um dos sacos de lixo com as roupas sob eles. Abrindo o outro saco, ela tirou outra camisa de flanela e a dobrou, colocando-a com delicadeza ao redor da cabeça dele para impedir que ele perdesse ainda mais calor corporal. Em seguida, colocou o cobertor de lado e dispôs as roupas sobre ele, começando pelos pés e subindo. Quando chegou à camisa, fria e molhada de sangue, abriu o canivete e simplesmente rasgou-a de seu corpo, limpou o sangue de seu peito da melhor forma que pôde com a primeira coisa que encontrou, que, por acaso, foi uma de suas peças íntimas.

Quando ele já estava o mais seco que ela conseguia deixá-lo, ela colocou mais roupas sobre seu peito e ombros. Por fim, ela deitou-se ao lado dele, aconchegada sob as camadas de roupa até ficar em contato com o corpo dele e abraçá-lo, e, como uma cobertura final, puxou outra camisa para cima da cabeça de ambos para que o ar que respirassem ficasse mais quente. A camisa não bloqueou toda a luz, mas o efeito era, mais ou menos, como estar em uma caverna. A respiração de ambos quase imediatamente deixou o ar mais quente contra o rosto dela, e o pequeno conforto foi tão bem-vindo que ela sentiu vontade de chorar de alívio.

O corpo dele estava muito gelado contra o dela. Ele precisava de alguma coisa quente para beber, ou de algo doce para comer, para ajudá-lo a combater o choque e o frio. Ela ainda não estava pensando de modo claro, porque, apesar de não haver nada para beber, ela havia colocado algumas barras de chocolate e alguns chicletes dentro de uma das bolsas — evidentemente, a bolsa que não abrira. Ela devia ter pensado neles e tentado encontrá-los.

Ela tremia menos agora, mas ele não estava tremendo nem um pouco. Isso não era um bom sinal.

— Ei, Justice — ela disse. — Fique acordado. Converse comigo. Diga se consegue sentir meu calor.

Por muito tempo, ele não respondeu, fazendo com que ela temesse que ele tivesse perdido a consciência de novo, mas, por fim, disse: — Não.

Talvez ela estivesse com roupas demais para que seu calor o aquecesse. Virando-se sob a pilha de roupas, ela removeu a blusa e a colocou sobre o corpo dele para que fosse a primeira camada próxima do corpo dele. Ela sentiu mais frio sem a blusa, mas aconchegou-se perto o suficiente, de modo a ficar parcialmente coberta pela blusa também. A peça havia absorvido um pouco do calor de seu corpo, porque ela conseguia senti-lo nas mãos geladas.

— Senti isso — ele disse meio sonolento.

— Ótimo. Você precisa ficar acordado, por isso continue falando comigo. Se não conseguir pensar em nada interessante para dizer, simplesmente faça um barulho de vez em quando para eu saber que você continua consciente.

Ela começou a passar a mão esquerda sobre o peito, ombros e braços dele, para estimular sua circulação. — Tenho alguns chocolates em uma de minhas bolsas. Quando você ficar mais quente, vou tirá-los de lá e dar um pouco de açúcar a você; assim, você vai se sentir melhor. — Ela parou. — Agora você deve dizer alguma coisa.

— Alguma coisa.

— Espertinho. — Apesar de ele ter dito isso com dificuldade, ela se sentiu mais animada. Se ele ainda conseguia fazer piadinhas, talvez não estivesse tão mal quanto ela temia.

* * *

Cam escutou a Sra. Wingate falando. Era como se sua consciência estivesse dividida em duas partes e uma parte dele havia desaparecido em meio à neblina, voltando apenas quando ela pedia que ele respondesse. De modo mais consciente, ele tinha noção de seu problema físico; estava com tanto frio que passara a ver a palavra "problema" de outro modo. Por que as duas partes não poderiam trocar de lugar, fazendo com que a consciência corporal sumisse? Só não queria, naquele momento, que as duas partes se unissem, mas, ao mesmo tempo, sabia que não poderia perder a consciência.

Escutar a voz dela possibilitava a ele concentrar-se em alguma coisa, ajudava a mantê-lo consciente. Sabia que estava ferido e até sabia o motivo, mesmo que estivesse meio tonto no momento. Ele havia colocado o avião no chão, de modo bem-sucedido, aparentemente; afinal, ambos estavam vivos. Ele se lembrava do motor falhando inexplicavelmente e também de ter tentado colocar a aeronave ao nível das árvores para que ajudassem a amortecer o impacto. Só isso, nada a respeito da queda em si. Sua próxima lembrança era sentir a cabeça como se alguém tivesse usado um taco de beisebol para acertá-lo — que droga, seu corpo todo carregava essa mesma sensação — e nada fazia sentido, exceto pela Sra. Wingate chamando seu nome.

Ele tinha de se concentrar bastante para entender o que ela estava dizendo, e às vezes seus pensamentos voavam e ele perdia contato, mas era trazido de volta por uma pergunta ou por uma pontada de dor. Às vezes, todas as palavras eram bem claras; outras vezes, eram apenas sons que ele sabia que tinham um sentido, mas que ele não compreendia. Não havia uma divisão clara entre o que era real e o que não era, e ele estava perdido.

Agora, ela o estava tocando. Isso, pelo menos, era real, porque ele conseguia senti-la. Ficou levemente surpreso; ela não queria falar com ele, mas o tocara? Estranho. Ela o cobrira com alguma coisa, ele não sabia o que, mas estava bom e pesado. Depois, ela havia deitado a seu lado, abraçando-o, e começara a passar as mãos por seu peito e braços. Um leve calor começou a percorrer o seu corpo.

Esse aquecimento, por mais leve que fosse, era ótimo. Além disso, o seio dela contra seu braço também lhe dava uma boa sensação, o que provava que, mesmo que estivesse meio morto, um homem seria sempre um homem, e um seio, qualquer seio, sempre merecia atenção. Acalmado com o conforto do seio e do calor, ele começou a adormecer.

Sua sensação de relaxamento terminou quando seu corpo todo ficou tenso de repente e passou a tremer. Ele sentira frio antes, havia sentido os dentes batendo e o tremor, mas não sentira nada como isso. Os tremores tomavam seu corpo todo, tensionavam todos os músculos, todos os ossos. Ele tremia tanto que pensou que poderia quebrar os dentes e tentou manter a mandíbula rígida. A Sra. Wingate o abraçou com mais força, murmurando algo que ele não conseguiu compreender. Depois de alguns minutos, o tremor convulsivo cessou e, exausto, sentiu os músculos relaxarem.

Mal havia relaxado quando outro espasmo percorreu seu corpo.

Não soube dizer por quanto tempo os espasmos duraram, mas apenas que eles eram agonizantes, incontroláveis. Ela manteve-se ao seu lado o tempo todo, abraçando-o, acariciando-o, falando com ele. Ele se prendeu ao som da voz dela como se fosse um bote salva-vidas, mesmo que, na maior parte do tempo, não conseguisse compreender o que ela estava dizendo, pois, enquanto conseguisse escutá-la, era sinal de que não estava morto. Seu corpo não reagia, mas ele não sucumbiria. De jeito nenhum. Ele não pretendia desistir, mesmo estando exausto e que desistir fosse mais fácil do que lutar contra aquilo.

Só queria descansar um pouco. Dormir. Mas, mesmo nos curtos períodos em que parava de tremer e conseguia relaxar, ele não conseguia dormir porque ela não parava de falar. Em determinado momento, seu cérebro recobrou a consciência e as palavras dela voltaram a fazer sentido: — ... bom — ela estava dizendo. — Você está tremendo, e isso é bom.

Tremendo? Ela chamava aqueles espasmos musculares fortes de *tremor*?

Em um momento de clareza, ele conseguiu dizer: — Mentira.

Ele escutou um som abafado, parecido com uma risada. A Sra. Wingate rindo? Talvez ele estivesse alucinando.

— Não, é verdade — ela insistiu. — Seu corpo está gerando calor. Sinto que *eu* estou mais quente agora. Até mesmo meus pés não estão tão congelados.

Ele procurou sentir seu corpo. Talvez ela tivesse razão. Não podia dizer que estava confortável, mas, definitivamente, estava mais quente. Tentou abrir os olhos, mas eles pareciam colados. Devagar, movendo-se lentamente com toda a concentração e força que conseguia, ele ergueu a mão direita em direção ao rosto.

— O que está fazendo?

— Olhos... tentando abrir os olhos. — Tateando as pálpebras, sentiu uma camada grossa sob as pontas dos dedos. — Que merda é esta?

— Sangue seco. Acredito que suas pálpebras estão coladas — ela disse. — Você está péssimo. Quando estiver mais aquecido e depois que eu lhe der um pouco de chocolate, vou limpar seu rosto e descolar suas pálpebras. Depois, verei se consigo dar alguns pontos, mas já vou avisando que o resultado não vai ser muito bom.

Pontos? Sim, ele se lembrava. Sua cabeça estava ferida. O kit de primeiros socorros tinha linha e ele havia pedido a ela que o costurasse.

Ele não queria esperar até que ela limpasse seu rosto; queria enxergar naquele momento. Queria levantar-se e analisar a situação com os próprios olhos. Precisava ver a extensão do estrago. Talvez ainda conseguisse estabelecer contato via rádio.

Outro espasmo tomou conta de seu corpo. O intervalo, dessa vez, havia sido maior, mas o espasmo em si era igualmente intenso. Ela o segurou com força, como se pudesse diminuir o tremor controlando-o. A tática não funcionou, mas ele apreciara o esforço.

Quando o espasmo desapareceu, ele pôde relaxar de novo. Estava tão cansado que desistiu da ideia de levantar-se e analisar a situação. Só queria ficar deitado. Além disso, ele pensou vagamente, se levantasse, não conseguiria sentir os seios dela contra seu corpo e estava gostando bastante daquilo. Certo, ele era um canalha. Gostava de seios. O que podia fazer?

Pensou, mesmo em sua situação desfavorável, que poderia sentir os seios dela ainda mais se ambos ficassem deitados frente a frente.

— O que está *fazendo*? — Ela parecia um tanto assustada, ou talvez apenas estivesse irritada. — Se você se livrar de todas essas roupas depois de todo o trabalho que tive para cobri-lo, vou jogar você na neve para morrer congelado.

Estava *irritada*. Sem dúvida.

— Fique mais perto — ele murmurou. Estava tentando erguer o braço esquerdo para poder rolar para esse lado e ficar de frente para ela, mas ela estava deitada no braço dele e ele não conseguiria tirar o braço e virar-se.

— Tudo bem, mas fique parado. Eu faço isso.

Ela se mexeu um pouco, ofegante, e ergueu o braço esquerdo e o passou por baixo do corpo dele. Ele quase suspirou de prazer, porque agora podia sentir os dois seios firmes dela. Ela apoiou o braço na barriga dele e se aconchegou mais para perto.

— Melhorou?

Ela não fazia ideia de como estava melhor. Ele gemeu. Deixaria que ela interpretasse a resposta como quisesse.

— Acho que assim fica mais quente. Daqui a alguns minutos vou levantar e começar a trabalhar. Se eu ficar aqui por mais tempo, pode ser que eu durma, e isso não seria bom. Tenho muito o que fazer, mas preciso ir com calma para a altitude não me derrubar.

Ele quis perguntar o que ela tinha de fazer, mas estava sonolento e cansado demais, e estava se sentindo bem mais quente — quase confortável, na verdade, e manter-se acordado estava ficando quase impossível. Ele gemeu de novo e isso pareceu satisfazer a exigência dela por barulho. Ela continuou falando, ele se distraiu e dormiu.

8

Cuidadosamente, Bailey saiu de baixo da enorme pilha de roupas. Justice estava dormindo e, apesar de ter pensado que deveria mantê-lo acordado, por causa do ferimento na cabeça, também pensou que dormir talvez fosse o melhor para ele. Ele devia estar exausto depois de tanto tremer.

Ela se sentia melhor. Seus pés continuavam frios, mas, de modo geral, estava muito mais aquecida — apesar de sentir falta da blusa que agora estava cobrindo Justice. Para compensar essa perda, ela pegou uma terceira camisa da pilha e a vestiu.

Deitar-se por um momento havia melhorado sua dor de cabeça e as náuseas também. Se tomasse cuidado e não se esquecesse de mover-se lentamente, talvez a altitude não a incomodasse tanto.

Apesar de saber o que veria, parou por um momento para olhar ao redor de novo, para as enormes montanhas cobertas por neve diante dela. Mas, graças a Justice, eles não haviam caído nas rochas com pouca ou nenhuma chance de sobrevivência. Mais uma vez, ela sentiu a imensidão da natureza a seu redor e uma grande sensação de solidão.

Ela prestou atenção para tentar escutar o barulho distante de um helicóptero ou avião, procurou por fumaça, que pudesse indicar um acampamento, mas... não havia nada. Seria possível que alguém já estivesse procurando por eles? Justice enviara aquele pedido de socorro, certamente alguém o escutara e entrara em contato com a Força Aérea ou qualquer órgão que precisasse ser chamado. Ela não se importava com quem fosse avisado, desde que *alguém* estivesse procurando por eles.

O silêncio total era irritante. Ela não esperava escutar buzinas de carros ou outros barulhos, mas algum sinal de que havia outros seres humanos no planeta seria bem-vindo.

A falta de sons e de movimento, de atividade que lhe desse esperança, apenas reforçava sua profunda sensação de isolamento. Como eles poderiam sobreviver uma noite ali, sem água, sem oportunidade de fazer uma fogueira?

Continuando a fazer o que estava fazendo, isso sim. Ela tinha muitas roupas que eles podiam usar como proteção, tinham pelo menos um pouco de comida e havia a umidade da neve. Além disso, ela também tinha o canivete de Justice...

Oh, droga. Onde estava o canivete?

Ainda dentro de seu bolso, ela pensou, aliviada. Com ele, ela poderia montar algum abrigo para eles, suficiente, ao menos, para mantê-los protegidos do vento. O primeiro item de sua lista de afazeres, contudo, era alimentar Justice.

Voltando para dentro do avião, ela terminou de remover todas as roupas das malas, separando os chocolates quando finalmente os encontrou, além dos pacotes de lenços umedecidos que ela havia levado. Quando as malas estavam quase vazias e os sacos de lixo com suas roupas, no chão, abrindo as tampas ela teve força suficiente para arrastar as malas abertas para cima dos assentos. As malas poderiam ser usadas; mais tarde, ela tentaria descobrir como.

Voltando para onde Justice estava, ela se ajoelhou ao lado dele e analisou o conteúdo do kit de primeiros socorros. Ao lado do cobertor, havia tesouras, que seriam úteis, muitas gazes e esparadrapo, um rolo de fita, bolinhas de algodão e cotonetes, um frasco de líquido antibacteriano, lenços umedecidos com álcool e iodo, lenços antissépticos, luvas de plástico, analgésicos e — oh, linha para pontos. Havia outras coisas, como dedais e uma lanterna com duração de 12 horas, mas sua preocupação principal era checar se o kit tinha o básico necessário para tratar o corte na cabeça de Justice. Era o suficiente, o que significava que ela não tinha desculpas para escapar. Para selar seu destino, havia, ainda, um manual de primeiros socorros.

Ela folheou o guia, procurando por instruções sobre como dar pontos. Encontrou as instruções com ilustrações. Infelizmente, leu na primeira linha: "*Lave bem a ferida com água por cinco minutos; depois, aplique sabão com cuidado.*"

Certo; ela não tinha água nem mesmo para lavar a ferida mais ou menos, muito menos "bem". Teria de fazer o melhor que pudesse, rezando para que não ficasse sujeira alguma no corte.

Espere um minuto! Ela tinha enxaguante bucal!

Rapidamente, abriu o saco de lixo onde estavam seus itens de higiene e tirou dali uma sacola plástica na qual havia guardado seu xampu e enxaguante bucal. Pegando o frasco de enxaguante, ela o virou, leu o que estava escrito e não entendeu nada, porque não era química. Na parte da frente, no entanto, estava escrito que matava germes. Era líquido, matava germes e ela tinha quase meio litro dele.

Também tinha a sacola plástica. Rapidamente, encheu-a com neve, fechou o zíper, colocando-a sobre uma pedra. Se tivesse sorte, enquanto cuidava do ferimento de Justice, o sol esquentaria a pedra o bastante para derreter a neve, e eles teriam água. Não muita, é verdade, mas qualquer ajuda contava.

Com o necessário dentro de um dos sacos de lixo, ela estava prestes a acordar Justice quando percebeu que ele provavelmente também tinha enxaguante bucal. Foi até a bolsa dele, abriu-a e encontrou o kit de barbear em cima de, como esperava, uma troca de roupa e uma cueca. O kit tinha dois zíperes; o zíper da esquerda foi aberto e ela encontrou uma escova de cabelo, um frasco de xampu em tamanho ideal para viagem e cerca de dez preservativos. Homens. No lado direito, havia uma escova de dentes, um tubo fino de pasta de dentes, um barbeador descartável e um frasco de enxaguante bucal de tamanho ideal para viagem.

— Droga — ela disse, suspirando. Ele já havia usado o enxaguante pelo menos uma vez; cerca de metade dele fora usada, e mesmo que o frasco estivesse cheio, não seria o bastante. Metade não faria grande diferença, por isso ela deixou o frasco onde estava, fechou o kit de barbear e o colocou de volta dentro da bolsa.

Ela teria de fazer o serviço com o que tinha à disposição. Só esperava ter o suficiente para evitar que ele sofresse uma infecção.

Mas, antes de mais nada, precisava dar-lhe um pouco de açúcar e, bem, talvez também precisasse de alguns analgésicos.

Cuidadosamente, ela tirou a camisa que cobria o rosto dele; mesmo sabendo como ele estava, quase se assustou ao vê-lo de perto. Seu rosto todo estava coberto por sangue seco, acumulado nos olhos, orelhas, narinas e no canto da boca. Pior ainda: sua testa estava inchando, abrindo o ferimento. Ela não havia pensado no inchaço e fez uma careta ao pensar em costurá-lo naquele momento. Mas o inchaço provavelmente pioraria, por isso não havia a opção de esperar.

— Justice — ela disse, enfiando a mão sob as camadas de roupas para tocá-lo. — Acorde. Está na hora do espetáculo.

Ele inspirou rápida e profundamente. — Estou acordado.

A voz dele estava mais forte; então, talvez, ela tivesse tomado a decisão certa de deixá-lo se aquecer antes de fazer qualquer coisa em relação ao corte.

— Tenho um chocolate aqui. Quero que coma um pouco, certo? Daqui a pouco, se tivermos sorte, poderemos tomar um gole de água. Depois, quero que tome ibuprofeno. Você consegue engolir os comprimidos sem água? Se não conseguir, colocarei um pouco de neve em sua boca, mas não podemos comer muita neve porque ela pode baixar nossa temperatura corporal. Pensando bem, talvez você devesse tomar um pouco de ibuprofeno antes, para ir fazendo efeito.

— Vou tentar.

Ela abriu os flaconetes que guardavam dois comprimidos genéricos e os colocou entre os lábios dele. Ela observou a mandíbula dele em movimento enquanto ele recebia o comprimido, reunia um pouco de saliva e o engolia. Ela deu a ele outra pílula; ele repetiu o processo e disse: — Missão cumprida.

— Ótimo. Agora, vamos comer. — Abrindo a embalagem da barra de chocolate Snickers, ela pegou um pedaço e o colocou entre os lábios dele. Obedientemente, ele começou a mastigá-lo.

— Snickers — ele disse, identificando o sabor.

— Isso mesmo. Normalmente, gosto de chocolate puro, mas pensei que o amendoim seria bom pela proteína, por isso comprei Snickers. Inteligente, não acha?

— Pra mim, está bom.

Ela esperou um minuto, para ver se o chocolate o deixaria nauseado. Ela não o conhecia bem, por isso não sabia se ele poderia começar a vomitar ou não. Mas sabia que, depois de doar sangue na Cruz Vermelha, os doadores bebiam alguma coisa para repor os líquidos, e alguns biscoitos ou bolachas para afastar o risco de choque. Com o Snickers, ela acreditava estar cobrindo metade das necessidades.

Depois de alguns minutos, ela deu o chocolate a ele mais uma vez. — Gostaria de ter alguma coisa com que pudesse anestesiar seu couro cabeludo e sua testa — ela disse. — Até mesmo uma pomada para aliviar gengiva de bebês seria melhor que nada, mas o kit de primeiros socorros não parece ser preparado para bebês.

Ele mastigou, engoliu e disse: — Gelo.

O kit de primeiros socorros tinha uma daquelas bolsas de gelo, mas ela se sentiu hesitante em usá-la. — Não sei. Se você já não estivesse em leve choque, se o frio já não fosse um problema, eu não me preocuparia. Mas uma bolsa de gelo em sua cabeça deixará seu corpo todo frio, e não quero fazer isso. — Ela mordeu o lábio por um instante, pensando. — Por outro lado, a dor causa choque ao corpo também. Se o efeito será o mesmo, por que não encarar a dor?

— Prefiro menos dor.

Ela pegou a bolsa de gelo do kit, leu as instruções e começou a apertar o tubo de plástico. A bolsa não era grande o bastante para cobrir o corte todo, mas, se ela a posicionasse corretamente, conseguiria cobrir grande parte do inchaço e do couro cabeludo, onde o ferimento era mais profundo. Como a bolsa era fria demais para ela conseguir segurá-la, cortou algumas gazes do rolo, cobriu o corte com uma única camada e, delicadamente, colocou a bolsa de gelo sobre a gaze. Ele respirou fundo. Ela imaginou que isso fazia a cabeça doer, mas ele não reclamou.

— Enquanto o gelo faz efeito, vou limpar um pouco do sangue seco de seu rosto. Aposto que quer abrir os olhos, certo?

Ela continuou falando enquanto abria um pacote de lenços umedecidos com extrato de *Aloe vera*, tirou um deles e começou a limpar a região ao redor dos olhos. O sangue, ela descobriu, não era fácil de tirar. Um pano, com sua superfície mais áspera, teria servido melhor. O sangue estava grudado em suas sobrancelhas e cílios, duas áreas que ela não podia esfregar; não queria que o corte começasse a sangrar de novo, por isso teve de ser delicada ao redor das sobrancelhas e não poderia esfregar ao redor dos olhos mesmo que ele não estivesse cortado. Por isso, ela limpou e, quando o lenço estava completamente vermelho, ela o deixou de lado e pegou outro limpo.

Quando olhou para ele de novo, segurando o lenço limpo, os olhos dele estavam levemente abertos e ele a observava. A cor pálida de suas íris era assustadora em contraste com a cor escura de seus cílios.

— Olá. Há muito tempo não a via — ele disse.

Ele esboçou mais um sorriso. Lentamente, como se mexer os olhos doesse, ele olhou ao redor o máximo que pôde, enquanto permanecia deitado de barriga para cima, sem mexer a cabeça. Quando ele olhou além de onde ela estava, para o avião destruído, arregalou um pouco os olhos e disse: — Caramba.

— Sim, eu sei. — Ela concordava com o comentário. O fato de eles estarem vivos e inteiros, mesmo que feridos, era um pouco surpreendente quando comparado ao que o avião havia enfrentado. Ela lidava com a surpresa evitando pensar nisso, procurando concentrar-se no básico para a sobrevivência e nas coisas que tinha de fazer. Os detalhes eram coisas pequenas, de fato. Ela poderia lidar com as coisas pequenas, uma de cada vez.

Aos poucos, ela foi descendo pelo rosto dele, atrás e nas orelhas, descendo pelo pescoço, ombros e peito. Até mesmo seus braços e mãos estavam sujos de sangue. Ela os manteve cobertos o máximo que pôde, descobrindo cada parte por vez e recobrindo-as assim que estavam limpas. A calça dele também estava suja de sangue, mas isso poderia esperar até que ele estivesse melhor, ela pensou; a primeira camada de roupas que ela havia colocado sobre ele já estava manchada; o sangue secara e não havia mais nada que pudesse ser feito a esse respeito. Mas ela precisava limpar os pés e trocar as meias dele, para evitar geladuras.

Buscando as peças de baixo, ela dobrou as roupas de novo, tirou os sapatos e as meias e, da maneira mais rápida que pôde, limpou e secou os pés dele. Limpos, eles estavam brancos de frio. Preparando-se para o choque, ela ergueu as barras de suas várias blusas e posicionou-se mais adiante, de modo que os pés dele descansassem contra a sua barriga. Eles estavam tão frios que ela quis se esgueirar, mas manteve-se firme. Ela começou a cobrir os dedos dele com roupas.

— Consegue sentir isso?

— Sim. — A voz dele estava mais grave, um tipo de leve ronronado; ele parecia um tigre sendo massageado.

Ela demorou um segundo para perceber, mas então notou que os dedos frios dele estavam apoiados nos seios dela — seus seios nus. Não havia como evitar o contato, pois os pés dele eram grandes, provavelmente 43 ou mais, e ela não tinha como esticar o tórax; por isso, logicamente, os dedos chegariam aos seios. Ela apertou as pernas dele.

— Comporte-se — ela disse rapidamente — ou vou deixar você ter geladuras.

— Você não está usando sutiã — ele disse, em vez de responder ao que ela dissera... ou talvez essa fosse sua resposta, como se ela não estar usando um sutiã fosse desculpa suficiente para o fato de ele estar mexendo os dedos levemente.

— Eu me molhei enquanto tirava você do avião, na neve, por isso eu o tirei. — Ela manteve a seriedade na voz.

Ele pensou no que ela fizera por ele e fez uma careta. — Tudo bem. Mas, caramba, tetas nuas. Você não pode me recriminar.

— Quer apostar? — Ela pensou que o Capitão Justice, frio e antipático, não falaria com ela daquela maneira normalmente, que certamente ele tinha batido a cabeça ou estava tonto de dor. Não conseguia imaginá-lo falando daquele jeito, mas, desde que recobrara a consciência, ele estava usando termos informais, como se estivesse falando com outro homem. Era um sinal de que a batida na cabeça havia melhorado sua personalidade. — E não gosto da palavra "tetas".

— Melões, então. Melhorou?

— O que há de errado com a palavra "seios"?

— Nadinha, até onde sei. — Ele mexeu os dedos de novo.

Ela deu outro tapinha nas pernas dele. — Fique parado ou vai ter que esquentar os pés sozinho.

— Não tenho melões entre os quais possa colocá-los e, mesmo que tivesse, não conseguiria colocar os pés no meu peito. Não faço ioga.

Ele certamente estava se sentindo melhor e estava mais acordado; estava usando frases completas, em vez de respostas de uma ou duas palavras. O chocolate devia ser uma droga milagrosa.

— Bem, vou lhe dizer uma coisa: coloque próteses de silicone, comece a fazer ioga e pronto. — Acreditando que ele já havia se divertido o bastante, ela tirou os pés dele de baixo de suas blusas, vestiu meias limpas neles e o cobriu com diversas camadas de roupas. — Acabou a diversão. Sua testa já está congelada?

— Parece que sim.

— Deixe-me terminar de ler as instruções e vamos acabar logo com isso. — Ela pegou o livreto de novo. — A propósito, já que não temos água para lavar o ferimento, vou usar enxaguante bucal. Pode arder.

— Que ótimo — ele disse com ironia.

Bailey escondeu um sorriso enquanto lia. — Certo... blá-blá-blá... já entendi essa parte. "*Prenda a agulha com as pinças para que a ponta fique curvada para cima.*" — Ela olhou a curva torta de sutura e depois para o resto dos itens do kit de primeiros socorros. Não havia pinças. — Eu costumo carregar uma pinça dentro de meu estojo de maquiagem, mas, puxa vida!, nunca pensei que fosse usá-la durante minhas férias.

— Tem uma pequena caixa de ferramentas no avião.

— Onde?

— No compartimento de bagagem.

— Não a vi quando estava tirando as malas — ela disse, mas ficou em pé para ir olhar de novo. — Qual é o tamanho dela?

— Tem cerca de metade do tamanho de uma maleta. Tem apenas algumas ferramentas básicas: martelo, alicate, algumas chaves de fenda e inglesa.

Sentindo-se como se tivesse escapado de um acidente várias vezes, a ponto de estar acostumada, Bailey voltou para dentro da aeronave, acomodou-se no banco do copiloto e olhou para dentro do compartimento de bagagem. O chão do avião havia sofrido com o impacto, de modo que tudo ali dentro fora espalhado, mas a rede de carga havia protegido as malas, diferentemente do que acontecera com sua bolsa de tiracolo. Assim que abriu a boca para dizer que não havia encontrado nada, ele disse: — Deve estar presa nas alças na parede de trás, do lado de dentro da porta do compartimento de bagagem. Está vendo?

Ela olhou para onde ele disse e lá estava a caixa, bem presa. Duh. Ela havia procurado no chão do avião, não nas paredes.

— Sim, já peguei. — Levando a caixa, ela saiu do avião.

Sentiu-se um pouco tonta quando ficou em pé, por isso manteve-se parada por um momento. Seria o mal das montanhas de novo, apesar de ela ter tomado o cuidado de se mover devagar? Ou talvez precisasse comer um pouco de chocolate? Depois de um instante, a tontura passou, por isso ela decidiu comer o doce.

— Acho que também preciso comer um pouco isso — ela disse, ficando de joelhos ao lado dele e pegando um pedaço do chocolate. — Não quero desmaiar enquanto estiver costurando você. — Ela pensou que seria uma boa ideia realizar a sutura antes do pôr do sol.

Pensar no pôr do sol fez com que ela se lembrasse da hora, e então percebeu que não havia checado as horas em momento algum. Não fazia ideia de quanto tempo antes havia recuperado a consciência, ou quanto tempo levou para realizar suas tarefas, muito menos quanto tempo tinha ainda naquele dia. Automaticamente, ela ergueu a manga do braço esquerdo e olhou o relógio de pulso.

— Perdi meu relógio. O que será que houve?

— Provavelmente você bateu o braço contra alguma coisa e um pino se soltou ou a corrente quebrou. Era caro?

— Não, era um relógio barato à prova d'água que comprei para as férias. Eu vou... eu *ia* fazer rafting com meu irmão e a esposa dele.

— Você pode se unir a eles amanhã ou depois de amanhã.

— Talvez. — Lentamente, ela mastigou o chocolate, sem dividir com ele sua sensação de isolamento, como se a ajuda fosse demorar a chegar.

Ela permitiu-se dar apenas uma mordida, para afastar a tontura que sentia, e forçou-se a se recuperar. Depois de dobrar a embalagem cuidadosamente sobre a parte restante do doce e deixando-o de lado, ela retirou a bolsa de gelo da testa dele.

— Preciso virá-lo para que sua cabeça fique voltada para baixo, pelo menos enquanto eu limpo o ferimento... a menos que queira que o enxaguante bucal lave seu rosto e corpo.

— Não, obrigado. Mas posso fazer isso sozinho; apenas me diga o que quer que eu faça.

— Em primeiro lugar, escorregue na minha direção; não quero que você saia do cobertor e pare na neve. Certo, muito bem. Agora, gire com as nádegas... espere, deixe-me tirar esse pedaço de vinil embaixo de sua cabeça. Pronto. — Os movimentos fizeram com que parte da pilha de roupas caísse e ela precisou de um minuto para recolocá-las.

Para manter o enxaguante longe dos seus olhos, ele inclinou a cabeça para trás o máximo que conseguiu. — Certo, aqui vai — Bailey disse, usando a mão esquerda como uma barreira contra qualquer respingo, e começou a despejar o líquido sobre a ferida. Ele se remexeu uma vez e depois se manteve parado.

Ela observou o corte à procura de qualquer sujeira que pudesse ter entrado ali, mas só viu o sangue sendo lavado. As instruções diziam para não deslocar qualquer coágulo, por isso não permitiu que o enxaguante caísse diretamente no corte. Quando todo o líquido havia acabado, ela colocou a tampa de volta no frasco vazio e o deixou de lado, depois abriu um dos lenços umedecidos com álcool e começou a limpar ao redor do corte.

Ela não se permitiu pensar na gravidade da ferida, ou sobre a facilidade com que ele poderia ter uma infecção naquela situação longe de ideal. Em vez disso, concentrou-se no que tinha de fazer, passo a passo. Secou as mãos, a agulha e a pinça com outro lenço umedecido. Depois, vestiu novamente as luvas de plástico e limpou tudo de novo. Passou o lenço na testa dele com o iodo. Quando já tinha feito todo o possível para matar todos os germes, preparou uma sutura, respirou profundamente e começou.

— Nas instruções, está escrito para começar do meio — ela murmurou ao furar a pele dele com a agulha e ao forçá-la do outro lado do corte. — Acho que é para que, assim, você não termine com um grande pedaço de pele de um lado, se não costurar de modo uniforme.

Ele não respondeu. Seus olhos estavam fechados e ele respirava de modo uniforme. Mesmo com a bolsa de gelo e o ibuprofeno, Bailey sabia que aquilo devia doer, mas, evidentemente, não era o sofrimento que ela pensara que lhe causaria. Ele não ficava tenso a cada agulhada. Ela foi devagar, receosa, sem querer cometer erros. Todos os pontos tinham de ser amarrados um a um, para que cada um fosse independente dos outros, e nas instruções alertavam para que a pessoa observasse se o nó estava sobre a pele, não sobre o corte. Ela se forçou a pensar que costurava uma calça, o que não ajudou muito, porque costurar não era sua atividade favorita... e também não era muito boa em costurar calças.

O corte tinha cerca de quinze centímetros de comprimento. Ela não sabia quantos pontos eram necessários por centímetro, por isso simplesmente trabalhou a partir do meio e costurou a quantidade que parecia boa para ela. Quando terminou, suas mãos estavam tremendo e ela tinha certeza de que havia demorado mais de uma hora para fazer a sutura. Cuidadosamente, limpou a linha de pontos pretos, afastando-os do sangue onde a agulha havia furado sua pele, e hesitou. Deveria aplicar pomada antibiótica antes de cobrir o ferimento com bandagens? Não acreditava que era o que os médicos faziam, mas normalmente eles faziam suturas em um ambiente esterilizado, com todos os remédios e equipamentos de que precisavam. Ela e Justice estavam presos na encosta de uma montanha, na neve, com pouca comida. Ela pensou que o sistema imunológico dele precisaria de toda ajuda que conseguisse.

Cuidadosamente, aplicou a pomada, que também tinha uma leve ação analgésica; deveria ajudar. Depois, cobriu a ferida com gazes esterilizadas e envolveu a cabeça dele com uma faixa. O produto final foi bom e a faixa ajudaria a manter o local limpo.

— Pronto — ela disse por fim, sentando-se ao lado dele. — Está feito. Próximo passo: conseguir abrigo.

9

Caramba, ela era sensual.

Cam nunca havia pensado nisso antes, mas definitivamente começava a perceber — e não pela aparência dela, porque no momento ela estava péssima. Seu cabelo estava despenteado, o rosto, sujo de sangue e terra, além de áreas roxas embaixo dos olhos que provavelmente estariam bem mais escuras no dia seguinte. Da maneira como estava vestida, parecia um cruzamento entre homem das montanhas e mendiga. E, apesar do fato de ela ter passado uma hora costurando a cabeça dele — ou talvez por causa disso —, ele sentia vontade de beijá-la.

Ele se corrigiu ao pensar nisso. Nada de beijá-la. Queria fazer muito mais do que isso, por isso achava bom o fato de sua condição física não ser das melhores, ou ele já teria se arriscado a ter a cabeça servida em uma bandeja por assediá-la sexualmente.

Sempre pensara no que fazia um louva-deus macho ser levado à morte por cruzar com a fêmea fatal, se era por ele não ser racional, por isso o pobre coitado não fazia ideia de que estaria, literalmente, transando até morrer, ou se havia alguma coisa errada em sua evolução. Afinal de contas, um processo que terminasse em morte para o macho não podia ser bom para a espécie. Ao mesmo tempo, ele admirava os safadinhos; era preciso ser macho para continuar transando enquanto sua cabeça estivesse sendo arrancada e comida. Pela primeira vez, ele entendeu, em partes, o motivo. Ele arriscaria muito mais para tirar a roupa daquela mulher e colocá-la sob o corpo dele.

Não que a Sra. Wingate... droga! Qual era seu primeiro nome? Sabia, mas estava tão acostumado a pensar nela como a Sra. Wingate que o primeiro nome não lhe veio à mente rapidamente. Naquele momento, seu cérebro não estava em sua melhor forma. Mas parecia importante se lembrar, como se não fosse correto pensar em ficar nu com ela se não lembrasse seu nome.

Assim, motivado, ele se concentrou na tarefa de relembrar. Era algo incomum, como uma marca de bebida. Ele começou a pensar em nomes: Johnny Walker, Jim Beam, J&B, Bailey's... Bailey. Isso mesmo. Sentiu-se triunfante. Agora, podia ter seus sonhos eróticos com a consciência limpa.

De qualquer modo, a Sra. Wingate — Bailey, droga! — não comeria sua cabeça, mas ele sentia que ela não seria fácil, em todos os sentidos da palavra. Ela era um desafio física e mentalmente. Ela havia construído uma parede a seu redor e ele suspeitava de que poucas pessoas conseguiam transpô-la e alcançar a mulher atrás dela. Apenas as condições de emergência nas quais se encontravam devido ao acidente haviam feito com que ela derrubasse aquela fortaleza para permitir que ele a visse como uma mulher de verdade.

Mas ele viu, e gostou do que viu.

Se alguma vez tivesse pensado em como seria ficar perdido no meio do nada com ela, o que nunca havia imaginado, teria apostado que ela seria uma chata chorona e inútil, ou uma chata chorona, ranzinza, exigente e inútil. De qualquer modo, seria uma chata.

Mas ela se mantivera tão calma e competente, cuidando de todos os problemas e situações com bom-senso e habilidade, que ele nunca teria acreditado se não tivesse visto com os próprios olhos. Ela havia feito tudo o que era preciso e provavelmente salvara a vida dele. Não havia hesitado ao esquentar os pés congelados dele em seu corpo quente, tampouco corara quando ele descobriu que ela não usava um sutiã.

Ele gostava daquele tipo de comportamento, da segurança pessoal que ela revelava. Seu divórcio ensinara a ele algumas verdades sobre si mesmo, e não as havia esquecido em seus outros relacionamentos. Ele era um ex-militar e piloto, dois grupos que excluíam as pessoas tímidas e reservadas. Ele se considerava autoconfiante e autoritário; estava acostumado a assumir o comando, a tomar decisões e dizer à maioria das pessoas o que deviam fazer. Era preciso ter uma mulher forte para lidar com ele, de modo igualitário, mas agora, com quase 40 anos, um relacionamento igualitário lhe atraía mais do que um no qual ele tivesse de se controlar para não ferir os sentimentos de uma mulher ou sobrecarregá-la. Ele não gostava de jogos, e não queria uma mulher que tentasse controlá-lo.

Talvez mulheres assim fossem raras, ou talvez ele estivesse procurando nos lugares errados, mas, até então, não havia encontrado uma mulher com essas características de personalidade e fortes atrativos físicos. Karen, por exemplo, era forte e determinada, mas ele não sentia a menor atração por ela. No caso de Bailey, a imagem que ele fazia dela, acreditando que ela era uma arrogante, sobrepusera qualquer interesse físico que ele pudesse ter sentido.

As coisas eram diferentes agora. Ele não sabia por que ela havia construído barreiras tão frias e altas ao redor de si mesma, mas ela havia relaxado temporariamente e baixado a guarda, deixando-o entrar nessa proteção, e ele pretendia permanecer ali. Essa situação ruim criara uma ligação entre eles, um elo de sobrevivência. Quando tudo estivesse terminado, quando o resgate chegasse, ela tentaria colocar a barreira de volta entre ambos. Ele não permitiria que isso ocorresse. De alguma forma, entre agora e depois, ele tinha de ganhar a confiança dessa mulher para sempre.

Ele estava incapacitado de tomar qualquer atitude e, a julgar pelo modo com que sentia, possivelmente continuaria desse jeito por mais um ou dois dias. Ele estava machucado, perdendo sangue. Duvidava que o socorro conseguisse chegar até eles antes do anoitecer, e as buscas naquelas montanhas eram sempre suspensas durante a noite, porque continuar seria simplesmente perigoso demais. Isso significava que ele e Bailey tinham de sobreviver àquela noite, quando as temperaturas cairiam muito e morrer de hipotermia era uma possibilidade real. Por um lado, eles estavam com grandes problemas. Por outro lado, o resto do dia e a noite provavelmente seriam o tempo que ele teria para estabelecer qualquer ligação duradoura com ela.

Ele não conseguia mexer a cabeça sem causar pontadas em seu cérebro, mas, olhando cuidadosamente para a esquerda, poderia mantê-la dentro de seu campo de visão. Ela estava pegando alguma coisa e olhando para ela, mas ele não conseguia ver o que era.

— Isto deu um pouco certo — ela disse, voltando para o lado dele e agachando-se. Em sua mão, havia uma sacola plástica transparente e fechada, e no fundo algo parecido com lama suja. — Tentei derreter um pouco de neve para bebermos deixando a sacola sobre uma pedra. Está derretendo, então acho que a deixando por mais tempo ao sol teremos água, mas o pouco que temos agora deve servir, porque você precisa beber alguma coisa. — Ela olhou ao redor. — Você não teria, por acaso, um canudo, não é? Ou uma colher?

Ele ficou um tanto surpreso com a pergunta.

— Receio que não.

Ele viu quando ela franziu a testa e pressionou os lábios ao olhar ao redor, como se conseguisse fazer surgir um dos dois itens pela simples força do pensamento. Agora que ele sabia que ela era habilidosa, percebeu que tentava buscar uma solução para o dilema do momento. Em seguida, ela disse: — Ah-ah! — em tom de satisfação.

— Ah-ah, o quê? — ele perguntou curioso, pois ela ficou em pé e saiu de seu campo de visão.

— Você tem um frasco de desodorante em spray. Sei disso porque olhei suas coisas.

— E? — Ele não se importava com o fato de ela ter aberto sua bolsa; naquela situação, não ter feito isso teria sido estúpido... e estúpida ela, definitivamente, não era. Ela precisava saber quais recursos tinha à mão.

— E aquele frasco tem uma tampa.

Ah-ah, mesmo. A tampa do desodorante era, essencialmente, a mesma tampa de uma garrafa térmica, porém menor. Ele mesmo deveria ter pensado nisso.

Ele escutou o som familiar da tampa de plástico sendo retirada do frasco de desodorante. — O gosto pode ser um pouco estranho — ela disse. — Vou lavar a tampa com neve, pois isso deve ajudar para o caso de você ter pressionado o frasco e um pouco de desodorante ter sido espirrado dentro da tampa. Tem alguma substância do desodorante que não deve ser misturada à água?

— Provavelmente tudo — ele disse casualmente. — Você trouxe laquê? — Talvez o conteúdo de um frasco de laquê fosse menos tóxico que o do desodorante. Os desodorantes têm um topo de alumínio em sua fórmula química, não é? Ele não sabia de que era feito o laquê, além do álcool, mas o álcool devia ser melhor que alumínio.

— Não — ela disse atrás dele. Ela parecia um tanto distraída, como se estivesse se concentrando em alguma coisa que não era a conversa. — Eu estava indo fazer rafting, lembra? Para que serviria o laquê? Hum. Acho que posso improvisar um funil e colocar a água dentro do frasco de enxaguante bucal, se você preferir evitar a tampa do desodorante.

— Simplesmente lave-a com um pouco de neve. Não deve fazer mal. — Agora que ela havia falado sobre água, ele percebeu como estava com sede, e não quis esperar enquanto ela procurava por algo que pudesse usar como funil. Ele assumiria o risco com os resíduos de desodorante.

— Tudo bem.

Ele escutou enquanto ela se remexia um pouco, depois escutou o barulho do plástico. Alguns segundos depois, ela agachou ao lado dele, segurando a tampa na mão esquerda.

— Não tente se sentar — ela disse. — Se desmaiar e cair, pode acabar derramando a água. — Enquanto falava, ela colocou o braço direito embaixo do pescoço dele, e a posição fez com que ele ficasse com o rosto virado para os seios dela. Ele conseguiu sentir a firmeza, sentir o cheiro levemente adocicado da pele de uma mulher, e o desejo repentino de virar a cabeça e esconder o rosto no corpo dela foi tão grande que, de repente, ele sentiu uma pontada de dor.

— Tome cuidado — ela murmurou, levando a tampa aos lábios dele. — São só alguns goles, por isso procure não desperdiçar.

Assim que tomou um gole, ele afastou a tampa. A neve parcialmente derretida tinha um gosto forte de mineral, misturada com o do plástico, e estava tão fria que quase fez seus dentes doerem. O líquido lavou os tecidos inchados e feridos de sua boca e garganta, sendo absorvido da maneira mais rápida que ele conseguiu. Quando ela começou, a colocar a tampa no lugar para tomar mais um gole, ele se recusou, dando um leve balançar de cabeça, que era tudo que ele conseguia fazer. — Sua vez.

— Vou comer um pouco de neve — ela respondeu. — Estou conseguindo me locomover, por isso comer neve não baixará tanto minha temperatura corporal como faria com a sua. — Ela franziu a testa. — Quanto tempo você acha que uma equipe de resgate levará para nos encontrar? Já faz várias horas desde sua mensagem de socorro, mas ainda não escutei o barulho dos helicópteros de busca, muito menos vi um. Se você acha que vai demorar mais tempo, vou encontrar uma maneira melhor de conseguir água para beber. A neve derretida não é muito eficiente.

Não, porque era preciso derreter muita neve para conseguir um pouco de água. Respondendo à pergunta dela, ele disse:

— Provavelmente uma equipe de busca só vai nos encontrar amanhã, no mínimo.

Ela não pareceu surpresa, apenas preocupada... e irritada.

— Por que tanto tempo? Há horas você enviou o SOS. — Enquanto falava, ela levou a tampa aos lábios dele, que bebeu mais um gole de água.

— Porque ninguém deve ter começado a procurar por nós ainda — ele disse depois de engolir.

A expressão de irritação ficou mais evidente. — Por que não? — ela perguntou de modo mais incisivo.

— Quando não fizermos a parada prevista para abastecimento em Salt Lake City, será o momento em que o alerta será dado. Se não pararmos em algum ponto dentro de duas horas depois da parada agendada, uma busca será organizada.

— Mas você enviou uma mensagem de socorro! Deu nossa localização!

— Que pode ou não ter sido monitorada. Mesmo que tenha sido, uma busca não seria iniciada na mesma hora. As buscas são bem caras, e as equipes de busca têm recursos limitados; eles precisam ter certeza de que não foi alarme falso, de que um idiota não enviou uma mensagem de socorro quando não havia nada de errado. Assim, eles esperam para ver se o avião não aparece onde e quando deveria aparecer antes de dar início a uma operação.

Mesmo depois que um alerta é dado, organizar uma busca leva tempo. Estamos em junho, então os dias são mais longos, mas, mesmo assim, duvido que uma equipe de busca nos localize antes do escurecer. Eles parariam à noite, e retomariam as buscas amanhã de manhã.

Ele a observou assimilando a informação, analisando a paisagem ao redor. Depois de alguns minutos, ela suspirou: — Pensei que só tivesse de encontrar uma maneira de nos proteger do vento, mas precisaremos de muito mais que isso, não é?

— Se quiser estar viva amanhã cedo, sim.

— Eu temia isso. — Ela deu a ele o restante da água e, cuidadosamente, abaixou a cabeça na direção do cobertor e tirou o braço debaixo do corpo dele. Ela esboçou um sorriso ao procurar, embaixo da pilha de roupa que o cobria, até, por fim, tirar de lá o canivete. — Acho melhor começar, então. Isso vai demorar.

— Não tente fazer nada muito elaborado. Precisa ser pequeno o bastante para que nosso calor corporal esquente o ar ao nosso redor um pouco; por isso, quanto menor for, melhor, desde que haja espaço para nós dois. Use o que puder do avião: o couro dos assentos, quaisquer metais que puder usar como estacas ou fios para amarrar, coisas assim.

Ela fez uma careta. — Algo elaborado? Vai sonhando. Só para você saber: sou péssima em construção.

10

Após Justice confirmar o que ela, intuitivamente, sabia, que não havia ninguém à procura deles, Bailey ficou mais assustada do que pretendia deixar transparecer. Ela precisava muito, muito mesmo, ouvir que eles seriam resgatados logo, porque montar qualquer tipo de abrigo acabaria com o restante de suas forças. Simplesmente não sabia por quanto tempo conseguiria continuar.

Descansar ao lado de Justice e aquecê-lo, aquecendo-se ao mesmo tempo, havia ajudado, mas o mínimo de esforço, naquele momento, parecia trazer uma grande tontura, o que não era bom, levando-se em conta a ladeira íngreme que ela teria de enfrentar. O menor passo em falso poderia fazê-la desabar da montanha e, naquele terreno incerto, quase certamente ela terminaria com um braço ou uma perna quebrados, no mínimo. O único lado positivo que ela conseguia ver era que, embora a dor de cabeça que ela sentia não desse trégua, não parecia estar piorando. Era apenas um lado bom; não era, exatamente, motivo para lhe dar esperança.

A vida de ambos dependia dela, por isso ela teria de ser muito cautelosa. Mas a cautela fazia com que as coisas ficassem mais demoradas, e o tempo era quase tão limitado quanto sua força. A temperatura, que ela duvidava ter sido mais alta do que -1ºC o dia todo, cairia drasticamente antes mesmo de o sol se pôr. Assim que o sol desaparecesse do alto das montanhas, e isso poderia acontecer duas horas antes do pôr do sol, a temperatura começaria a despencar. Ela precisava conseguir água para ambos antes disso e tinha de ter pelo menos um abrigo rudimentar montado.

Pegando o frasco de enxaguante bucal, ela se abaixou e começou a colocar neve pela abertura estreita da embalagem. O processo não era muito rápido, exatamente porque a boca era muito estreita. Suas mãos já estavam frias antes mesmo de começar; um minuto depois, a dor nos dedos era agonizante. Ela teve de parar e colocar as mãos nas axilas, fechando os olhos e balançando-se para a frente e para trás conforme a dor lentamente passava e o calor voltava a tomar conta de sua carne. Ela precisava de alguma coisa com a qual pudesse cobrir as mãos, e logo.

Automaticamente, começou a considerar as opções. Havia levado dois pares de luvas impermeáveis para segurar os remos, mas elas não tinham proteção para as pontas dos dedos, por isso, mesmo sendo boas para evitar bolhas, não ajudariam a esquentar seus dedos. Pensou em colocar meias nas mãos para improvisar luvas, mas elas ficariam estranhas e molhariam, o que deixaria seus dedos ainda mais frios. As meias seriam úteis depois.

Era melhor esquecer as luvas; ela precisava de um método eficiente de colocar a neve dentro do frasco sem precisar usar as mãos diretamente. O que poderia ser usado como uma pá improvisada ou uma colher?

Deixando o frasco na neve — a neve que já estava dentro não se derreteria e vazaria —, ela foi até os sacos de lixo, que agora tinham as peças de roupa restantes e seus itens de higiene, sentou-se sobre um deles e, metodicamente, começou a remover dos outros sacos tudo que não fosse roupas. Analisou cada item, tentando pensar em um uso para eles além do convencional.

Seu desodorante roll-on era bem inútil, tirando o básico: manter suas axilas livres de mau cheiro. Pensou que, se precisasse de algo que formasse uma cera, o desodorante ajudaria, mas, naquele momento, não pensou em uma situação em que precisaria dele. Escova de cabelos, maquiagem básica, protetor solar, gloss labial — os livros e as revistas que ela havia levado para ler poderiam ser usados de diversas maneiras, mas nenhuma delas a ajudaria a colocar a neve dentro do frasco. Ela tinha a luminária para leitura — mais uma vez, algo útil, mas não naquele momento. Tinha algumas canetas, um caderno pequeno, um rolo de fita que separou, porque certamente precisaria dele quando estivesse fazendo o abrigo, um baralho, repelente contra insetos, um poncho que ela também separou, lenços e papel higiênico — também separados —, além de quatro toalhas de microfibra e muitas pequenas escovas de dente descartáveis.

Droga!, ela pensou. Por que não levara algo útil, como uma caixa de fósforos? Seus dentes ficariam limpos e o hálito fresco quando seu corpo congelado fosse encontrado, mas de que adiantaria?

Ela olhou para a coleção de bobagens que pensou que seria bom ter em uma viagem de rafting de duas semanas e suspirou desapontada... e olhou mais uma vez para o monte de cartas de baralho. Eram cartas novas em folha; a caixa ainda estava fechada com o plástico. Ela pegou as cartas, segurou a ponta do plástico com os dentes e começou a abri-la. Depois, abriu a caixa e tirou uma carta. Era revestida de plástico, por isso serviria para muitas coisas.

Seria o suficiente, ela pensou com um ar de satisfação.

A carta era firme o suficiente e flexível, de modo que ela pudesse curvá-la para formar uma pequena pá com a qual pudesse empurrar a neve para dentro do frasco. Chacoalhando o frasco e batendo a parte inferior com força contra uma pedra, ela fazia a neve assentar, de modo que conseguisse colocar mais dentro do frasco. Quando este já estava repleto de neve, ela voltou a colocar a tampa e a fechou com força.

— Isto não vai ter um gosto bom — ela avisou ao voltar cuidadosamente para perto de Justice. Ele ficou deitado ali, de olhos fechados, enquanto ela resolvia a questão da água, e os abriu lentamente quando ela falou. Seu rosto estava pálido, o que não era de surpreender, mas ele esboçou um sorriso.

— Então, quais são as outras novidades?

Ela mostrou a ele o frasco com neve. — Não vai dar muita água quando derreter, mas isto foi o melhor que consegui. O difícil é fazer a neve derreter. Preciso colocar a garrafa em algum local quente. Adivinha onde será?

— Aposto que não será dentro de sua blusa — ele comentou, sarcástico.

— Pode apostar que não. — Ela ignorou a referência que ele fez à maneira como ela havia esquentado os pés dele. O fato de ele ter sentido os seios nus dela não a deixava embaraçada, mas, por outro lado, não estava exatamente confortável com a repentina mudança no relacionamento entre eles, se é que a antipatia fria podia ser chamada de relacionamento. Agora, de repente, eles se haviam tornado melhores amigos, porque haviam sobrevivido a um desastre de avião? Ela não pensava assim. Por outro lado, ainda, a hostilidade não tinha lugar entre eles agora; ainda precisavam um do outro para sobreviver. E se havia mais um lado na questão, bem, depois de ver o esforço hercúleo que ele fizera para controlar o avião e tornar o acidente menos grave, os maiores sentimentos que ela nutria por ele eram respeito e admiração. Era preciso admitir: ele tinha sido um herói.

Ela pensou em tudo aquilo. De modo geral, não sabia como se sentia, nem em que pensava. Concentrando-se na tarefa, que era mais importante do que o que ela sentia ou deixava de sentir, ela colocou o frasco embaixo das camadas de roupas, ao lado do quadril dele. — Espero que isto não faça você tremer de novo. Está insuportavelmente frio?

— Não, tudo bem. Há duas camadas de roupas entre mim e o frasco. Você está fazendo tudo sozinha, então o mínimo que posso fazer é servir como derretedor de neve.

— É verdade.

Dessa vez, o sorriso foi de verdade, mostrando os dentes e uma pequena covinha que ele tinha do lado esquerdo de sua boca. Só então ela percebeu que sua resposta não tinha sido simpática, e balançou a cabeça. — Sinto muito. Isso foi muito grosseiro.

— Mas foi verdadeiro. — Ele manteve a cabeça parada, é claro, mas seus olhos estavam semicerrados, ele estava se divertindo, e a covinha voltou a surgir. Era incrível o modo como um sorriso o mudava, passando de Capitão Azedo para um homem muito atraente, mesmo com a cabeça enfaixada, o rosto inchado e tudo o mais.

— Bem... sim.

— Ainda bem que você disse sim. Se não tivesse feito isso, pensaria que você tinha perdido a noção de realidade.

— Sou bem pé no chão — ela disse com seriedade e suspirou. — Infelizmente, a realidade está me dizendo que é melhor eu voltar ao trabalho, ou vamos morrer congelados esta noite. A altitude está me atrapalhando, por isso tenho de agir de modo lento e cuidadoso.

Seu olhar parecia mais atento. — Você está sofrendo de mal das montanhas?

— Dor de cabeça, tontura... sim, tenho certeza. A dor de cabeça poderia ser por ter batido com ela, mas, de modo geral, acredito ser culpa da altitude.

A expressão dele ficou séria. — E não posso fazer nada para ajudá-la. Bailey, não se esforce demais. É perigoso. O mal das montanhas pode matar.

— Assim como a hipotermia.

— Podemos vencer a noite. Temos roupas suficientes para cobrir dez pessoas e podemos nos aquecer deitando perto um do outro.

Eles teriam de fazer isso de qualquer modo; ela não tinha ilusões acerca de sua habilidade no departamento de construção do abrigo. Tampouco tinha ilusões a respeito de como aquelas montanhas podiam ficar frias à noite, ou de quão ruim era a situação. Pensando bem, a hipotermia e o mal das montanhas não eram perigos iguais — não para ela e certamente não para ele. Pensando na quantidade de sangue que ele havia perdido, ele corria muito mais risco de morrer à noite do que ela.

— Terei cuidado — ela disse, ficando em pé. Olhou para o avião, quase virado na encosta acima dela. Só de pensar em subir aqueles poucos metros fazia com que ela se sentisse exausta, mas precisava da rede de carga, além do couro dos assentos. Oh, sim, e dos fios também. Poderia usar muitos fios, pendurados na asa quebrada, no buraco feito na asa esquerda e em parte da cabine.

A grandiosidade do trabalho que ela teria de enfrentar quase lhe causou pânico. Ela estava com fome, sede e frio. Seu corpo todo doía. A ferida em seu braço direito, da qual ela havia se esquecido, estava se fazendo sentir. Mesmo que ela tivesse se alimentado bem, ingerido bastante líquido e estivesse com roupas adequadas — além de uma boa fogueira —, não teria gostado de saber que seria a responsável por construir para eles um abrigo que deveria ficar em pé. A arquitetura a deixava irritada. Ela nunca havia construído, nem mesmo castelos de areia.

Ela só tinha a seu favor alguns episódios sobre um programa de sobrevivência ao qual ela havia assistido no Discovery Channel, e não se recordava muito bem dos detalhes. Sabia que ficariam mais aquecidos com uma camada de alguma coisa entre eles e o chão; sabia que precisava de um teto de algum tipo sobre eles para protegê-los de eventual chuva ou neve. Além disso, ela só conseguia pensar que eles tinham de se proteger do vento também. Tudo isso ela tinha de conseguir, de certo modo, com gravetos e folhas.

Entrando no avião destruído, ela terminou de soltar a rede de carga e deixou-a cair pela porta até o chão. Essa tarefa não foi muito pesada, assim como também não foi retirar o couro dos assentos. Para manter o couro em pedaços grandes, ela usou, com dificuldade, a ponta do canivete para cortar as linhas de costura. O assento traseiro era um banco único, com dois encostos e braços individuais; o assento ofereceria o maior pedaço. O vento não conseguia ultrapassar o couro; era por isso que os motociclistas usavam roupas desse material.

Cortar todos aqueles pontos demorou mais do que ela esperara. Algumas partes do couro ela teve de cortar de qualquer forma, porque não se soltaram mesmo depois de todos os pontos serem retirados. Ao retirar o couro dos assentos, encontrou uma espuma grossa que oferecia conforto; ela logo percebeu uma utilidade para isso, por isso as placas de espuma foram jogadas em cima da rede de carga e dos pedaços de couro. No chão da aeronave, havia mais vinil. O avião que quase os matara, ela pensou, poderia salvá-los agora.

11

— Adivinha só? — Bret estava praticamente saltitante naquela tarde, ao entrar no escritório da J&L com seu andar garboso. — Parece que Cam tinha razão a respeito da reação alérgica. Era... — Ele interrompeu a frase pela metade, o sorriso apagando-se de seu rosto, seus olhos azuis paralisados no rosto de Karen. — O que houve?

Karen olhou para ele sem dizer nada. Seu rosto estava pálido, sua expressão séria e sombria. Segurava o fone e, lentamente, posicionou-o no gancho. — Eu estava prestes a telefonar para você. — Sua voz estava fina, sem vida.

— O que foi?

— É Cam.

Bret olhou para o relógio. — Ele já ligou? Fez a viagem num tempo muito bom.

— Não, ele não ligou — Karen disse como se fosse incapaz de mexer os lábios. Ela engoliu em seco. — Ele não fez a parada para abastecer em Salt Lake.

Uma contração muscular no rosto de Bret se fez evidente.

— Ele parou em algum outro lugar — ele disse distraidamente, depois de um instante. —Antes de Salt Lake. Se houvesse qualquer problema, ele desceria em...

Lentamente, Karen negou com um movimento de cabeça.

Bret ficou parado, olhando para ela enquanto compreendia o que ela tentava dizer. Depois, partiu para dentro de seu escritório, pegou o cesto de lixo e vomitou dentro dele. — Deus — ele disse com a voz rouca, quando conseguiu falar. Apertou os dois punhos nos olhos. — Deus do céu! Não posso... não dá para acreditar...

Karen apareceu na porta da sala. — Foi emitido um alerta.

— Foda-se o *alerta* — ele disse nervoso, virando-se. — Uma busca...

— Você conhece o protocolo.

— Eles estão perdendo tempo! Eles têm de...

A resposta de Karen foi balançar a cabeça de novo.

Furioso, ele chutou a cadeira, mandando-a contra a parede.

— Merda! — ele gritou. — Merda! Merda! Merda!

Em seguida, pegou o telefone e começou a ligar para as pessoas, só para escutar diversas vezes que o protocolo tinha de ser seguido, que, se Cam não parasse em algum lugar dentro de duas horas, uma busca teria início.

Batendo o telefone pela última vez, ele foi até o mapa em sua parede e traçou uma linha de Seattle a Denver, marcando a rota que Cam teria realizado. — Mais de 1.500 quilômetros — ele disse. — Ele pode estar em qualquer lugar. Qualquer coisa pode ter dado errado. Já falou com Dennis? Mike marcou a revisão do Skylane ontem por causa de algum problema?

As duas respostas haviam sido dadas para Karen, que estava escutando os telefonemas que ele fizera, esperando que ele pudesse começar a busca. — Já chequei — ela disse. — Não havia nada. Dennis disse que não havia nada de diferente marcado para o

Skylane além das revisões normais. — Ela hesitou. — Seja o que for que tenha acontecido... não foi mecânico. Uma ave pode ter entrado no caminho, ou ele pode ter se sentido mal e desmaiado. — Sua voz ficou embargada.

Bret ainda olhava para o mapa. A rota de Cam passava por alguns dos terrenos mais incertos e isolados do país. — Ele pode ter pousado — ele insistiu. — Em um campo, em um cânion, em uma trilha de terra, qualquer lugar. Se puder ser feito, Cam consegue fazer.

— Eles estão realizando uma busca por comunicações — ela disse. — Se ele conseguiu pousar, fará contato pelo rádio. Uma rede das Estações de Serviço de Voo vai analisar a transmissão dele. — A voz dela voltou a falhar quando disse: — Tudo o que podemos fazer é esperar.

As Estações de Serviço de Voo eram instituições de tráfego aéreo que realizavam diferentes funções; entre elas, estava o monitoramento constante da frequência de emergência da aeronave. Cam havia preenchido um plano de Regras Visuais de Voo, o que o colocava no sistema da aeronáutica de níveis de emergência. Quando Cam não chegou a Salt Lake no tempo estimado, o sistema entrou em fase de alerta. Uma busca por comunicações notificava todos os pontos de comunicação e os aeroportos ao longo da rota de que ele estava atrasado para a chegada e pedia qualquer informação.

O protocolo era que, depois de uma hora, se o avião não tivesse sido encontrado, que a busca por comunicações fosse intensificada e expandida, e todos os pontos possíveis de pouso fossem verificados. Depois de mais de uma hora sem resultados, as Estações de Serviço de Voo entregariam a busca para a equipe de busca e salvamento. Os amigos e parentes de Cam seriam chamados. Apenas depois de três horas é que a busca física teria início; um satélite localizaria o Transmissor Localizador de Emergências do avião e levaria a equipe de busca e salvamento até ele, mas, dependendo de quão afastado fosse o local, isso poderia demorar horas.

Karen tinha razão. Eles só podiam esperar.

Bret andava de um lado para outro. Karen voltou para sua mesa e sentou-se olhando para o nada, mexendo-se apenas para atender o telefone quando ele tocava. Os minutos passavam lentamente, algo torturante.

E então Karen atendeu o telefone uma última vez, e respondeu com a voz embargada: — Sim, obrigada. — Desligou e começou a chorar.

Bret respirou profundamente, com dificuldade. Ficou em pé, parado, com os punhos cerrados. — Encontraram o avião? — ele perguntou com a voz embargada.

— Não. — Ela secou os olhos e travou a mandíbula. — Não foram feitas chamadas de emergência, nenhum contato foi realizado pelo rádio. Se ele tivesse feito um pouso de emergência em algum lugar... — Ela não precisou continuar. Se Cam tivesse *pousado*, teria avisado pelo rádio, mas pousar e cair eram duas coisas diferentes. — As buscas foram iniciadas.

O rosto de Bret estava pálido e seus ombros, caídos. — Acho melhor eu... acho que devo telefonar para Seth Wingate. — Voltando para sua mesa, ele sentou-se e procurou na agenda telefônica. Karen rapidamente puxou o arquivo da família em seu computador e disse o número a ele.

— Sim? — Uma voz levemente arrastada respondeu. A televisão estava ligada ao fundo, com o volume alto.

Estaria ele embriagado àquela hora? Ainda era de tarde. — Seth?

— O próprio.

— Bret Larsen, da J e L. — Bret apoiou os cotovelos na mesa e cobriu os olhos com uma das mãos.

— Pensei que hoje você levaria a vagabunda... desculpe, a minha *querida* madrastinha para Denver.

— Cam, o Capitão Justice, assumiu o voo no último minuto. — Sentiu que estava ficando sem fôlego, por isso respirou rapidamente. Deveria acabar logo com isso. — Perdemos contato com o avião. Eles não chegaram a fazer a parada para reabastecer em Salt Lake.

Inacreditavelmente, Seth riu: — Não brinca.

— Não. A equipe de busca e salvamento já começou os trabalhos. Eles...

— Obrigado por telefonar — Seth disse e riu de novo. — Acredito que os sonhos se realizam, não é?

Bret escutou quando Seth desligou. — Imbecil! — ele rosnou, controlando o desejo de jogar o telefone longe. — Idiota! Cretino!

— Acho que ele não ficou chateado — Karen disse. Ela continuava pálida, mas seus olhos estavam secos e ela estava retraída e com o olhar perdido, típico de quem acabou de sofrer um choque.

— O filho da puta *riu*. Disse que seu sonho havia se tornado realidade.

— Talvez com a ajuda dele — ela disse, com ódio.

A primeira coisa que Seth fez foi colocar a televisão muda e telefonar para a irmã, Tamzin. Quando ela atendeu, pelo barulho de água ao fundo ele percebeu que ela estava sentada à beira da piscina, observando seus dois pestinhas. Ele não gostava do sobrinho e da sobrinha. E não gostava muito da irmã, mas, em relação a esse assunto, pelo menos, eles eram unidos.

— Você não vai acreditar — ele disse com satisfação. — Parece que o avião de Bailey caiu a caminho de Denver.

Assim como ele, a primeira reação dela foi rir: — Você só pode estar brincando!

— Bret Larsen acabou de telefonar. Ele seria o piloto dela, mas o outro, o cara mais alto, assumiu o voo no lugar dele.

— Oh, meu Deus! Isso é ótimo! Não posso acreditar... quer dizer, sei que não deveríamos *comemorar*, mas ela tem sido tão... como você conseguiu?

Uma fúria instantânea tomou conta dele. Ela não era *idiota*. Tinha identificador de chamadas; sabia que ele estava telefonando de um celular, meio de comunicação que era notoriamente inseguro, e ela dizia uma coisa *daquelas*? Estava querendo que ele terminasse preso?

— Não sei do que está falando — ele disse de maneira fria.

— Oh, corta essa. Madison! Não faça... terei de mandar seus amiguinhos embora se você... — Ela gritou de repente: — Veja o que fez! A mamãe está toda molhada! Chega! Não pode chamar mais nenhum amigo para vir aqui em casa durante um *mês*!

Mesmo ao telefone, Seth conseguiu escutar o resmungo de sua sobrinha, um som particularmente esganiçado, quando colocou em prática o plano de convencer a mãe a voltar atrás e conseguir reaver seus privilégios. Tamzin nunca levava a cabo suas ameaças, e seus filhos sabiam muito bem disso. Eles só precisavam resmungar por bastante tempo, e Tamzin desistiria do castigo apenas para que eles se calassem. Ele apertou a têmpora. — Não consegue fazê-la calar a boca? Parece uma sirene!

— Eles estão me deixando *maluca* hoje.

Novidade, ele pensou de modo sarcástico.

— E então? O que devemos fazer? — Tamzin perguntou. — Precisamos ir atrás do corpo ou alguma coisa assim, porque não me importa se ela será enterrada ou não. Não vou gastar nem um centavo com o enterro dela.

— Ainda não podemos fazer nada. Eles estão procurando pelo avião.

— Quer dizer que ainda não sabem onde ele está?

— E por que mais estariam procurando por ele?

— Como sabem que caiu se não o encontraram? Pensei que alguém percebesse quando um avião desaparece da tela de radar.

Ele começou a explicar a ela que os voos gerais não ocupam as mesmas altitudes dos voos comerciais e só eram monitorados por radares quando se aproximavam do espaço aéreo controlado, mas decidiu ficar calado. — O avião não apareceu para o abastecimento programado.

— Então pode ser que não tenha caído? Eles não sabem ao certo. — Dava para perceber o desapontamento em sua voz.

— Eles têm certeza.

— Então, quando passamos a ter controle de nosso dinheiro?

— Quando os corpos forem encontrados e uma certidão de óbito for emitida, creio eu. — Ele não sabia, de fato; as questões legais podiam demorar para serem resolvidas.

— Quanto tempo isso vai demorar? É ridículo não termos controle sobre o nosso próprio dinheiro. Eu detesto, com todas as minhas forças, o papai por fazer isso com a gente. Tenho de fingir a todos os meus amigos que deixamos ela viver na casa por pura bondade nossa, e que sou uma pessoa contida com os gastos, quando, na verdade, ela controla todos os centavos como se fossem dela.

— Não sei — ele disse impacientemente. — Telefone para seu advogado se precisar descobrir já.

— Além disso, não vou vestir preto e não vou fingir que sinto muito.

— Sei, sei, eu também não. — De repente, ele não suportou mais conversar com ela. — Aviso quando souber de algo mais concreto.

— Você devia ter me ligado mais cedo. Tive um dia péssimo e, se você tivesse me contado isso logo de manhã, eu estaria com um humor muito melhor.

Seth desligou o telefone e, em um acesso de raiva, o jogou para o outro lado da sala. O que havia começado como satisfação pura agora lhe dava uma sensação amarga. Foi ao banheiro, bebeu um gole de água e se olhou no espelho como se nunca tivesse visto a si mesmo antes, pensando se as outras pessoas podiam olhar para ele e vê-lo como alguém que mataria para alcançar seus objetivos. Pressionou os lábios, que ficaram mais finos, e desviou o olhar de seu reflexo.

Voltando para a sala de estar, pegou o uísque que estava no copo, o terceiro do dia, e o levou à boca. Depois, sem beber, voltou a baixar o copo. Precisava manter a cabeça limpa, por isso não podia continuar bebendo.

Teria de ser muito, muito cuidadoso, ou a língua solta de sua irmã o colocaria na prisão.

12

Bailey deu um passo para trás a fim de avaliar os frutos de seu trabalho, e não porque estava surpresa com sua beleza. O "abrigo" — ela esperava que ele fosse firme o bastante para merecer esse nome — era uma improvável reunião de peças e tinha uma forma tão esquisita que até um país de Terceiro Mundo poderia não considerá-lo razoável. Seus joelhos estavam trêmulos — depois de todo o esforço para montar o abrigo, ela estava prestes a desmaiar.

Sua cabeça latejava de dor. Estava com muita sede e derreter neve na boca era apenas um alívio de curta duração. Além disso, fazia com que ela sentisse ainda mais frio. Estava faminta. Seu corpo todo doía, os músculos protestavam a cada movimento. E estava tão zonza que, no fim do trabalho, havia sido forçada a agachar-se, o que significava que sua calça de moletom ficara molhada pela neve e agora esfriava ainda mais seu corpo.

Mas a coisa estava montada e ela e Justice tinham um lugar no qual podiam dormir, e, se o "abrigo" não caísse em cima deles, ele ofereceria pelo menos um pouco de proteção do vento gelado. E isso não era fácil.

Apenas com o canivete de Justice, ela teve de usar peças e galhos quebrados que conseguira encontrar. O avião havia quebrado muitos galhos, mas nem todos eles tinham sido arrancados completamente. Alguns que não haviam sido completamente quebrados ela conseguiu soltar, quando estavam pendurados por um fio, mas não conseguiu gastar muita energia nem tempo neles. Pegar os galhos quebrados do chão, mesmo que não fossem tão fortes quanto aqueles que continuavam pendurados, era muito mais fácil do que realizar um corte com o canivete.

Depois de escolher um espaço retangular entre várias árvores, protegido pelo lado ligeiramente côncavo de uma rocha e recomendado, em grande parte, porque o ponto era bem plano, além de não ter grandes raízes saindo do chão, ela retirou o máximo de neve que pôde e cobriu o espaço com os galhos mais flexíveis que encontrou. Todas as árvores pareciam ser sempre-verdes e abetos, por isso os galhos com suas folhagens finas formariam uma camada de proteção entre eles e o chão.

Talvez estivesse fazendo as coisas ao contrário, mas, em seu modo de ver, precisava montar a cama deles primeiro, depois construir o abrigo ao redor para que pudesse visualizar melhor o tamanho que ele deveria ter. Como Justice dissera, quanto menor, melhor. Por estar preocupada em deixar o abrigo comprido o bastante para que pudesse esticar as pernas, ela ficou em pé ao lado dele e, cuidadosamente, mediu o tamanho dele com o método de colocar um pé na frente do outro. Ele era um pouco maior do que sete de seus passos.

Ele a observou fazendo aquilo com um olhar confuso. — Está treinando para realizar um teste de sobriedade ou algo assim?

— Estou medindo você. Você é alguns centímetros mais comprido do que sete de meus passos. Não quero deixar o abrigo curto demais para você.

Ela tentou fazer a cama com dois ou três centímetros a mais que o tamanho dele — e tentou deixar um lado mais comprido do que isso, porque, de modo geral, o abrigo estava meio inclinado pela posição na qual as árvores estavam. Ela pensou que deveria ficar com o lado mais curto.

Por cima da cobertura de galhos, ela colocou o estofamento que havia retirado das poltronas do avião. Havia seis partes de espuma curtas e uma comprida, do banco traseiro, e percebeu que eles teriam mais conforto do que se estivessem em sacos de dormir. Se pudesse escolher, no entanto, preferiria os sacos de dormir, pois, com eles, ficariam mais aquecidos. Manter-se aquecido à noite, sem uma fogueira, seria um grande desafio.

Quando colocou as partes estofadas, passou a trabalhar com os galhos pequenos. Obviamente, precisava de algum tipo de estrutura, e é claro que seu rolo de fita foi usado para prender os galhos, mas ela relutou em usá-lo. O rolo era pequeno e não duraria muito. Se ela usasse tiras de tecido para amarrar a estrutura, pelo menos elas poderiam ser reutilizadas se ela não acertasse na primeira tentativa, ao passo que, com a fita adesiva, depois de usada, não haveria como reutilizá-la.

O casaco estragado de seda seria perfeito para ser cortado em tiras.

A princípio, ela tentou fazer algo como um V invertido, mas isso, evidentemente, estava além de suas habilidades de construção, o que não era de surpreender. Depois que a estrutura rudimentar caiu pela terceira vez, ela tomou uma decisão e parou de gastar tempo com aquele método.

Voltando para onde Justice estava, sob a pilha de roupas, ela se agachou ao lado dele e perguntou: — Lembra-se de quando eu disse que era péssima em construção?

Ele abriu um pouco os olhos. — É sua maneira de me dizer que vamos dormir a céu aberto hoje?

— Não, essa é minha maneira de pedir ajuda. Socorro! Apenas me dê algumas instruções. Orientações. Qualquer coisa. Se tem qualquer experiência nisso, sabe mais que eu.

— Pensei que você já tivesse feito rafting antes.

— E já fiz. Mas aproveito para dizer que ninguém pratica rafting no topo de uma montanha coberta por neve.

— Você nunca montou uma barraca?

Ela resmungou: — Eu era uma universitária. É claro que não. Dormíamos em sacos de dormir em um acampamento.

— Certo. — Ele pensou por um instante. — Que tipo está tentando construir? Uma estrutura em A ou uma curvada?

— Uma em A. Não consigo deixá-la em pé.

— Faça a base primeiro. Faça as laterais com dois longos galhos paralelos, depois coloque os galhos de fundo e de frente por cima, e prenda os quatro cantos.

Isso parecia bem fácil. Voltando para o local, ela separou os tipos de galhos, peças e gravetos melhores para as laterais da cama. Depois, fez os dois lados mais curtos, um de cada lado, e usou as tiras de seda para amarrar cada galho curto aos dois mais longos. Quando terminou, balançou a estrutura para ver se era resistente, cuidadosamente apertou os nós e a balançou de novo. Era boa o suficiente.

— E agora? — ela gritou.

— Agora, você precisa determinar a altura. Pegue quatro galhos que sejam mais altos do que a altura que pretende dar ao abrigo.

Fácil também, mas os quatro galhos tinham folhas e galhinhos presos. Usando o canivete, ela tirou o que conseguiu. — Pronto.

— Pegue dois e faça um X com eles. O ponto em que se cruzarem determinará a altura do abrigo. Você deve prender o segundo na mesma altura em que prender o primeiro. Depois, pegue os dois pedaços menores e coloque-os abaixo do ponto de cruzamento dos Xs, como reforços.

Hum. Ela viu que sabia aonde ele pretendia chegar. Ocupou-se com as tiras de seda e, quando terminou, tinha o que pareciam duas letras A, com galhos voltados para cima. — Agora devo atá-los à base, certo?

— Em primeiro lugar, pegue outro galho comprido, o coloque no cruzamento dos dois Xs e amarre-o nas duas pontas para que a estrutura de cima seja tão longa quanto a base. Depois, prenda tudo à base.

Mesmo com as orientações dele, a estrutura do abrigo ficou meio tombada para a esquerda e caída na parte de trás, mas, quando ela procurou pelo sol, viu que ele havia descido atrás das montanhas e o tempo era curto demais para que ela tentasse melhorar sua obra. Em vez disso, amarrou galhos onde pensou que seria necessário, ou seja, em todas as partes. Quando acreditou que a estrutura era forte o bastante para ficar em pé, pelo menos por uma noite, começou a fazer o teto.

Tecnicamente, ela não achava que sacos de lixo pretos jogados por cima podiam formar um teto de verdade, mas eram a coisa mais próxima de cobertura que podia usar. Prendeu com a fita adesiva os sacos de lixo à estrutura de madeira e depois jogou a rede de carga por cima para prendê-los, no caso de o vento erguê-los, e para ter mais peso e proteção contra o vento, colocou os galhos de árvores, com as folhagens, por entre os espaços da rede.

Os sacos de lixo não cobriram completamente as laterais da estrutura em A, mas ela não tinha muitos deles para usar. Prendeu mais galhos para cobrir os espaços, depois mais galhos ainda, e começou a colocar montes de folhas onde conseguia. De olho na luz que ia embora aos poucos e também com a atenção voltada para a temperatura que caía, esqueceu-se de manter os movimentos lentos. Em vez disso, a pressa fez com que ela se movesse cada vez mais rápido, até ficar ofegante.

Quando ficou em pé para pegar outro galho a fim de cobrir o pequeno espaço que acabara de perceber, sua vista escureceu. Ela tropeçou, procurando, em pânico, alguma coisa em que pudesse se apoiar, qualquer coisa, mas sua mão não encontrou nada e ela caiu em direção a uma das árvores.

Quando voltou a enxergar, estava de joelhos na neve, um dos braços envolvendo a fina sempre-verde, o coração aos pulos. Com medo de cair, ficou de joelhos, rangendo os dentes enquanto cobria o pequeno espaço. A náusea tomou conta de seu corpo, mas ela a controlou logo em seguida.

Ainda precisava fechar as pontas e a única maneira de fazer isso era agachando-se. Depois de erguer galhos e cobrir a parte dos fundos, juntou neve contra ela; certamente a neve não derreteria e criaria uma boa barreira contra o vento forte. A parte da frente só poderia ser coberta parcialmente, porque eles precisavam entrar de algum modo; mais galhos, começando nas laterais e indo para dentro, deixando espaço suficiente apenas para que ele passasse. Para cobrir a entrada, ela colocou o maior pedaço de couro do lado de dentro da estrutura e deixou a aba pendida; não cobria totalmente a entrada, mas não era preciso. O espaço que restava ela ainda poderia preencher puxando um dos sacos de lixo com as roupas dentro.

O maior problema agora seria ficar em pé, recompor-se e colocar Justice dentro do abrigo. Ela não podia arrastá-lo, porque já estava arrastando a si mesma. Cuidadosamente, levantou-se, segurando-se em uma das árvores para ter suporte. Seus joelhos ameaçaram ceder e sua cabeça doeu com tanta força que ela quase caiu de novo. Quando a sensação ruim passou, ela olhou com cansaço para a estrutura rudimentar e torta. Serviria porque tinha de servir; eles não tinham alternativa.

* * *

Desajeitada, hesitante, ela desceu a encosta onde Justice estava. Não era muito longe, não mais do que 10 metros — apenas longe o suficiente para sair do caminho do avião se ele começasse a escorregar. Ainda assim, pelo esforço que ela teve de fazer para percorrer aqueles 10 metros, era como se tivesse sido um quilômetro.

— Está pronto — ela disse, caindo de joelhos ao lado dele. Suas mãos estavam frias e duras de frio, as montanhas giravam ao seu redor e ela, mais uma vez, tentava controlar as náuseas. — Não sei como você vai chegar lá, a menos que queira engatinhar.

Ele abriu os olhos, com as pupilas pálidas entre os hematomas que já se formavam. — Acho que posso ficar em pé. Se não conseguir, vou engatinhando. — Ele viu a palidez da pele dela, a maneira como estava tremendo, a umidade em sua calça dos joelhos para baixo e franziu a testa. — Que diabos você fez consigo mesma? — ele perguntou com seriedade. — Deixa pra lá; eu sei. Você quase se matou fazendo um abrigo para nós dois. Que droga, Bailey...

Ela se sentiu ridiculamente magoada, como se a opinião dele importasse para ela, e como também ficou irritada, respondeu de modo ríspido: — Quer saber? Não precisa dormir ali. Pode congelar seu rabo aqui, se quiser.

Um braço nu e musculoso surgiu debaixo das roupas, uma mão firme a segurou pelo braço e, quando deu por si, estava deitada no cobertor. Ficou furiosa pelo fato de, por mais fraco e ferido que ele estivesse, ela estava tão fraca depois de todo o desgaste que parecia uma boneca de pano nas mãos dele.

Os olhos acinzentados dele ficaram gelados. — Vamos dormir juntos, seja no abrigo ou aqui fora. Mas, primeiro — ele disse de modo seco —, você vai entrar sob essas camadas de roupa e vai deitar comigo por um tempo, antes que desmaie. — Ele estava falando devagar, virando-se com esforço para o lado esquerdo para ficar de frente para ela.

Deitar-se foi como estar no paraíso para ela, pois seu corpo doía e a cabeça pesava; aquecer-se era um sonho tão delicioso que ela quase chorou ao pensar nisso. A raiva e a mágoa haviam feito com que ela quisesse se encolher e fugir para deitar-se no abrigo sozinha, mas a realidade era que ela não se sentia capaz de correr para qualquer lugar que fosse. Sem poder satisfazer a vontade física, ela recorreu às palavras: — Seu cretino mal-agradecido. Sempre pensei que você era um imbecil, e agora tenho certeza. Não vou mais te dar meu chocolate.

— Sei, sei — ele disse apertando-a para perto de si e lutando com as camadas de roupa a fim de conseguir cobri-la. Depois que conseguiu, ele a puxou para mais perto ainda, até ela estar aconchegada em seus braços, contra seu corpo seminu.

Uma grande onda de calor a envolveu. Ela sabia que, na realidade, a sensação não devia ser tão quente quanto parecia, que, no máximo, ele estava apenas moderadamente aquecido, mas ela estava com tanto frio que ele parecia estar pegando fogo. O rosto gelado dela ficou pressionado contra o pescoço e ombro dele, seu braço estava ao redor dela, pressionando-a para mais perto ainda, e a sensação de calor em suas mãos geladas e latejantes foi, ao mesmo tempo, tão dolorosa e tão maravilhosa que ela quase chorou. Em vez disso, envolveu com os braços as laterais do corpo dele em busca de calor. Ele fez uma careta e disse um palavrão, mas não se afastou.

Bailey continuou seu discurso de infelicidade, resmungando contra a garganta quente dele: — Quando você dormir, vou arrancar todos os pontos de sua cabeça. Vai ver só. E vou levar minhas roupas também; você pode se aquecer com as próprias roupas, esses três pedaços de pano. *E* eu quero meu frasco de enxaguante bucal de volta.

— Shh — ele disse. As mãos dele passavam lentamente pelas costas dela, para cima e para baixo, sem parar. — Descanse agora. Pode terminar de me dar a bronca quando estiver se sentindo melhor.

— Vou dar bronca em você quando eu quiser, não quando você mandar. Está *sorrindo*? — ela perguntou furiosa, levantando a cabeça para olhar, porque podia jurar que havia visto Justice sorrir enquanto falava.

Se ele estava sorrindo, conseguiu disfarçar a tempo. — Quem? Eu? De jeito nenhum. Vamos, abaixe a cabeça — ele disse, colocando a mão na nuca dela para aplicar um pouco de pressão. — Fique mais perto de mim.

Mais perto? A única maneira de ficar mais perto dele seria se arrancasse suas roupas também. Ela cedeu à pressão da mão dele, mais uma vez pressionando o rosto contra o calor de sua pele.

— Pare de brincar. Eu detesto isso, e não vai funcionar.

— Não tinha esperança de que funcionasse.

Droga, ele continuava fazendo aquilo. Ela pensou em beliscá-lo, mas, para isso, precisaria fazer esforço, e ela estava exausta. Só queria ficar ali, sem fazer nada, por quanto tempo pudesse, com a cabeça latejando no conforto quente do ombro dele.

Ela não se permitiu dormir. A escuridão se aproximava com pressa e ela ainda tinha muito a fazer. — Preciso levantar. Está ficando escuro...

— Ainda temos uma hora de luz do dia. Podemos ficar cinco minutos aqui até você descansar e se aquecer um pouco. Fui colocando mais neve no frasco de enxaguante bucal à medida que ela ia derretendo, por isso temos cerca de meio litro de água, se você quiser beber.

Ela queria. Não percebera os movimentos dele, mas estava ocupada, por isso não era de surpreender. Ele pegou o frasco que estava sob as camadas de roupas

Ela viu um pouco de sujeira flutuando na neve derretida, mas, francamente, não se importou nem um pouco. Estava tão sedenta que podia beber toda a água, mas permitiu-se apenas três goles, mexendo o líquido maravilhoso dentro da boca até ele estar quente o bastante antes de engoli-lo. — Isso foi bom — ela disse suspirando, voltando a colocar a tampa do frasco. Justice o colocou de volta em seu lugar embaixo das camadas e mais uma vez a puxou para perto.

Presa nos braços dele, cercada por seu calor, Bailey deixou toda a tensão abandonar seus músculos.

Não importava; por mais irritada que ele a deixara, a verdade era que ambos estavam juntos naquilo. Enfrentando o frio brutal de uma noite em grande altitude, eles poderiam viver juntos ou morrer separados. Seria apenas uma noite; seriam resgatados no dia seguinte. Ela se reuniria com Logan e Peaches, que, a essa altura, deviam estar malucos de preocupação, e talvez se reunissem com o grupo de rafting mais além do ponto de partida. Fazer rafting parecia bem comum depois de sobreviver a um desastre de avião, ela pensou distraidamente. Havia aventuras e *aventuras*; nada como uma situação de vida ou morte para aumentar a adrenalina.

Aos poucos, outra verdade dura ficou evidente.

Justice estava a um passo da morte por causa da hemorragia, sua cabeça estava aberta e ele, sem dúvida, sofrera um traumatismo. Estivera perto de morrer de hipotermia, e só Deus sabia que outros ferimentos ele poderia ter. Havia passado por tudo aquilo — e o safado ainda conseguia ter uma ereção.

13

— Droga — Bailey disse com culpa, exagerando um pouco. — Você precisa fazer xixi, não é? Sinto muito, eu deveria ter perguntado há muito tempo.

Alguns segundos passaram até ele responder: — Tudo bem. Posso esperar.

— Bem... se tem certeza...

— Tenho certeza. — Ele parecia um pouco contrariado.

Ela não esboçou sorriso algum, pois, com o rosto pressionado contra o pescoço dele, como estava, ele sentiria seus músculos faciais em movimento. Se ele estava pensando em fazer sexo de ocasião — ela era uma ocasião, por isso ele faria sexo com ela —, atribuindo sua ereção a uma função corporal, e não a um desejo real, ela queria mostrar a ele que certamente não estava pensando nele para transar. Não compreendia como, naquela situação, ele podia pensar em uma coisa dessas, mas já havia percebido que os homens perdiam a noção da realidade quando se tratava de seu pênis.

No entanto, a noção de realidade dela era forte, e mostrava que eles estavam em circunstâncias terríveis. Mesmo que ele não estivesse machucado, ela não tinha tempo nem espaço em sua lista de afazeres para uma sessão de diversão. Além disso, havia a razão clássica para recusar: estava com dor de cabeça — de verdade, tão forte que apenas a necessidade urgente de montar um abrigo no qual pudessem passar a noite havia feito com que ela não sucumbisse.

Por falar nisso... *Levante e sacuda a poeira, mulher*, ela disse a si mesma, deixando os desconfortos físicos de lado. — Se tem certeza de que não precisa fazer xixi...

— Tenho certeza — ele resmungou. Dessa vez, pareceu estar bem irritado.

— Então vamos continuar com o espetáculo, Capitão Justice.

Mais de uma hora depois, ela literalmente se arrastou para dentro do abrigo precário ao lado dele e deixou-se cair nos pedaços de espuma, que ela havia coberto com o cobertor, acreditando que o calor vinha do chão para cima, e assim eles estariam mais aquecidos deitados sobre o cobertor do que sob ele. Fazia sentido para ela, por isso aceitara a sugestão.

Justice estava pálido de cansaço e dor quando ela conseguiu fazê-lo subir a ladeira. Cobrir a curta distância, com o progresso feito aos poucos, havia sido um pesadelo que deixou ambos trêmulos. Antes disso, com a ajuda dele, ela o vestira com roupas limpas. Subira e descera a encosta, arrastando os sacos de lixo repletos de roupas e outros itens, mas pelo menos tudo fora feito e a noite havia caído.

Ela tremia de frio de novo, mas havia conseguido esticar o braço e arrastar um dos sacos de lixo com roupas para mais perto, até ele cobrir a maior parte da abertura do abrigo. Eles ficaram deitados na escuridão total por alguns segundos e o único barulho era o som de sua respiração; depois, ele acendeu a luminária para leitura que tinha duração de doze horas. A fraca luz formou sombras no rosto de traços fortes dele enquanto procurava aproximar-se mais dela, com a expressão sem revelar o que os movimentos deviam estar lhe custando.

Em silêncio, ele a aconchegou nos braços de novo para que pudessem se deitar bem juntinhos, e arrumou as pilhas de roupas sobre ambos. Em seguida, desligou a luz para economizar bateria e os dois ficaram deitados até a respiração se tornar menos ofegante e os tremores passarem quase por completo.

— Quando você quiser — ele disse, com a voz grave e calmante na escuridão que os envolvia —, vamos terminar de comer aquele Snickers e beber o restante da água. Também acho que podemos tomar alguns analgésicos.

— Uh-huh. — Isso foi tudo o que ela conseguiu dar como resposta. Estava tão cansada que todas as partes de seu corpo doíam. Sim, estava com muita fome, mas, se para conseguir comida, ela tinha de se mexer, poderia ficar sem comer. Os pedaços de espuma eram tão macios para seu corpo como qualquer outra cama na qual ela já havia dormido, a sensação de ficar deitada tão perto dele era profundamente confortante e ela conseguia sentir a respiração dele em seus cabelos, conseguia sentir o movimento do peito enquanto ele respirava. O cheiro e o calor dele a envolviam. Descansando a cabeça no ombro dele, ela dormiu.

Cam percebeu assim que ela adormeceu; a tensão esvaiu-se de seus músculos, sua respiração ficou estável e mais profunda e ela se deitou tranquila ao seu lado. Ele encostou os lábios na testa dela por um segundo, depois virou a cabeça um pouco, de modo que sua face ficasse contra a pele dela e ele pudesse lhe passar o pouco de calor que tinha. Se eles sobrevivessem àquela noite, seria pela grande determinação dela — isso e a quantidade absurda de roupas que ela levara para a viagem.

Ele a observara o máximo que pôde, mesmo que mexer a cabeça lhe causasse uma dor quase cegante. Quando ela estava em seu campo de visão, ele a observava ir de um lado a outro engatinhando e ficou muito bravo por não poder ajudá-la, por ter de ficar deitado ali como um monte de merda enquanto ela se matava tentando cuidar dos dois. Ela se esforçara muito além de onde a maioria das pessoas teria sentado e dito: "Não aguento mais", e, ao cuidar dele, ela havia colocado sua saúde em risco.

Ele suspeitava de que ela estava desidratada, porque, se ela havia parado para fazer suas necessidades fisiológicas durante o dia, ele não havia percebido, e desde que recobrara a consciência, havia prestado bastante atenção a ela, escutando seus movimentos mesmo quando não a via. Ela bebera apenas alguns goles de água, mas, ao mesmo tempo, havia trabalhado o dia todo.

Por outro lado, ele tentara recuperar o líquido que havia perdido. Bebeu líquidos de modo constante, mesmo que não fosse muito de uma vez, do frasco de enxaguante bucal conforme a neve derretia, reenchendo-o com mais neve de onde conseguia alcançar. Em determinado momento, havia rolado para o lado, com esforço, para urinar — tomando o cuidado de fazer isso longe da área de onde estava pegando neve — e Bailey estava tão concentrada em suas tarefas que não havia percebido.

Ela estava tão cansada que ele permitiria que ela dormisse por um tempo antes de acordá-la para comer e beber. Abraçá-la não era um problema. Mesmo com todas as camadas de roupas entre eles, ele conseguia sentir a firmeza do corpo dela, a resiliência de seus seios. Ela mantinha a forma, até em excesso para o gosto dele, mas seus músculos mostravam que ela conseguia isso com exercícios, e não morrendo de fome.

Uma boa massa de músculos a manteria aquecida à noite também, mas, mesmo assim, ela teria mais dificuldades em lidar com o frio do que ele. Era outro motivo pelo qual ele permitiria que ela dormisse agora, enquanto podia. À medida que a temperatura fosse caindo, ela sentiria mais frio; ambos sentiriam mais frio, mesmo com todas aquelas roupas ao redor. O calor corporal dividido entre ambos poderia bastar para mantê-los confortáveis, mas ele suspeitava de que, perto da madrugada, a temperatura seria perto de -30°C, com um vento mais frio ainda. Era frio demais para qualquer pessoa. O abrigo cumpria a missão de protegê-los do vento, mas não era completamente fechado. Ele teria de ficar abraçado com ela a noite toda.

Que sacrifício!

Tinha a intenção de tirar vantagem da intimidade forçada pela situação, se é que, em seu estado, isso fosse possível. Mas nada exagerado; por enquanto, bastava para ele o fato de os dois passarem a noite nos braços um do outro... literalmente. Mesmo que fossem resgatados logo pela manhã, o que ele não acreditava que fosse acontecer, aquela noite sempre seria uma ligação entre ambos. Teriam dormido juntos, usado o calor do outro para continuarem vivos, conversado ao longo das horas de escuridão. Eles não voltariam a ser antipáticos. Ele não acreditava que ela tentaria, mas, mesmo que tentasse, ele não permitiria que ela se esquecesse de tudo isso.

Cam não procurava muitas mulheres. Na verdade, nunca precisara. A maioria dos pilotos não precisava, a menos que fossem terrivelmente feios. No Texas, onde crescera, ele havia jogado futebol americano no colégio, e isso era garantia de ser popular entre as meninas. De lá, ele foi diretamente para a aeronáutica — belos uniformes, todo o machismo dos militares —, por isso, sem problemas ali. Depois, ele fora para a escola de voo, tirara seu brevê e começara a subir na carreira. Nessa época, estava casado com a filha de um coronel, por isso dispensava toda a atenção feminina que recebia. Mais tarde, quando já estava fora da carreira militar e divorciado, pouca coisa havia mudado. Agora ele era piloto *e* empresário, e, apesar de não ser um caçador como Bret, quando queria sexo, não era muito difícil conseguir.

Mas Bailey passava todos os sinais de que era difícil. Não havia se envergonhado com a ereção dele, mas tampouco demonstrou interesse. Por ela ter sido casada, ele não pensava que era lésbica, então ou ela não tinha o menor interesse nele ou eram as malditas paredes que ela construíra a seu redor. De qualquer modo, ele já previa um desafio. Quase sorriu com satisfação de predador.

Quando acreditou que ela já havia dormido por cerca de uma hora, acendeu a luminária para que ela visse quem ele era e não se assustasse, e, em seguida, a tocou com delicadeza para que acordasse. — Bailey, está na hora de comer.

Ela despertou levemente, mas voltou a dormir assim que ele parou de chamá-la. Cam a tocou com mais força. — Vamos, querida, você precisa beber um pouco de água mesmo que não queira comer.

Ela abriu os olhos, piscando lentamente, e olhou ao redor por um instante, como se não soubesse onde estava. Em seguida, concentrou-se nele, e por baixo da camada de roupas que os cobriam, sua mão apertou a cintura dele. — Justice?

— Cam. Agora que estamos dormindo juntos, acho que você pode me chamar pelo primeiro nome.

Um breve sorriso surgiu em seu rosto. — Não seja apressado. Não dá para ter pressa com essas coisas.

— Não vou contar a ninguém. — Ele observou o rosto dela da melhor maneira que pôde com a luz fraca. Não havia como ter certeza, mas ele ainda achava que ela estava pálida. O lado direito de seu rosto estava um pouco inchado e um hematoma escurecia sua pele embaixo do olho. Ela estava mal também, mas não desistia. — Seu olho está roxo — ele disse, tirando a mão debaixo das camadas para tocar o rosto dela com delicadeza.

— E daí? Ambos os seus olhos estão roxos.

— Não vai ser a primeira vez.

Ela bocejou. — Estou tão cansada — ela disse. — Por que me acordou?

— Você precisa de água; está desidratada. E precisa comer alguma coisa, se puder.

— Foi você quem perdeu muito sangue. Precisa mais de água do que eu.

— Tenho bebido um pouco ao longo do dia, conforme a neve foi derretendo. Vamos, não discuta. Beba. — Ele tirou o frasco de enxaguante de onde ele estava, contra o quadril dele. Observou-a tomando alguns goles, mas estava tão cansada que ele percebia o esforço que ela fazia. O frasco ficou inclinado na mão dela, ameaçando derramar o precioso líquido, e ele rapidamente o tirou dela e o fechou com a tampa.

— Isso foi bom — ele disse, incentivando-a. — E o Snickers? Quer dividi-lo comigo?

— Só quero dormir — ela disse. — Minha cabeça dói.

— Eu sei, querida. Você se lembra daqueles analgésicos que íamos tomar? Você precisa de alguma coisa no estômago para que o remédio não lhe cause desconforto. Morda. — Ele segurou a barra de chocolate diante dos lábios dela e ela mordeu. Cam observou enquanto ela mastigava e engolia, antes de ele próprio comer um pedaço do doce. Então ele a fez comer outro pedaço. Mais uma mordida para ele e o chocolate acabou.

Em seguida, ele precisava abrir o kit de primeiros socorros, que ela havia colocado dentro do abrigo, e para isso precisava apoiar-se no cotovelo. Seu corpo todo doeu com o movimento, mas a cabeça doeu mais. Ele parou por um instante, tentando controlar as náuseas, até a dor passar de insuportável para intolerável.

Quando conseguiu abrir os olhos, marejados de dor, viu que ela voltara a dormir. — Bailey, acorde. Analgésico.

Mais uma vez, ela fez o esforço de abrir os olhos. Cuidadosamente, ele procurou no kit até encontrar os dois comprimidos, guardados em flaconetes separados. Usando os dentes, abriu os dois quadrados de plástico e engoliu dois comprimidos antes de dar os outros dois a Bailey. Ambos tomaram mais um gole de água para fazer os comprimidos descerem, e em seguida ele colocou o frasco sob as roupas de novo para que a água não congelasse durante a noite.

Ao apagar a luminária, deixando-os no escuro de novo, ele procurou Bailey, virando-a para que ficassem frente a frente, com as pernas entrelaçadas. Lembrando de como ela havia coberto a cabeça dos dois antes, ele puxou uma das peças para cima. Ainda sobrou uma abertura para a entrada do ar, e ele sentia essa abertura gelada como se fosse uma pedra de gelo, mas o ar que estavam respirando estava mais quente.

— Boa-noite — ela murmurou, arrastando as palavras, ao se acomodar mais perto dele, com o rosto contra seu ombro.

— Boa-noite — ele respondeu. Beijou a testa de Bailey, colocou o braço sobre o quadril dela e preparou-se para dormir o máximo que pudesse.

14

O frio a fez acordar. Bailey despertou de um sono intranquilo, tremendo. Seu corpo todo doía e ela se sentia completamente mal. A escuridão total a cercava e ela quase entrou em pânico. Teria entrado em pânico, na verdade, se não fosse pela sensação inconfundível de estar nos braços de alguém. De modo subconsciente ela reconheceu o cheiro, o corpo dele, e soube que não havia motivo para se assustar.

Ou talvez houvesse, já que a mão esquerda dele estava dentro de sua calça *e* de sua calcinha, descansando sobre suas nádegas nuas.

E as suas mãos estavam dentro da camisa dele, ela percebeu, procurando o calor de sua pele.

O vento gelado entrava pelas camadas pesadas de roupas que os cobriam. Ela sentia arrepios nas costas. Havia uma abertura entre as peças. Ela levou a mão às costas para ver se estava descoberta.

— Você está acordada? — Cam perguntou com a voz baixa, para que, se estivesse dormindo, a pergunta não a perturbasse. Ela pôde sentir a vibração distante que o som fazia no peito dele, quase um ronronado masculino grave. Ela sentiu vontade de se aconchegar ainda mais perto, como se fosse fisicamente possível.

— Estou com frio — ela respondeu com um sussurro. — E pode tirar sua mão daí, por favor?

— Que mão? Esta? — Os dedos dele se mexeram perto da abertura das nádegas dela, perturbadoramente perto do, bem, perturbadoramente *perto*.

— Justice! — ela disse de modo decisivo, estreitando os olhos para ele, mesmo que a escuridão não permitisse que ele a visse.

— Tenho um problema na cabeça, lembra? Não sou responsável por minhas atitudes... ou pelas atitudes de minha mão, que agiu completamente sozinha, sem meu conhecimento.

Ela resmungou um pouco, mas estava tentando conter um sorriso. Ficar deitada no escuro com ele, daquela maneira, era sedutor, ela percebeu. Eles estavam fazendo isso para sobreviver, mas o motivo por trás da ação não diminuía a sensação de intimidade que as circunstâncias haviam criado entre ambos. Sua atenção começou a aumentar. Se não tivesse cuidado, poderia colocar-se dentro de um tipo de relacionamento impulsivo, o mesmo que ela já vira causar tantos problemas em tantas vidas, inclusive na de seus pais. Conhecendo de perto os resultados causados em famílias inteiras por escolhas ruins, ela sempre tinha sido extracuidadosa, sem permitir que as emoções controlassem sua mente.

Bailey não era impulsiva, nem em sua vida financeira e certamente não na pessoal. Ela não *conhecia* Cam Justice; conhecia-o de vista havia alguns anos, mas não de perto — e o contato entre ambos não era cordial. Ela duvidava que ele tivesse mudado muito nas últimas 12 horas e sabia que ela mesma não havia mudado. Entre eles mal se tolerarem até dormirem juntos — no senso literal da palavra, é claro — em tão pouco tempo, tudo isso já era demais, e ela não podia permitir que aquela situação a levasse a tomar decisões idiotas.

Então, em vez de rir, ela disse: — Tire ou perca.

— Pensei que fosse "*use* ou perca". — Ele parecia se divertir, mas tirou a mão, afastando-a da parte de trás da calça e colocando os dedos embaixo da blusa dela. Ela não reclamou; afinal, ainda estava aquecendo as próprias mãos no corpo dele.

E gostava de tocá-lo. Pensar nisso fez com que outro alarme soasse, mas não reconhecer algo óbvio parecia muito mais perigoso. O que havia ali para não gostar? Ele era alto e esguio, seu corpo era quente e cheio de músculos. Não era lindo, mas a masculinidade de seus traços a atraía. Ela pensou naquele rosto em sua casa, naqueles braços fortes apoiados ao lado dela enquanto suas pernas envolvessem seus quadris...

Ela afastou esses pensamentos. *Não faça isso.* Não acreditava em satisfazer a atração sexual, pois, se havia uma situação na qual os hormônios tomavam conta do cérebro, com certeza era aquela. Quanto mais forte a atração, mais controle tinha. Na verdade, ela procurava evitar homens por quem se sentisse fortemente atraída. Nunca vivera um caso intenso, nunca se apaixonara e não queria começar agora. O amor e a paixão deveriam vir marcados com os sinais de alerta: *CUIDADO. PODE CAUSAR BURRICE.*

Suas costas e pernas doíam tanto que ela não conseguia sentir-se confortável. Remexeu-se, procurando uma posição melhor. Depois da véspera, provavelmente estava coberta de hematomas, e não era de surpreender que se sentisse dolorida depois de um desastre de avião. Estremeceu quando outro arrepio percorreu-lhe o corpo. — Que horas são? — ela perguntou. Quando a luz do dia voltasse, ela poderia caminhar, e a temperatura começaria a subir.

Ele mexeu a mão esquerda de novo, erguendo-a e apertando um botão na lateral de seu relógio, e seu rosto foi iluminado por um segundo. — Quase quatro e quinze. Dormimos por quatro horas. Como está se sentindo?

Ele estava perguntando isso a ela? Era ele quem tinha um corte enorme na cabeça. Era ele que quase havia sangrado até morrer, que sofrera de hipotermia. Ele estava ferido, e mal conseguia se mexer sozinho; ela duvidava de que ele conseguisse caminhar por 10 metros sem ajuda. Talvez essa distância da realidade fosse um defeito nos cromossomos masculinos.

— Estou com dor de cabeça, todos os meus músculos doem e sinto frio — ela disse sucintamente. — Tirando isso, estou bem. E você?

Em vez de responder, ele tocou o rosto dela, com os dedos frios em sua pele. — Acho que você está com febre. Está dizendo que está com frio, mas sua pele me parece quente. Na verdade, eu provavelmente estaria com frio se você não estivesse me passando tanto calor.

— Não estou com febre — ela disse, irracionalmente ofendida pelo comentário. — Eu teria de ficar doente para estar com febre, e não estou doente. *Doente*, de verdade. Estou sofrendo de mal das montanhas e, de acordo com o livreto do kit de primeiros socorros, o mal da montanha não dá febre. Causa dor de cabeça e tontura, o que estou sentindo. Ou estava. Não estou zonza agora, mas estou deitada.

Ela não podia estar doente. Tinha coisas a fazer. Estava de *férias*. Assim que eles fossem resgatados daquela montanha idiota ela iria fazer rafting com Logan e Peaches, e se recusava a permitir que um mal-estar idiota qualquer arruinasse seus planos.

— Como eu disse, acho que você está com febre. — Ignorando sua rejeição à ideia, ele prosseguiu: — Você foi exposta a alguma coisa ultimamente, de que se lembre?

— Não, mas, se eu tiver algum vírus, você também vai pegá-lo, porque estamos bebendo água no mesmo frasco, por isso é melhor torcer para eu não ter nada. — Irritada, ela se virou para o outro lado para não ter de ficar de frente para ele. Quando fez isso, sentiu uma forte dor no braço direito. — O quê...? Merda! — ela murmurou em seguida, mais alto: — Merda!

— Merda o quê? Tem alguma coisa errada? — Ele acendeu a luminária e as lâmpadas LED pequenas quase a cegaram por um instante.

— Você está com sorte. Não tenho vírus nenhum. Eu tinha um pedaço de metal furando meu braço esta manhã... ontem de manhã. Eu o tirei e me esqueci dele. Agora, meu braço está doendo. Deve estar infeccionado — ela disse de mau humor. Certo, ela estava com febre. Droga.

— Então você cuidou de mim e não cuidou de si — ele disse de modo sério. — Qual braço?

— O direito.

— Vamos ver.

— Pode esperar até amanhecer. Não podemos ficar sentados aqui, então...

Ele começou a desabotoar a blusa de cima que ela vestia. Vendo que ele não escutaria o que ela dizia, Bailey afastou as mãos dele e começou a cuidar do problema sozinha. — Certo, certo. Não acho que algumas horas farão diferença, mas se colocar um pouco de antibiótico em pasta e um Band-Aid em meu braço fará você se sentir melhor...

— Que ótimo, você está ranzinza. Sempre fica assim quando acorda?

— Não, sempre fico assim quando estou com febre — ela disse ao se esforçar para tirar a primeira blusa e começar a tirar a segunda. — Droga! Merda! Não tenho tempo para ficar doente. — Ela se livrou da segunda blusa.

— Só para saber — ele perguntou, observando os movimentos com interesse. — Quantas blusas está vestindo?

— Três ou quatro. Eu estava com frio e dei a *você* a *minha* blusa bacana e quentinha.

— E por isso agradeço muito.

— Você nem viu, Justice — ela murmurou. — Estava meio inconsciente e não sabia o que estava havendo.

Quando ela tirou a última blusa, pausou. Não estava usando sutiã, e não queria ficar nua para ele apreciá-la. Sentindo-se muito incomodada, ela se esforçou para deitar de bruços. Com as muitas camadas que os cobriam, a teoria era muito mais simples do que a prática. Por fim, sentindo-se como um peixe encalhado, ela conseguiu se deitar de costas e tirar o braço da manga da blusa. — Pronto — ela disse.

— Droga, Bailey, você nem ao menos limpou o ferimento. — Sua irritação ficou evidente.

— Não, eu estava preocupada com outras coisas, como evitar que você sangrasse até morrer, depois em não permitir que morrêssemos congelados — ela disse sarcasticamente, tão irritada quanto ele. — Da próxima vez, vou colocar minhas necessidades em primeiro lugar.

— Onde você colocou aqueles lenços?

Com a mão esquerda, ela procurou no abrigo, localizou o pacote e o passou pelas costas. — Aqui estão.

O lenço estava gelado, mas foi boa a sensação em seu braço. Ela fez uma careta quando ele o passou em cima do ferimento, e a dor lhe tomou o músculo. — Ai!

— Não é pra menos. Parece que alguma coisa está furando seu braço.

— Sim, mas...

— É porque tem algo aqui. Você tirou o pedaço maior, acredito, mas deixou este aqui. Parece um espinho de folha de abeto... aguente firme... peguei.

Ela trincou a mandíbula ao sentir a dor. Ele estava apertando com força o músculo de seu tríceps, fazendo a ferida sangrar, e limpava o sangue com a mão livre. Não era nem um pouco divertido, mas ele se mantivera calado enquanto ela costurava sua cabeça, por isso se manteria quieta enquanto ele cuidava de seu braço.

— A pele está quente e um pouco inchada — ele disse. — Então, sim, diria que é isto que está causando sua febre. Mas não vejo nenhuma marca vermelha. — Ela sentiu a pomada fria, depois a pressão quando ele colocou algumas bandagens adesivas sobre a ferida... ou feridas. Ela não sabia se havia um ponto furado ou dois. — Vamos torcer para que isto baste para manter a infecção sob controle.

Ela voltou a vestir a blusa, mantendo-se de costas para ele enquanto a abotoava. Pensou em tomar um ibuprofeno para controlar a febre a fim de se sentir mais confortável, mas decidiu não fazer isso. A febre não estava muito alta; apenas o suficiente para fazer com que seu corpo doesse, mas o aumento da temperatura era uma das armas do corpo contra a infecção. Poderia suportar um pouco de desconforto enquanto seu sistema imunológico e a bactéria invasora lutavam.

— Beba o resto da água — ele disse, pegando o frasco. — Sem discutir. Com febre, você vai ficar muito desidratada se não beber água.

Ela não se opôs e bebeu a água sem nada dizer. Amanheceria em poucas horas; eles derreteriam mais neve até lá. Por ora, queria descansar, e talvez começasse a se sentir um pouco mais quente.

Ela se curvou para o lado, deixando os pés mais perto do corpo. Justice começou a colocar mais roupas em cima dela, até o monte estar tão pesado a ponto de ela mal conseguir se mexer. Em seguida, ele passou o braço pela cintura dela e a puxou para perto de si o máximo que pôde, com as costas para seu peito, as nádegas na virilha dele, as coxas dele protegendo as dela.

Deitar de conchinha era... bom, ela pensou. E surpreendentemente quente. Poderia tolerar isso por mais algumas horas... até o sol nascer.

Mas era muito bom ele estar ferido, e muito bom o fato de que provavelmente seriam resgatados no dia seguinte, porque, caso contrário, sua resistência precisaria de muito reforço.

15

Seth Wingate não gostava de acordar cedo, mas isso não foi problema na manhã seguinte, porque ele não havia dormido. Se ele tivesse seguido sua rotina normal, teria ido a uma das boates mais badaladas de Seattle na noite anterior, até dez e meia ou onze da noite, seguindo para outra perto da meia-noite. Pegaria uma mulher em algum lugar, talvez fumasse um baseado, transaria com ela em algum local semirreservado se sentisse vontade, beberia muito, voltaria para casa de madrugada e acabaria dormindo no sofá se não conseguisse chegar até a cama. Isso se tivesse seguido a rotina normal... mas não foi o que fez.

Em vez de ir para a balada, ficara em casa. As notícias sobre o avião desaparecido eram divulgadas em todos os canais da região. Alguns repórteres, tanto de emissoras quanto de jornais, telefonaram e deixaram mensagens. Tamzin telefonou duas vezes, deixou mensagens em ambas as vezes, mas ele não retornou as ligações. Não queria conversar com a cadela idiota; não havia como saber que coisas enormemente imbecis ela diria ao telefone. As mensagens que ela deixara na secretária eletrônica já eram ruins o suficiente. "Telefone para mim quando chegar em casa. Quando poderemos pegar nosso dinheiro? A propósito... *obrigada*. Não sei como fez isso, mas você é brilhante!"

Ela também enviara mensagens de texto para o celular dele, o que o irritou ainda mais. Ele acabou desligando os dois telefones. Teria de se livrar da secretária eletrônica, comprar outra; aquela era digital, mas, mesmo podendo apagar as mensagens da irmã, ele não tinha certeza de que algum *geek* não pudesse recuperar mensagens apagadas dali, de alguma forma. Era melhor prevenir do que remediar.

Aquela era uma maneira nova de ver as coisas para ele, porque a palavra "prevenido" nunca fizera parte de seu vocabulário.

Tampouco a palavra "sóbrio", mas ele a estava adicionando naquela noite. Precisava muito beber alguma coisa ou fumar um baseado... mas não ousou usar nada para relaxar. Se as autoridades, não importando quem elas fossem naquele caso, aparecessem com perguntas a respeito de sua madrasta e do acidente de avião, ele precisava estar em condições normais. Ele permitira que a raiva e a bebida o levassem a cometer algo idiota. Agora, precisava tomar muito cuidado ou acabaria ferrado.

Seth ficou acordado durante a noite. Caminhava por seu apartamento caro, olhando para tudo como se pertencesse a um desconhecido. Vagou como um fantasma procurando seu corpo, entrando e saindo dos cômodos, controlando a vontade de beber e, ao mesmo tempo, enfrentando a escuridão das próprias profundezas.

Quando amanheceu, ele se sentia frágil e sem conteúdo, como se fosse um fantasma. Ele nunca se sentira menos capaz de conseguir qualquer coisa do que naquela manhã, mas, ao mesmo tempo, a necessidade nunca havia sido tão grande. Sentia que estava em um ponto a partir do qual não havia volta. Se não agisse logo, não sabia quando teria outra oportunidade ou a vontade de fazer alguma coisa a respeito.

Quando o céu finalmente clareou, iluminando o belo pico coberto de neve do Monte Rainier, a sudeste, ele percebeu o que tinha de fazer.

Em primeiro lugar, foi para a cozinha para ver o que poderia comer de café da manhã. Raramente comia no apartamento, por isso não tinha muita coisa à disposição. Encontrou um pouco de queijo fatiado mofado, que nunca havia sido aberto, dentro da geladeira; jogou-o fora. Não havia pão com o qual pudesse fazer torradas. Tinha um pouco de café, então passou o suficiente para encher a cafeteira. Havia metade de um pacote de biscoitos água e sal no armário, e uma maçã que ainda não havia apodrecido na fruteira. A maçã e as bolachas, pelo menos, preencheram o vazio em seu estômago. O café fazia com que ele se sentisse menos cansado — não completamente alerta e acordado, mas menos cansado, e isso já bastava.

Ele tomou banho, se barbeou e vestiu-se com um de seus três ternos, o mais clássico. Tinha muitas roupas casuais, roupas para ir para a balada, para sair de barco, mas havia passado a maior parte de sua vida evitando o tipo de situação em que precisasse de um terno formal, então suas opções eram limitadas. Seu pai, por outro lado, provavelmente tinha cinquenta ternos. Tentou imaginar o que Bailey, a cadela, fizera com eles. Provavelmente havia jogado todos eles no lixo.

Ele olhou para seu reflexo no espelho de novo, como fizera na véspera. Ele estava com olheiras e sua expressão era... estranha. Era a única maneira de descrever: ele não se reconhecia.

Depois, entrou no carro e fez algo que jurara que nunca faria: dirigiu para a sede do Grupo Wingate, como todos os outros funcionários.

Ficou um tanto surpreso, e irritado, ao descobrir que não podia passar pela portaria, porque não tinha crachá. Aquilo era um *prédio comercial*, caralho!, e não a Casa Branca, nem os correios. Quando seu pai ainda era vivo, Seth conseguia entrar e sair à vontade, mas não tinha muita vontade. Achava que havia cinco ou seis anos que não aparecia ali, talvez mais. Certamente não reconhecia nenhum dos seguranças.

Ele olhou ao redor e esperou até que um dos guardas chamasse W. Grant Siebold, o CEO. Na infância de Seth, ele chamava Siebold de "Tio Grant", mas isso havia mudado. Ele não via nem recebia notícias de Grant desde o enterro de seu pai, e então o filho da puta se enfiou no rabo de Bailey, praticamente mantivera-se tão perto dela que Seth não quis mais falar com ele. Sorrindo e divertindo-se com seus pensamentos, Seth pensou que a atitude de Grant provavelmente mudaria bastante agora que Bailey estava fora de cena, sem controlar todos aqueles milhões de dólares.

Por fim, ele recebeu uma permissão, um crachá temporário que prendeu no bolso de seu blazer, e instruções sobre como chegar ao escritório do Sr. Siebold — como se ele precisasse de ajuda, uma vez que o escritório já pertencera a seu pai.

O layout do escritório havia mudado, no entanto; o elevador se abriu e revelou uma área espaçosa, que dava para uma sala de espera com diversas cadeiras confortáveis, plantas frondosas, um aquário de peixes tropicais embutido na parede, e muitas revistas e jornais. Evidentemente as pessoas deviam esperar muito tempo ali. Na recepção, havia uma mulher que aparentava ter quase cinquenta anos, cuja mesa ficava ao lado de portas duplas. De acordo com a placa sobre a mesa, seu nome era Valerie Madison. Ele nunca a vira antes. A última vez em que vira a secretária de Grant, ela era uma senhora de mais de cinquenta anos, cabelos grisalhos e de óculos, que sempre lhe dava doces. Ele acreditava que ela devia estar aposentada ou morta.

— Por favor, sente-se — Valerie Madison disse, erguendo o telefone. — Avisarei à assistente do Sr. Siebold que o senhor está aqui.

Oh, então *ela* não era a secretária de Grant? Agora a secretária — quer dizer, *assistente* — tinha uma secretária?

Seth não se sentou. Observou as bolhas subindo lentamente dentro do aquário, observou os peixes nadando para todos os lados. Eles não estavam indo a lugar algum, não estavam fazendo nada, mas não paravam de nadar no aquário, como se aquele fosse o único propósito de suas vidas. Eles eram burros demais para se sentirem infelizes.

Atrás dele, o telefone da secretária da assistente fez um barulho discreto. Ele escutou o murmúrio da voz dela, baixo demais para ele conseguir compreender as palavras. Ela recolocou o telefone no lugar, levantou-se e abriu a porta. Em silêncio, ele fez um gesto de cabeça para ela, passou pelas portas e foi para outra sala. Aquela era menor, mais confortável, mais parecida com uma sala de estar de bom gosto do que um escritório. Uma música suave, um tipo de som New Age, saía de todos os quatro cantos da sala. Ele ficaria pirado se tivesse de ouvir aquela merda o dia todo.

A mulher sentada à escrivaninha antiga, em estilo francês, sobre a qual ficava um Mac de tela plana, apoiado em um pedestal curvado, era um pouco mais velha e um pouco mais redonda do que a mulher da outra sala, mas igualmente séria. Seu cabelo grisalho ficava preso em um penteado que lembrava o número 8 em sua nuca, e seus olhos azuis vívidos eram calmos e indiferentes. — Por favor, queira sentar-se — ela disse. — O Sr. Siebold o receberá assim que terminar a ligação na qual se encontra agora.

Ele olhou para a placa com o nome dela, que era de latão. *Dinah Brown*. O nome era tão sério quanto sua dona. Ele disse: — Eu estava tentando me lembrar do nome da antiga secretária de Grant.

— Eleanor Glades.

— Sra. Glades! — ele disse, estalando os dedos. — Isso mesmo. Ela costumava me dar doces. Quando ela se aposentou?

— Ela não se aposentou — disse Dinah Brown. — Ela morreu de infarto fulminante 12 anos atrás.

Doze anos... e ele não soubera. Mas por que saberia? Seu pai não deveria ter mencionado o fato, apesar de sua mãe não tê-lo feito? Os Siebold eram amigos íntimos da família, e perder a secretária devia ter abalado Grant.

Mas talvez eles tivessem mencionado, e ele simplesmente não tivesse prestado atenção. Não costumava escutar muito o que os pais diziam. Na verdade, ele fora criado sem prestar atenção aos outros.

— O senhor pode entrar agora — ela disse, levantando-se e abrindo a porta para ele. — Sr. Siebold, o Sr. Wingate está aqui para vê-lo.

Seth entrou no escritório que fora de seu pai — pelo menos tinha certeza de que era o mesmo escritório. Bem, era no mesmo local. Tudo ao redor mudara muito para ele poder dizer que era *o mesmo*. Seu pai preferia linhas claras, ambientes com poucos objetos, praticidade acima da beleza. As cadeiras de seu escritório eram de couro. O escritório de Grant Siebold era decorado de modo mais confortável e estiloso, mas com a decoração convidativa que caracterizava a sala de espera. As cadeiras eram almofadadas. Pelo menos a música New Age não tocava ali também.

— Seth. — Grant Siebold ficou em pé atrás de sua mesa; ele estava elegante como sempre, esguio, quase a ponto da magreza. Estava um pouco calvo, com muitos fios grisalhos. Seu olhar era firme e penetrante. — Tem notícias de Bailey?

Ficou um pouco surpreso ao deparar com a pergunta do homem mais velho, e ainda mais surpreso ao perceber um tom sincero de preocupação em sua voz. Por algum motivo, Seth assumira que sua falta de simpatia por Bailey era geral entre os velhos amigos e sócios de seu pai, ou em consideração à mãe ou devido à maneira como Bailey se colocara no caminho de uma enorme fortuna. Ele sabia que, desde a morte de seu pai, o contato com ela havia terminado, uma circunstância que muito lhe agradava.

— Nada — ele disse brevemente.

— Uma coisa terrível. Passei boa parte da noite acordado, esperando alguma notícia — Grant disse, apontando para uma de suas cadeiras: — Sente-se. Café?

— Sim, obrigado. — Seth pensou que mais uma dose de cafeína não lhe faria mal. Sentou-se. — Puro. — Grant não havia oferecido um aperto de mãos, uma omissão que só podia ser proposital. No mundo dos negócios, dar um aperto de mãos era tão automático quanto respirar. Seth duvidava que o gesto não havia sido feito porque Grant o considerava um velho amigo, quase um filho; não, a mensagem sutil era que Grant não estava satisfeito em vê-lo e não queria oferecer boas-vindas insinceras.

Ele esperou até a xícara de café lhe ser servida e até Grant se sentar antes de ir direto ao assunto: — Agora que Bailey está morta...

— Ela está? — Grant perguntou, erguendo as sobrancelhas. — Pensei que você não tivesse notícias.

— E não tenho. Mas dá para imaginar. O avião desapareceu, eles não apareceram em lugar algum. Se houve um problema mecânico e o piloto tivesse conseguido aterrissar o avião em alguma área, como uma estrada ou campo, teríamos recebido informações. O piloto teria avisado pelo rádio. Eles não enviaram notícias, então quer dizer que o avião caiu e que eles estão mortos.

— A Justiça não veria as coisas dessa maneira — Grant disse de modo frio. — Até a morte de Bailey ser confirmada, ou até um período razoável de tempo passar e ela ser declarada morta, ela ainda está no controle de seu fundo fiduciário.

Seth percebeu pelo rosto de Grant: ele achava que Seth estava ali por aquele motivo, para descobrir quando poderia assumir o controle do próprio dinheiro, parte do qual compunha ações do Grupo Wingate. Grant também era um dos administradores do fundo, mas apenas como consultor; todas as decisões finais eram tomadas por Bailey.

— Ela não pode controlar se não está aqui — Seth disse, tentando manter a calma no tom de voz.

— Foram tomadas providências para a distribuição automática dos bens, por isso não tem com que se preocupar. Vai continuar recebendo sua mesada.

Mesada? A palavra fez sua mente arder. Ele tinha 35 anos, e era tratado como um menino de dez. Nunca tinha parado para pensar nisso; via o fundo fiduciário como um direito seu, não como uma *mesada*.

— Quero uma auditoria — ele disse. — Quero saber quanto aquela vadia gastou.

— Absolutamente nada — Grant disse, com os olhos estreitados e a paciência no fim. — Na verdade, o fundo teve um crescimento muito bom, graças a ela. Por que você acha que seu pai a escolheu?

— Porque ela o deixou cego! — Seth respondeu.

— Muito pelo contrário, a ideia toda foi dele desde o início! Ele teve de convencê-la a aceitar, a casar-se com ele, tudo... — Grant parou, balançando a cabeça. — Deixa pra lá. Se Jim não lhe contou qual era o plano, certamente eu não contarei, porque ele o conhecia melhor que eu. E vou dizer uma coisa: Bailey tem tomado muito cuidado com seu dinheiro, assim como cuida do dela, e isso não é pouco. Ela é uma das mais cuidadosas investidoras que já conheci, e nenhum centavo sequer foi tirado do fundo além do valor entregue a você e a Tamzin.

A atenção de Seth aumentou e ele voltou para o que Grant dissera sobre o dinheiro. — Plano? Que plano?

— Como eu disse, não cabe a mim lhe contar. Agora, se não tiver mais nada...

— Tenho. — Seth olhou para o café em sua mão, furioso por não ter sido informado de tudo. Não estava ali para falar sobre Bailey, nem para perguntar sobre seu dinheiro. Ele hesitou por um instante, tentando encontrar a melhor maneira de abordar o assunto, mas não soube como fazê-lo. A necessidade era grande, mas era agora ou nunca.

— Preciso de um emprego. Gostaria de começar a aprender sobre os negócios... se houver uma vaga. — Ele detestava ter de pedir; aquela era a empresa de seu pai, ele devia ter um posto ali automaticamente, mas ele próprio se distanciara dela e as coisas não eram tão fáceis assim.

Grant não respondeu imediatamente. Recostou-se em sua cadeira e seu olhar sério não revelava nada. Depois de um instante, ele perguntou: — Que tipo de emprego?

Seth ia começar a dizer "A vaga de vice-presidente serve", mas controlou sua língua. Sabia muito bem que era o suplicante ali, que não tinha muitos pontos a seu favor. — Qualquer um — respondeu, finalmente.

— Nesse caso, pode começar amanhã na sala de correspondências.

Seth ficou lívido. Sala de correspondências? Ele não esperava receber uma sala enorme, mas esperava *pelo menos* um escritório... ou pelo menos um cubículo. Droga! Nesse caso, por que não começava na equipe de limpeza? Ele sorriu ao pensar nisso. — Acho que a limpeza é feita por uma equipe profissional, não é?

— Exatamente. Se estiver falando sério sobre trabalhar aqui, deve levar o trabalho a sério, independentemente de qual seja. Se falhar ou se chegar atrasado... ou se não quiser aparecer —, então vou saber que você está apenas brincando, como sempre. Meu tempo é valioso. Não vejo motivo para desperdiçá-lo até você provar que *não será* perda de tempo.

— Eu compreendo. — Seth detestava dizer isso, detestava ter de implorar, mas estava ali porque queria; não podia culpar mais ninguém. — Obrigado. — Colocou a xícara de café sobre uma mesa e levantou-se; como Grant dissera, seu tempo era valioso.

— Mais uma coisa — Grant disse.

Seth parou, esperando.

— Por que tomou essa decisão?

Ele sorriu mais uma vez, um sorriso tomado de amargura.

— Eu me olhei no espelho.

16

Bailey empurrou o saco de lixo cheio de roupas para longe da abertura do abrigo e começou a sair para a luz acinzentada da manhã. Parou com uma das mãos na neve, olhando para a brancura a seu redor. — Merda!

— O que houve? — Justice perguntou atrás dela.

— Nevou mais — ela resmungou. — O avião está coberto. — Não completamente, mas quase. A neve fazia com que localizá-los, por cima, fosse ainda mais difícil, mesmo que as montanhas não estivessem no meio de nuvens carregadas, como estavam. A visibilidade não passava de 50 metros, no máximo. Mais neve agravava muito a situação. Por que eles não podiam ter uma onda de calor, uma bela massa de ar quente para derreter um pouco da neve e fazer com que a espera pelo resgate fosse um pouco mais fácil? Ela sentia frio e queria se aquecer. Sua cabeça ainda doía; seu corpo todo doía. Ainda estava com febre. Só queria ser resgatada daquela maldita montanha e sem neve. Seria ótimo.

Ela havia cochilado um pouco antes do amanhecer. Agora, o céu estava bem alto, não que pudesse vê-lo entre as nuvens, e precisava fazer suas necessidades fisiológicas. Justice também, e ela ficou dividida entre a necessidade de ajudá-lo e a sensação de que não podia esperar por muito tempo. Sua necessidade ganhou.

— Volto já! — ela gritou, apressando-se o máximo que conseguia se apressar para chegar atrás das árvores. Quando ela voltou, viu que ele dera um jeito; estava virado para uma árvore, de costas para ela.

Bailey parou onde estava para dar a ele um momento de privacidade. Aquele pequeno esforço a deixara esgotada e ela fechou os olhos. Percebeu o quanto estava doente — não mortalmente doente, mas o bastante para se sentir frágil, e isso era horrível. Com a febre, o frio, a altitude e a falta de água e alimentos, ela não era capaz de fazer muita coisa. Era muito bom o fato de ela não *precisar* fazer muita coisa. Eles comeriam outra barra de chocolate, derreteriam um pouco mais de neve para beber e descansariam no abrigo enquanto esperavam que a equipe de resgate os localizasse.

Justice estava melhor do que no dia anterior. Conseguira dar alguns passos sozinho, mas ainda estava com uma aparência péssima, com o enorme curativo cobrindo metade de sua cabeça, os olhos roxos, que estavam tão inchados a ponto de quase se fecharem, e todos os outros arranhões e hematomas que tinha. Sua capacidade física não permitia muito além de ficar deitado no abrigo.

Ela ficou um pouco surpresa com a injustiça de ser *ela a* ter febre quando era *ele* quem estava com um ferimento feio na cabeça, um traumatismo e pouca ajuda médica, enquanto ela só tinha uma ferida pequena. Onde estava a lógica nisso? Pensando bem, ela deveria ter lavado o braço com um pouco de enxaguante bucal também.

— Pode abrir os olhos agora — Justice disse, e ela lentamente obedeceu.

Ele estava recostado na árvore, buscando apoio, e sua postura mostrava que mesmo esse pequeno esforço o deixara exaurido. Um vapor branco se formava diante do rosto dele a cada expiração; ele estava tremendo. Seus únicos sapatos eram um par de calçados sociais com cadarços e não ajudavam a proteger os pés da neve. A calça era a do terno. Ele não tinha nem mesmo uma camiseta para colocar por baixo de sua camisa branca social. Ele havia colocado algumas das blusas dela ao redor dos ombros e pescoço para se aquecer, mas não havia muito mais que pudesse fazer para se proteger do frio. Olhando para ele, ela pensou que seria a responsável por providenciar o que fosse preciso para satisfazer suas necessidades.

Lenta e cuidadosamente, ela seguiu em direção a Justice e colocou o braço dele ao redor de seus ombros, enquanto o segurava pela cintura e puxava seu cinto para mantê-lo seguro caso cambaleasse.

— Vamos voltar para o abrigo. Como está a cabeça?

— Doendo. E a sua?

— Do mesmo jeito. Você está vendo as coisas duplicadas? Está se sentindo enjoado?

— Não, nada disso. — Usando Bailey de suporte de um lado, e segurando em árvores, ele se esforçava para dar cada passo. Às vezes, ele hesitava e ela tinha de mantê-lo, segurá-lo até que conseguisse firmar as pernas de novo, mas, de modo geral, o processo não era tão cansativo ou demorado como fora no dia anterior.

Ele parou uma vez, ergueu a cabeça para analisar as montanhas ao redor deles. Ela conseguiu perceber que ele estava tentando escutar alguma coisa, mas ela não escutou nada além do que já havia escutado no começo: o vento soprando em meio às montanhas silenciosas. — Está escutando alguma coisa?

— Nada.

Ela percebeu o modo seco de responder. — Já deveríamos estar escutando os helicópteros, não é?

— Esperava que sim, mas não necessariamente. O tempo ruim pode ter feito com que o resgate demore. Sabemos que neva aqui, então deve haver algum tipo de sistema meteorológico por aí. Seria mais realista pensar que eles chegarão perto do meio-dia, no mínimo. — Ele estremeceu, seu corpo todo tenso por causa do frio, e disse: — Não faz sentido ficarmos congelando nossos traseiros aqui fora se não há nada que possamos fazer.

Bailey concordou totalmente com o comentário e o ajudou a atravessar os poucos metros que faltavam até o abrigo. Quando ele estava meio se arrastando, meio engatinhando para dentro, ela disse: — Dê-me o frasco e vou enchê-lo com neve de novo. Está pronto para o café da manhã?

— O que teremos? — Por mais inchados e pretos que seus olhos estivessem, eles ainda brilhavam com um sorriso enquanto ele dava o frasco a ela.

— A mesma coisa que comemos no jantar: uma barra de chocolate. Na verdade, tenho mais três, por isso podemos comer uma inteira se você quiser.

Ele parou e o sorriso sumiu de seu rosto. — É melhor que saibamos racioná-las — ele disse, por fim. — Só por precaução.

Para o caso de eles não serem resgatados naquele dia, ele queria dizer. Pensar nisso era quase desesperador. Mais uma noite nas montanhas, no frio e no escuro? A escuridão não era total, mas eles haviam usado a luminária de leitura. Não saber quanto tempo levaria para uma equipe de resgate aparecer era algo assustador. E se ninguém aparecesse no dia seguinte?

Silenciosamente, ela pegou o frasco e foi para uma área em que a neve estava limpa. Ela estava usando um par de luvas, o que dificultava um pouco pegar a neve com a carta de baralho, mas não queria ficar com tanto frio quanto no dia anterior.

A tarefa era simples, minúscula, em comparação com os trabalhos hercúleos que ela enfrentara na véspera, mas era quase mais do que conseguia fazer. Cansada, ela voltou para o abrigo, agradecendo por estar protegida do vento. O ar dentro do abrigo era definitivamente mais quente do que lá fora, fosse apenas pela ausência de vento ou pelo calor corporal deles, mas fazia a diferença. Ela não se importava com o que fazia com que o interior ficasse mais quente, contanto que ficasse mais agradável.

A luz entrava por pequenas frestas; o lado de dentro tinha menos luz, mas não era escuro. Não era preciso acender a luminária para descobrir onde ela havia colocado as barras de chocolate. Estava morrendo de fome, mas, quando começou a mastigar a primeira mordida de sua metade, seu apetite de repente sumiu e ela não queria comer mais. Lutou contra as náuseas e engoliu o doce, mas dobrou o papel ao redor do pedaço restante e o colocou de volta dentro da sacola plástica.

— Não está com fome? — ele perguntou, franzindo o cenho.

— Eu estava, até começar a comer. Vou comer outro pedaço daqui a pouco. — Ela tinha um gosto ruim na boca, por isso procurou até encontrar o pacote de escovas de dentes descartáveis. Pegou duas do pacote, colocou uma na boca e entregou a outra a ele. — Tome.

— O que é isso? — ele perguntou, piscando para o círculo pequeno de espuma como se fosse um monstro.

— Uma escova de dentes descartável. Não precisa de água. Este abrigo é pequeno demais para ficarmos com o hálito ruim depois de uma noite de sono, além do hálito ruim de ontem, por isso aceite a escova e escove os dentes.

Ele esboçou um sorriso ao pegar a pequena espuma e começou a escovar os dentes. Bailey ficou agradavelmente surpresa com o gosto de menta e com quão limpos seus dentes pareciam ter ficado depois da escovação. Seria bom se pudesse tomar um belo banho quente...

Continue sonhando, ela disse a si mesma ao relaxar o corpo dolorido nas espumas e arrastar uma pilha de roupas para cima de seu corpo. As roupas cobririam os corpos de ambos de uma maneira melhor se as peças estivessem esticadas e dispostas em camadas, mas ela estava cansada e enjoada demais para fazer isso de imediato. Justice esticou-se atrás dela, depois a puxou para mais perto e reorganizou as peças de roupa para que não houvesse nada entre eles, além das roupas que estavam vestindo.

Ela pensou que era muito estranho que, em apenas uma noite, eles já tivessem estabelecido um tipo de rotina. Já conheciam, e procuravam automaticamente, as posições em que se encaixavam melhor juntos e nas quais se sentiam mais confortáveis. Ele tinha cerca de 15 centímetros a mais que ela, talvez mais, por isso, com Bailey virada de costas para ele, eles se encaixavam quase perfeitamente. O braço dele caía sobre a cintura dela, sua mão escorregava para baixo da blusa à procura de calor, e descansava na barriga dela. Era estranha, ela pensou, a facilidade com que a situação criara uma sensação de familiaridade, até intimidade, com ele, mas ela pensou que aquilo era um mecanismo de defesa. Juntos, eles tinham mais chance de sair vivos da montanha do que se ficassem sozinhos.

— Podemos jogar baralho — ela disse, pensando nas horas que ainda teriam pela frente.

— Ou só ficarmos deitados aqui — ele disse.

— Boa ideia. — Ficar deitada ali era tudo o que ela queria, na verdade. Depois de um instante de silêncio, ela sentiu que começava a adormecer.

Cam não achava que a febre de Bailey estava mais alta do que antes, mas ela estava, obviamente, doente. Quando ela acordasse, ele olharia o braço dela para ver se pontos vermelhos haviam começado a sair do ferimento. Esperava que a pomada e a febre estivessem resolvendo a situação, porque, se a sepsia tivesse começado, então a situação deles teria passado de séria para crítica. Enquanto isso, dormir seria a melhor coisa para ambos. Gastariam menos calorias e precisariam de menos alimentos e água.

Ele imaginava que o centro de controle já teria levado um helicóptero até onde eles estavam, mas o tempo ruim era um fator de complicação. Um helicóptero não pousaria naquele terreno, é claro, mas poderia apontar a localização para uma equipe de resgate, além de entregar os alimentos e produtos de que tanto precisavam. Graças às muitas roupas de Bailey, eles não estavam tendo muita dificuldade para se manter aquecidos, mas um fogão de acampamento teria ajudado, além de algumas garrafas de água e barras de cereais.

Ao pensar nas barras de cereais, lembrou-se das barrinhas que colocara no bolso de seu blazer na manhã do dia anterior. Não sabia onde o blazer estava, mas certamente gostaria de comê-las, e as barrinhas de cereais poderiam ser um presente dos céus. O problema era que nenhum deles era capaz de procurar pelo blazer, e, mesmo que o encontrassem, as barrinhas poderiam ter caído. É claro que, se eles fossem resgatados naquele dia, então ele não se importaria com o blazer nem com as barras de cereais.

Percebeu que estava bem fisicamente. Estava fraco por conta da perda de sangue, a ferida fazia com que sua cabeça doesse demais, mas, evidentemente, não sofrera nenhuma lesão no cérebro ou em qualquer órgão. Se tivesse qualquer problema desse tipo, talvez não tivesse sobrevivido àquela noite. Não estava com febre — ou, se tivesse, era tão fraca que ele nem percebia. Com um ou dois dias de descanso, um pouco de comida e água, ele ficaria novo em folha.

Mas estava preocupado com Bailey. O mal das montanhas não era algo que podia ser ignorado, tampouco um ferimento infeccionado. O pior é que ela estava tendo problemas com ambos, pois se concentrara em cuidar dele, e não dela.

Então, como não havia mais nada a fazer, ele a abraçou enquanto ela dormia. Escutou sua respiração e ficou atento a qualquer alteração da febre. Também ficou atento ao barulho das hélices de helicóptero e torceu para que o resgate chegasse logo.

17

Bret ficara no escritório a noite toda, abaixando a cabeça de vez em quando sobre a mesa para cochilar brevemente. Karen fora para casa para trocar de roupas e comprar comida; voltou vestindo uma calça jeans e uma camiseta, e trazendo comida chinesa. Quando voltou, estava acompanhada também por seu namorado tatuado, barbudo e que vestia uma jaqueta de couro, cujo nome, por acaso, era Larry.

Larry estava ali, evidentemente, para cuidar de Karen, porque ele levava café quando ela queria, massageava seu pescoço e ombros, e a abraçava quando ela chorava. Karen, sempre durona, estava arrasada com a possibilidade de Cam ter morrido.

O pequeno aeroporto costumava fechar à meia-noite, mas a notícia de que a aeronave de Cam havia desaparecido manteve algumas pessoas por ali. Parecia simplesmente impossível ir para casa como se as coisas estivessem bem, fazer as coisas de sempre, até descobrirem com certeza o que havia acontecido. O mecânico principal, Dennis, andava de um lado a outro com o rosto sério, tentando imaginar se havia esquecido de checar alguma coisa durante a manutenção de rotina.

A situação foi completamente discutida enquanto eles comiam. Todos pareciam pensar que só podia ser uma falha mecânica; havia um sistema meteorológico que produziria um pouco de ar, mas nada drástico o suficiente para fazer com que o avião caísse. Cam não cometia erros voando, não errava na leitura do altímetro nem se esquecia da altura de uma montanha. Não era afobado. Era detalhista e calmo. Então, ou alguma coisa havia acontecido para fazê-lo perder a consciência, ou ocorrera uma falha mecânica com o avião.

O acidente com um avião pequeno acionava uma operação de busca e socorro, mas não uma investigação completa pelo NTSB* da mesma maneira que ocorria em acidentes com aviões comerciais. A procura não seria, nem mesmo, feita fora de Seattle, então Bret não sabia o que todos estavam fazendo no terminal, a menos que, como ele, o nervosismo que sentiam não os deixasse dormir, achando que deveriam permanecer ali.

Ele conhecia a rotina. O primeiro passo era encontrar o avião. Até que o avião fosse encontrado, não havia como saber o que tinha ocorrido. Nenhuma equipe de busca era enviada a esmo, porque a área a ser coberta era grande demais. Mas a espera era agonizante — esperar para saber, esperar para ter certeza.

Perto das nove da manhã, quando estavam exaustos, Karen atendeu um telefonema. Independentemente de quem fosse do outro lado da linha, ela fez cara de dor antes de engolir em seco e

---

* NTSB: O National Transportation Safety Board (órgão de Segurança do Transporte Nacional) é uma instituição independente norte-americana responsável pela investigação de todos os tipos de acidentes: aéreos, rodoviários, náuticos etc. (N.T.)

recompor-se. — É pra você — ela disse a Bret, com a voz embargada. — É o irmão da Sra. Wingate.

Bret fez uma careta e foi para seu escritório para atender o telefonema: — Aqui é Bret Larsen.

— Sou Logan Tillman, irmão de Bailey Wingate. Que diabos está ocorrendo? — ele vociferou. — Não conseguimos descobrir nada daqui e, quando telefonei para a casa de Bailey para saber se alguém tinha alguma notícia, a enteada dela atendeu e apenas riu de mim, disse que minha irmã tinha encontrado o que procurava. O que ela quis dizer com isso? Vocês suspeitam de que o avião foi sabotado, que isso foi feito de propósito?

As perguntas foram feitas de maneira muito rápida e nervosa para Bret responder. Ele disse: — Calma lá! Ninguém mencionou a possibilidade de o avião ter sido sabotado. Não sei o que Tamzin quis dizer, mas não foi isso. — De soslaio, Bret viu Karen em pé na porta de sua sala, sem ao menos tentar esconder o fato de que estava escutando a conversa. Dennis e outras duas pessoas também estavam no escritório em busca de notícias.

— Ela disse, simplesmente. — Logan Tillman estava furioso; ele urrava do outro lado. — Disse que apenas otários se metiam com o irmão dela.

Bret passou a mão pela extensão do nariz. — Tamzin não é... muito boa das ideias. Ela diz o que surge em sua mente, seja com base na realidade ou não. Neste momento, não suspeitamos de sabotagem ou de defeitos causados de propósito, ou de qualquer coisa. Onde você está agora?

— Em Denver, aonde íamos nos reunir com Bailey.

— Está hospedado em um hotel?

— Não, passamos a noite no aeroporto, esperando... — A voz de Logan falhou.

— Sim, também passamos a noite toda aqui. Escute: hospede-se em um hotel, procure descansar. Esgotar-se não vai resolver nada. Sim, eu sei, eu deveria seguir meu próprio conselho. Passe-me seu número de celular e eu mesmo telefono para você assim que souber de alguma coisa. Também vou lhe passar meu número. Pode me ligar quando quiser. — Ele disse o número de seu telefone e anotou o de Logan. — Escute, não perca a esperança. Cam, meu sócio, já passou por muitas situações difíceis. Ele é o melhor.

Quando desligou, Bret apoiou a cabeça nas mãos. Estava exausto. Se ao menos houvesse alguma coisa que ele pudesse fazer, qualquer coisa que o mantivesse ocupado... Esperar era péssimo, mas era tudo o que podia fazer, tudo o que todos eles podiam fazer.

— É uma possibilidade — Karen disse da porta.

Bret levantou a cabeça. — O quê?

— Que o avião tenha sido sabotado. Você sabe que Seth Wingate telefonou um dia antes perguntando a respeito do voo da Sra. Wingate, para saber quando ela partiria. Ele nunca tinha feito isso. — O rosto dela estava tenso e seus olhos faiscavam.

— Tome cuidado com o que diz — Bret avisou. — Não existe prova de que alguma coisa tenha sido feita ao avião. Se realmente tivesse sido sabotado, você acha, mesmo, que Tamzin estaria *dizendo* isso às pessoas?

— Como você mesmo disse, chefe, ela não é muito boa das ideias, certo? Ela poderia estar sob a influência de drogas, legais ou não, quando disse isso. E não quer dizer que não seja verdade.

Chefe. A palavra pairou no ar como uma chama. Aquele era um título que ela reservava a Cam, o cara melhor que Bret. Ele cerrou os punhos e virou-se para olhar pela janela.

Eles haviam cochilado e despertado várias vezes ao longo do dia, saindo do abrigo apenas quando era preciso, para pegar mais neve para derreter ou para fazer suas necessidades fisiológicas. Todas as vezes em que Bailey acordava, parecia que Justice fazia com que bebesse água, mas ela insistia para que ele bebesse a sua parte também. Em determinado momento, ele também insistiu para que ambos trocassem de lado no abrigo, que ela ficasse do lado do fundo, enquanto ele se posicionaria de frente para a abertura. Ela não via diferença, mas obedeceu, arrastando-se para ele ir para o outro lado.

Ela percebeu a diferença quando ele saía para pegar mais neve.

— Eu deveria estar fazendo isso — ela protestou quando ele voltou. — Troque de lado comigo de novo.

— Não — ele disse com calma. — Eu estou bem, apenas fraco. Você deve ficar quieta e deixar seu corpo se acostumar à altitude.

Ela começou a perguntar o motivo, já que seriam resgatados, mas hesitou porque eles ainda não haviam escutado o barulho das hélices do helicóptero. As horas estavam passando e ela começava a aceitar o fato de que passariam mais uma noite na montanha. Sentiu vontade de chorar, mas não fazia sentido e não poderia perder líquidos.

— Você está ferido — ela disse a Justice. — *Você* deve ficar parado também.

— Não estou correndo por aí, pode acreditar. E não estou com febre.

Bailey resmungou um pouco, porque ainda parecia injusto o fato de ela estar com febre, mas estava muito cansada e, em pouco tempo, voltou a dormir.

Mais tarde, Cam disse: — Preciso ver seu braço enquanto ainda está claro.

Ela olhou para ele de modo indignado, porque, para estar sob a luz do dia, eles precisavam sair do abrigo. — Quer que eu tire minhas blusas *lá fora*?

— Isso. É preciso trocar o curativo. Você pode levar um monte dessas roupas com você, para se manter coberta e para que tudo, menos seu braço, fique protegido.

Ele saiu, levando o kit de primeiros socorros consigo. Bailey se esforçou para tirar as três blusas que vestia enquanto ainda estava dentro do abrigo, tirando o braço direito das mangas. Tentou olhar para trás para ver o tríceps, à procura de pontos vermelhos, mas sem luz era impossível saber. Enrolando várias peças de roupa ao redor do corpo para que ele não visse seus seios, ela também saiu.

Não havia lugar algum onde pudesse se sentar sem molhar a calça, então ficou em pé, de costas para ele, enquanto ele segurava seu braço e tirava o curativo. — Não parece pior — ele disse para alívio dela. — Ainda está vermelho ao redor do ferimento, mas a vermelhidão não está se espalhando. — Ele colocou mais pomada antibiótica e outro curativo na ferida, e ela colocou o braço de volta dentro da manga da blusa e fechou os botões.

— Enquanto estamos aqui fora, devo checar sua cabeça — ela disse.

Ele tocou o curativo grosso. — Tem gaze suficiente para fazer outro?

Havia, mas apenas para mais um curativo. E se não fossem resgatados no dia seguinte? Ela estremeceu ao pensar nisso, ou talvez tivesse sido um arrepio causado pela febre. De qualquer modo, pensar em passar uma *terceira* noite na montanha era terrível.

Apesar disso, ele precisava de um novo curativo. — Não preciso usar tantas gazes desta vez — ela disse, por fim. — Vou colocar uma gaze sobre o corte e passar a faixa ao redor de sua cabeça para evitar que entre sujeira no corte.

Ainda não havia lugar algum para sentar e ele era muito mais alto que ela, a ponto de dificultar para ela enrolar a faixa na cabeça dele. Por fim, ele puxou um dos sacos de roupas e, cuidadosamente, ajoelhou sobre ele, enquanto ela ficava de pé. — Melhorou?

— Bastante. — Com cuidado, ela retirou o resto das bandagens, torcendo para que a pomada que havia passado sobre os pontos impedisse a gaze de grudar. Impediu, na maior parte do ferimento.

Havia alguns pontos nos quais ela teve de puxar a gaze para soltá-la, mas nada muito drástico. Pelo menos, ele não gritou nem xingou, e ela ficou contente por isso.

Seu curativo estava tão ruim quanto o corte, ela pensou, mordendo o lábio. O sangue se reuniu ao redor dos furos onde estavam os pontos e em uma linha fina ao longo do corte, e ela se perguntou se não havia apertado as beiradas um pouco além do necessário. Então, percebeu que um pouco do inchaço havia diminuído, o que indicava que os pontos não estavam tão apertados quanto precisavam estar.

— Vai ficar uma cicatriz feia — ela avisou. — Talvez precise de cirurgia plástica.

Ele olhou para ela com incredulidade. — Por causa de uma cicatriz?

— Não sou médica, lembra? O trabalho não ficou exatamente muito bom. — Ela se sentiu embaraçada, como se tivesse sido reprovada em um teste, mesmo sem saber o que mais poderia ter feito. Deixar o corte aberto até o inchaço diminuir? Não parecia uma alternativa viável. O corte poderia ter infeccionado. Além disso, deixá-lo aberto não causaria uma cicatriz pior ainda?

— A cicatriz a incomoda? — ele perguntou.

— Ei, ela não está na *minha* cabeça. Se ela não o incomoda, não se preocupe.

Ele sorriu enquanto ela usava um lenço umedecido com álcool para limpar o sangue seco. — Você não está louca de preocupação, não é?

— Não sou louca, sinto muito.

— Eu quis saber se você se incomoda ao olhar para ela.

— Não vou ficar olhando para ela, porque vou cobri-la com um curativo. Mas as cicatrizes, de modo geral, não me incomodam, se é isso o que você quer saber. — Pegando o tubo de pomada antibiótica, ela traçou uma linha com ela sobre os pontos, de um lado a outro. Para cobrir o ferimento, ela precisou de duas gazes esterilizadas; usou pedaços de esparadrapo para mantê-las no lugar, depois recolocou a faixa ao redor da cabeça dele. — Pronto. Não está novo em folha, mas está melhor que ontem.

— Obrigado — ele disse ao se levantar. Ela o ajudou, segurando-o até ter certeza de que ele estava firme. Ele passou um braço forte ao redor dela, levantou seu rosto pelo queixo e a beijou.

18

Bailey ficou assustada, presa nos braços surpreendentemente fortes dele. Detestava ter de lidar com questões sexuais. Eles estavam se dando muito bem; por que ele tinha de arruinar tudo, assediando-a? Ele era mais forte do que ela pensara, dada a sua condição física, o que significava que ela precisaria usar um pouco de força para afastá-lo, mas não queria fazer isso porque ele podia cair e seu ferimento piorar...

Mas o beijo foi suave e breve, os lábios dele estavam frios contra os dela, e ele levantou a cabeça antes que ela pudesse reagir.

— Obrigado — ele disse mais uma vez e a soltou.

Ela ficou ali, no frio, surpresa. Certo, agora estava oficialmente confusa. Aquilo fora uma investida ou não? Se fosse assédio, então aquele era o assédio mais *não* sexual de sua vida, o que descaracterizava a intenção. Se o beijo tivesse a intenção de agradecer, apenas a palavra teria bastado.

Ela era a primeira a admitir que não era a pessoa mais esperta em captar sinais sexuais, e pensava que os relacionamentos já eram difíceis demais para que uma ou as duas pessoas envolvidas fizessem suposições enganadas. Na sua opinião, era melhor perguntar e ter certeza, mesmo que não fosse assim que esse tipo de informação costumasse ser passado. Ela se desfez do choque e continuou a ajudá-lo a ir para o abrigo, apoiando o ombro direito embaixo do braço esquerdo dele e passando ambas as mãos pela cintura.

— Aquilo foi uma investida? — ela perguntou, franzindo a testa.

Ele parou, com a expressão calma. — Por que pergunta?

— Porque não tive certeza. Se foi uma investida, aproveito para deixar bem claro que sexo não está em meus planos. Se não foi, esqueça.

Ele riu e apertou os braços ao redor do corpo dela, como se a abraçasse. — Pode acreditar: quando eu fizer uma investida, você vai saber. Foi apenas uma forma de agradecer.

— *Dizer* "obrigado" teria bastado.

— Assim como dizer "*de nada*" — ele disse de modo seco.

Ela corou. — De nada. Sinto muito. Eu estava sendo chata, e não quis ser.

— Tudo bem. — Eles haviam percorrido os quatro metros até o abrigo. Ele tirou o braço do ombro dela e se colocou de lado, indicando que ela devia entrar no abrigo primeiro. Foi o que ela fez, percebendo, pela primeira vez, como era mais fácil entrar e sair quando não havia ninguém dentro. — Espere, deixe... — ela começou a dizer, mas ele já estava entrando. Ela encolheu as pernas para dar a ele mais espaço para entrar. Ele se virou, com as longas pernas dificultando os movimentos, depois se deitou de bruços e puxou o saco de lixo para cobrir a entrada.

Eles se acomodaram, esticando e organizando a pilha de roupas para que pudessem se cobrir melhor. Bailey suspirou ao relaxar o corpo dolorido, deitada de lado, de frente para ele. Depois de passar a maior parte do dia deitada e cochilando, ela deveria estar se sentindo entediada e inquieta, mas, na verdade, ainda estava tão cansada que tinha a sensação de que pesos estavam presos a suas pernas e braços. Também se sentia desconfortável; ficar suja e doente era, de certa forma, muito pior do que estar limpa e doente.

A depressão chegou incomodando. — Por que eles não vieram hoje? — ela perguntou de modo desolado.

Cam apoiou a cabeça no pedaço de espuma que lhe servia como travesseiro. Eles estavam deitados frente a frente, próximos na escuridão crescente à medida que o sol se punha, deixando cada vez mais próxima a chegada de outra noite gelada. Ela olhava o rosto dele, abatido. Ainda conseguia ver a maneira como seus cílios se curvavam e a barba por fazer que enfeitava sua mandíbula, mas logo ele seria apenas uma sombra mais escura na ausência de luz dentro do abrigo, antes de a escuridão surgir por completo.

— Não sei — ele disse, por fim. — O Transmissor Localizador de Emergências já deveria ter trazido um helicóptero em nossa direção.

— Talvez esteja quebrado — ela sugeriu, decepcionando-se ao admitir a possibilidade. Se ninguém sabia onde eles estavam...

— Os Transmissores Localizadores de Emergências resistem a muitos impactos, principalmente com o avião relativamente tão intacto como está.

— Intacto? — ela perguntou, incrédula. — Você olhou para ele? A asa esquerda foi arrancada! Metade da cabine também!

Ele esboçou um leve sorriso. — Mas estamos vivos e inteiros, e a *maior parte* da aeronave continua aqui. Já vi acidentes em que sobraram apenas algumas peças de metal queimadas.

— Como aconteceria se tivéssemos batido na face de uma montanha? — Por um momento, ela pensou nos momentos ruins antes do impacto, quando ela vira as rochas cada vez mais próximas, e sabia que estava prestes a morrer.

— Isso mesmo. Foi por isso que eu quis nos colocar para baixo, na linha das árvores. Estávamos indo para baixo, não teríamos como impedir, mas as árvores fizeram diferença na nossa sobrevivência.

— Elas amorteceram o impacto. — Ela estremeceu um pouco, lembrando-se da grande força com que eles haviam batido, a sensação de ser chacoalhada por um gigante. Ela não conseguia imaginar como teria sido o acidente sem as árvores, mas sabia que não estariam vivos para contar a história.

— Exatamente. As árvores na beira da linha da mata são mais espinhosas, e não teriam ajudado muito, mas eu não queria descer tanto a ponto de elas serem fortes demais. Eu precisava de árvores de porte pequeno a médio, acredito: fortes o bastante para diminuírem nossa velocidade e absorverem o impacto, mas flexíveis o suficiente para ceder.

— Boa ideia. Deu certo.

— Acho que sim. Estamos vivos.

Ela queria dizer a ele que ficara impressionada com ele, observando-o esforçar-se para manter o impulso com as correntes de ar, lutando contra a gravidade, usando sua habilidade e força para mantê-los no ar por mais tempo que pôde, mas, mesmo querendo, não conseguiu dizer isso. Para seu horror, sentiu lágrimas se formarem e cerrou os dentes, esforçando-se para não chorar. Não era muito chorona, exceto nas vezes irritantes em que acordava chorando. Não sabia *por que* isso acontecia. Mas sabia que se recusava a se transformar em uma chorona fraca, porque ficaria triste e assustada. Por fim, conseguiu dizer em um tom razoável:

— Você salvou nossa vida.

Mesmo com a pouca luz, os olhos dele não perdiam muita coisa. Sua expressão se suavizou quando ele tocou o cabelo dela, alisando um cacho de seu rosto. — E depois você salvou a minha. Eu teria entrado em choque e morrido se você não tivesse estancado o sangramento. Acho que estamos empatados.

Ela sentiu uma vontade estranha, porém grande, de virar seu rosto e beijar a palma da mão dele. O que havia de errado com ela? Primeiro as lágrimas e depois aquilo? Talvez a febre estivesse piorando. Talvez ela estivesse sofrendo de estresse pós-traumático. Um acidente de avião era bastante estressante; ela tinha o direito de ficar com os nervos abalados.

— Você já fez treinamento de sobrevivência na selva ou alguma coisa do tipo? — ele perguntou com curiosidade.

A mudança de assunto deu a ela a chance de sair do turbilhão de emoções no qual parecia estar. Ainda assim, ela teve de engolir em seco algumas vezes antes de conseguir falar de novo, e seu coração batia acelerado, como se tivesse acabado de escapar de uma situação de risco. — Não, por quê?

— Porque você tomou muitas decisões de bom-senso, e fez todas as coisas certas com os recursos limitados que tinha.

— Tenho bom-senso, é verdade — ela disse, surpresa e rindo. Ela conhecia o dano causado por decisões tomadas apressadamente no calor do momento porque um de seus pais, ou ambos, sentiam vontade de ser impulsivos, ou porque queriam alguma coisa e de jeito nenhum paravam para pensar como seriam prejudiciais aquelas atitudes para seus filhos. Ela não queria ser daquele jeito. — Meu bom-senso levou Jim a me escolher para cuidar... — Ela parou, sem querer falar sobre sua vida pessoal.

— De todo aquele dinheiro? — Cam concluiu para ela, e sorriu quando ela arregalou os olhos, surpresa. — Todos sabem. Nossa secretária nos contou sobre isso, mas ela é de assustar, podendo ser comparada com o diabo, e sabe de tudo.

Bailey riu: — Karen? Espere só até eu contar a ela que você disse que ela pode ser comparada com o diabo!

— Caramba! Você conhece a Karen? — Chocado, ele se apoiou em um dos cotovelos para olhar para ela, consternado.

— Claro que eu a conheço. O Grupo Wingate tem usado os serviços da L&J há quantos anos? Antes de me casar com Jim, era eu quem telefonava para marcar as viagens.

— Eu deveria saber — ele murmurou. — Inferno. Droga. Se contar o que eu disse, ela vai infernizar minha vida até eu morrer ou me arrastar sobre carvão em brasa para me desculpar. — Ele deitou de costas e olhou para cima. — Prometa que não vai contar a ela.

— Não me diga que tem medo de sua secretária — ela disse, surpresa ao descobrir essa faceta do Capitão Durão Justice. Ela conseguiu ver o sorriso que ameaçava surgir e adorou saber que ele reconhecia e aproveitava os benefícios de ter uma secretária rígida.

— Ela nos controla — ele disse de modo exagerado. — Sabe onde todas as coisas ficam, como tudo funciona e tudo o que está ocorrendo. Ela cuida de tudo. Bret e eu só precisamos chegar, assinar o que ela nos manda assinar e pilotar os aviões.

— Vocês podem despedi-la — ela sugeriu apenas para provocá-lo.

Ele resmungou: — Que nada! Sou do Texas, sou esperto. Talvez tivesse de fazer muito mais do que assinar papéis se não fosse por ela.

— Você nasceu no Texas?

— Não me diga que perdi o sotaque. — Ele se colocou de lado de novo, encolhendo o braço embaixo da cabeça.

— Não, mas já li em algum lugar que os pilotos adotam uma maneira de falar própria, então você poderia ser de qualquer lugar.

— A síndrome de Yeager* — ele disse. — Eu não tive de adotar uma maneira de falar. Nasci com ela, apesar de Yeager ter nascido

* Charles Elwood "Chuck" Yeager: ex-brigadeiro e piloto de testes da aeronáutica norte-americana, considerado um ás da aviação, o primeiro piloto a "romper" a barreira do som. (N.T.)

na Virgínia Ocidental e de eu ter nascido e sido criado no Texas e de os sotaques serem totalmente diferentes.

— Se você diz... — ela disse, deixando clara a desconfiança.

— Você precisa nascer escutando a música da língua para entender as variações.

Ela riu, principalmente quando a maneira de falar dele a convidou a isso. Queria dizer a ele que "a música da língua" parecia algo tirado do *Kama Sutra*, mas se controlou a tempo. Se não quisesse que ele entrasse no território sexual, não devia dar o primeiro passo.

— De onde você é? — ele perguntou.

— Nasci no Kansas, mas já morei em Ohio, Califórnia, Oregon, Maryland e Iowa.

— Na infância ou depois de adulta?

— Mais na infância. Quando terminei a faculdade, escolhi um lugar e fiquei ali. — Era bom criar raízes. Ter estabilidade.

— Meus pais não se mudaram. Eles ainda vivem em Killeen.

— Onde fica isso?

— Você não aprendeu nada de geografia em todas as escolas que frequentou? Fica no meio do caminho entre Dallas e San Antonio.

— Sinto muito — ela disse, rolando os olhos. — Não havia muita ênfase em geografia nas escolas que frequentei.

— O nível de ignorância hoje é chocante. Como é que pode uma escola não ensinar sobre o Texas?

— Sei lá. Então você cresceu em Killeen?

— Sim. Meus pais ainda vivem na mesma casa em que cresci. Tenho um irmão e duas irmãs, e todos nós frequentamos a mesma escola e, na maioria das vezes, tivemos os mesmos professores. Mas eu me mudei muitas vezes depois que entrei para a aeronáutica. Conhecer novos lugares era bom, mas a mudança em si era terrível. Por que você se mudou tantas vezes?

— Pingue-pongue do divórcio — ela disse. — Mas eles brincavam com os filhos, e não com bolinhas.

— Isso é ruim. Você tem irmãos?

— De diversos tipos.

— Tem outra variação além de homem e mulher?

Ela riu, apreciando a conversa. — Um irmão e uma irmã, dois meios-irmãos a quem nunca vejo, três meias-irmãs a quem nunca vejo e um monte de irmãos e irmãs postiças cujos nomes tenho dificuldade para lembrar, e a maioria eu não reconheceria se encontrasse na rua. — Ela pensou que reconheceria o cara de cabelos ruivos e covinha no queixo, mas nunca se lembrava do nome dele. Ele era o filho do segundo marido de sua mãe, um deles, com a segunda esposa dele — a mãe dela foi a terceira esposa dele. Pensar nisso tudo piorava a sua dor de cabeça.

— Você é próxima de seu irmão e de sua irmã?

Ela percebeu que ele não perguntara sobre seus pais, mas Justice era um cara esperto, por isso deve ter percebido que seria uma pergunta sem sentido. — De meu irmão, Logan. Era com ele e com a esposa dele, Peaches, que eu ia fazer rafting. Não tenho muito contato com minha irmã. Ela tem os problemas dela.

Bailey percebeu como estava à vontade naquele momento, não física, mas mentalmente. O resgate chegaria no dia seguinte e aquele pesadelo todo terminaria. Ela não recomendava a ninguém meter-se em um acidente de avião, não era divertido de jeito nenhum, mas acreditava ter ganho um amigo naquela experiência. Sentiu certa surpresa por considerar o Capitão Rabugento Justice um amigo, mas descobrira que ele não era rabugento, e, sim, muito atraente.

— Você vai dormir — ele comentou. — Sei disso por causa da maneira como está respirando.

Ela concordou com um gemido. Ele se ajeitou, puxando-a para mais perto, e ela se aconchegou nos braços dele, em seu calor, como se ali sempre tivesse sido seu lugar.

19

Na terceira manhã, o dia amanheceu ensolarado e claro. Quando Cam saiu do abrigo, descobriu que estava consideravelmente mais forte do que estivera um dia antes. Além disso, sentia menos dor de cabeça. O inchaço em suas pálpebras também parecia menor. Não sentia disposição para pular ou correr, mas caminhava sem ajuda, embora devagar, e sem ter de se apoiar em nada.

Bailey também estava se sentindo melhor; sua febre havia aumentado durante a noite, molhando sua roupa com suor. Isso não tinha sido bom, não àquela temperatura congelante. Ela havia pedido a ele que se virasse para o outro lado, para que pudesse tirar as roupas úmidas e vestir peças secas. Levando em conta o espaço muito limitado no abrigo, ele gostaria de ter visto o contorcionismo, mas não tinha dado uma olhadinha sem que ela percebesse. Depois que ela havia ficado dura como estátua quando ele a beijou, Cam não queria voltar a assustá-la. Da mesma forma, ele evitou incomodá-la com sua ereção, apesar de ter acordado diversas vezes com desejo. Mas a hora estava chegando...

Mas, em primeiro lugar, eles precisavam sair daquela maldita montanha.

Sua situação alimentar estava se tornando crítica. Restavam duas barras de chocolate e eles estavam ficando fracos em razão da falta de comida. O fato de eles terem dormido grande parte das últimas 36 horas havia ajudado, porque não tinham gasto muitas calorias, mas se não fossem resgatados naquele dia...

Ele não contara a Bailey como estava incomodado por eles não terem sido resgatados no dia anterior... um satélite deveria ter captado o sinal do Transmissor Localizador de Emergências e, apesar de a montanha ter ficado o dia todo coberta por neve, uma equipe de resgate poderia ter descido para um ponto mais baixo e acessível, chegando a eles.

O problema era que o Transmissor Localizador de Emergências funcionava com bateria, e transmitiria o sinal apenas entre 24 e 48 horas. Eles já tinham completado 24 horas ali no dia anterior, de manhã, e se aproximavam rapidamente das 48; se o sinal não fosse captado até lá, não seria captado nunca. Sem o aparecimento da equipe de resgate no dia anterior, ele havia começado a se preocupar com o fato de que, talvez, a bateria do Transmissor Localizador de Emergências estivesse fraca e tivesse acabado antes de uma busca ser iniciada.

Ele ficou olhando para Bailey enquanto ela passava pelas árvores e se dirigia para o abrigo, parou na frente e olhou para ele de modo determinado.

— Você precisa sair daqui a pouco — ela disse e seu tom de voz não lhe dava muitas opções. — Não aguento mais. Estou *fedendo*. Não me importa o frio que está, mas eu preciso me limpar com os lenços e vestir roupas limpas. E, depois que eu terminar, *você* vai ter de se limpar.

— Você vestiu roupas limpas ontem à noite — ele disse, apenas para irritá-la. — E eu não tenho roupas limpas.

— Culpa sua — ela disse. — Não sei por que você pensou que só precisaria de uma troca de roupas para uma viagem na qual passaria a noite.

— Talvez o fato de eu sempre levar apenas uma troca.

— Pois é, mas você precisa se programar para casos de emergência. E se derramasse café em sua camisa limpa na hora do café da manhã? Estaria perdido.

Ele sentiu vontade de rir, mas se controlou. Talvez fosse o modo como ela se mantinha ereta, ou a determinação em seu rosto, que o fez mudar de ideia. Mas era engraçado escutá-la dando-lhe uma bronca por causa de suas roupas. Talvez se ela ainda estivesse vestindo a calça e o casaco finos que vestia no dia do embarque, a bronca não teria parecido tão estranha, mas a aparência dela naquele momento fazia qualquer mendiga parecer na moda.

Ela vestia tantas roupas que seu corpo estava sem forma, e a camisa de flanela amarrada em sua cabeça dava o toque final. Não, talvez fossem as meias em suas mãos. E ele também tinha as camisas e calças dela amarradas em seu corpo, porque, obviamente, não podia vesti-las. Se ela estivesse com uma aparência melhor que a dele, isso era bem ruim. E se ele pudesse ter colocado as meias dela nas mãos, também as estaria usando.

— Você ganhou — ele disse, sorrindo. — Eu deveria ter colocado mais coisas na minha bolsa. Vou dar uma olhada no avião enquanto você se limpa, por isso não tenha pressa.

Imediatamente, os olhos verdes dela mostraram preocupação.

— Tem certeza de que se sente forte o bastante...

— Tenho certeza — ele disse. — Estou me sentindo muito melhor hoje. — Certo, "muito" era exagero, mas já tinha passado tempo demais deitado e queria checar algumas coisas.

Ela mordeu o lábio inferior. — Chame se começar a se sentir zonzo — ela disse por fim e abaixou-se para entrar no abrigo.

Cam virou-se e observou os destroços com o olhar de um piloto. Olhou para a trajetória, marcada pelas árvores quebradas e pelos fragmentos. Viu onde a asa esquerda havia sido arrancada e olhou as pedras irregulares; era ali onde, provavelmente, havia perdido a asa. O avião, então, tinha sido jogado violentamente para a direita, e quase saiu das árvores e parou na ladeira rochosa, o que teria causado um desastre.

O que havia salvado a vida deles fora o fato de o combustível não ter incendiado. Era possível sobreviver ao impacto das quedas na maioria das vezes, mas o incêndio resultante era fatal. Mesmo com o motor morto, a fiação elétrica ainda conseguia causar incêndios. Talvez Bailey tivesse saído viva, mas ele, certamente, não.

A fuselagem não estava no chão, mas, sim, meio pendurada pela asa direita quebrada, apoiada em uma árvore. O galho dentro da fuselagem foi o que ancorou a aeronave, impedindo que ela virasse para baixo. Enquanto o galho segurasse, o avião continuaria ali. Ele esperava que o galho não se quebrasse enquanto ele estivesse no cockpit. Não seria uma merda?

Ele entrou onde já tinha sido o assento do piloto, antes de Bailey arrancar os estofados e a cobertura de couro, e agora era apenas uma estrutura. A primeira coisa que verificou foi o Transmissor Localizador de Emergências. — Porra — ele disse baixinho, assim que virou o acionador. A luz indicadora estava desligada, a bateria tinha acabado.

A grande pergunta era: o satélite teria captado o sinal antes de a bateria acabar ou ela estava descarregada desde o início? Os Transmissores Localizadores de Emergências eram verificados uma vez ao ano. A bateria podia ter acabado meses antes, porque a verdade era que, além de ser feita uma inspeção anual, ninguém checava aquilo.

Se o satélite tivesse localizado o sinal, ele tinha certeza de que a equipe de busca e resgate teria chegado a eles em algum momento do dia anterior. Não tinha acontecido, e agora ele não achava que apareceria, pelo menos não a tempo. O que mais o preocupava era o fato de não ter escutado nenhum avião da Patrulha Aérea Civil sobrevoando com seus padrões de busca, nem um helicóptero. Ele havia passado a localização pelo rádio e, apesar de não terem caído ali, estavam perto da área e conseguiriam escutar um helicóptero vasculhando aquela região.

Ele sabia que uma busca havia sido organizada. Um avião não desaparecia por dois dias sem que ninguém se importasse em procurar. Então, onde diabos podiam estar procurando?

Pensou que talvez a transmissão do rádio não tivesse sido bem-sucedida. E se o centro de controle não tivesse ideia de onde procurar por eles? Matematicamente, a área-alvo podia ser mapeada usando-se a quantidade de combustível e a distância máxima de voo, mas seria uma grande extensão. Logicamente, ele tinha de supor que ele e Bailey teriam de sair da montanha, algo muito mais fácil de dizer do que de fazer.

O painel do cockpit estava quebrado e o rádio, destruído, o que não era de surpreender. Ele olhou ao redor, procurando por qualquer coisa que pudesse ser usada e que Bailey não tivesse levado, mas ela tinha sido minuciosa. Tudo o que restava na cabine e que podia ser usado eram os cintos; ele puxou as faixas do ombro o máximo que pôde antes de cortá-las. As faixas da cintura não eram tão compridas, mas podiam ser usadas. Eram fortes e poderiam servir para ajudá-los a carregar coisas. Não que eles pudessem fechar as malas de Bailey e arrastá-las montanha abaixo, mas talvez ele pudesse usar os cintos e transformar uma das malas em um tipo de mochila, mesmo que fosse apenas para carregar os itens mais essenciais. Se a mala dele fosse maior, seria ideal.

A lanterna que ele sempre deixava no cockpit não estava mais ali. Ele tinha certeza de que estava em algum lugar, mas provavelmente coberta pela neve que havia caído, e só Deus sabia a que distância ela havia sido lançada com o impacto. Eles precisavam dela se pretendiam sair dali andando, mas era pequena a chance de encontrá-la.

Da mesma maneira, ele precisava de seu blazer e das barrinhas de cereais do bolso — das barrinhas mais do que do blazer. Seria bom encontrar o blazer, mas ele conseguiria se virar como estava se virando até então; mas eles precisavam muito das barrinhas de cereais.

Agora que sabia o inferno que haviam enfrentado, olhou para os destroços de modo diferente. Pedaços afiados de metal ou vidro poderiam ser usados como faca, se por acaso perdessem o canivete, ou se a lâmina quebrasse. Nunca era demais ter equipamentos de reserva. Talvez ele pudesse fazer alguns sapatos para andar na neve, usando um pouco do material que Bailey usara para construir o abrigo. Na teoria, as coisas eram bem simples. O mais importante era saber se o terreno era incerto demais, porque os sapatos para andar na neve eram esquisitos.

Quanto mais descessem, mais alimentos encontrariam. Ele era um cara do Texas; crescera construindo armadilhas para coelhos e esquilos. Conseguiria encontrar comida para eles, mas precisavam comer logo.

Foi para o outro lado do avião. A ladeira era bem mais íngreme ali, com partes tomadas quase completamente por rochas, tornando o acesso impossível se não fosse pelas árvores, nas quais ele podia se segurar. Ele subiu o caminho que o avião havia feito na queda, usando a força da parte superior do corpo para continuar quando não havia onde apoiar o pé.

A neve se acumulava embaixo de seus sapatos, subia pelas laterais e entrava, molhando suas meias e congelando seus pés. Ele não poderia sair andando dali usando os sapatos sociais, mas não tinha ideia do que fazer. Poderia ignorar o frio por enquanto; inferno, talvez Bailey esquentasse os pés dele em seus seios de novo. Se isso não bastasse para evitar deixar os pés gelados, ele não sabia o que bastaria.

Havia fragmentos espalhados por todos os lados na ladeira: pedaços de metal retorcido, fios rompidos, galhos quebrados. Se os fios estivessem em pedaços longos o bastante para serem usados, ele os pegava, enrolava e guardava no bolso. Encontrou um suporte retorcido da asa e depois a porta retorcida e amassada do lado do piloto. Olhando para o estrago, pensou que tivera sorte de ter saído apenas com uma pancada e um corte na cabeça. Mais para o lado, conseguiu ver uma forma arredondada que só podia ser uma das rodas, coberta por neve.

Chegou perto de uma árvore que parecia ter sido atingida por um raio, com o tronco estourado e os galhos quebrados, mas a abertura na madeira era recente. O estrago havia sido feito a cerca de seis a oito metros da base para o topo. Olhou ao redor e viu fragmentos de destroços, mas nada grande o bastante que pudesse ser a asa.

Ele subiu mais, sendo guiado pela curiosidade, mas não encontrou nada. Por fim, o frio o atingiu, forçando-o a se virar. Ele estava se sentindo um pouco sem fôlego e trêmulo também, o que não era inesperado, levando em consideração a quantidade de sangue que havia perdido. A única coisa boa a respeito de estar dolorido demais para se mexer era que o tempo gasto permitira a ele se ajustar à altitude.

Ele parou por um instante para se orientar. Estava acima e à esquerda do ponto do acidente, com o pequeno abrigo localizado acima do monte e à direita do local. Bailey ainda não tinha saído, então continuava dentro do abrigo com aqueles lencinhos umedecidos dela, livrando-se dos odores corporais e do suor causado pela febre. Ele sorriu, tentando imaginar se ela sairia correndo para fora sem as roupas se ele gritasse por socorro. Talvez fizesse isso, mas depois o mataria, então ele se conteve. Ele a veria nua, mas na hora certa.

Olhou além do abrigo, para as montanhas, procurando o pico...

... e viu a asa, a cerca de 40 metros.

— Não acredito — ele disse. Estava procurando pela asa no lado esquerdo dos destroços; deve ter pensado nisso, porque se tratava da asa esquerda, teria ido parar do lado esquerdo do local, porque ele não conseguia se lembrar de ter planejado qualquer coisa além de encontrar onde a aeronave havia batido na árvore. Quando foi arrancada, a asa tinha ido para cima e desceu para o lado direito. Estava, na verdade, quase atrás do abrigo, porém mais para trás do local para onde eles tinham ido.

Cuidadosamente, ele foi até o objeto. Quando chegou lá, estava muito cansado, mas respirava com relativa facilidade.

Forças inimagináveis atuavam em um acidente. As partes de metais ficavam retorcidas e curvadas, como se fossem feitas de pano, partes pulavam para fora, porcas e parafusos eram divididos como se tivessem sido cortados. A asa, no caso, fora dobrada ao meio pela força com que batera na árvore, e as peças de metal passaram cortando tudo. Ele conseguiu ver a estrutura, os metros e metros de fios pendurados do ponto em que a asa ficava presa ao avião, os cabos, o tanque de combustível rompido.

Uma coisa que parecia um balão murcho, pendurado para fora do tanque rompido, chamou sua atenção.

Cam ficou ali, olhando para ele, sentindo um arrepio que indicava a percepção do perigo. Sentiu uma grande fúria, uma raiva tão grande que sua visão chegou a ficar embaçada.

Não havia ocorrido uma falha mecânica. O avião tinha sido sabotado.

20

Cam não estava por perto quando Bailey engatinhou para fora do abrigo. Ela se limpou o máximo que pôde sem tomar um banho de verdade e se sentia um pouco trêmula, mas imensamente melhor. A cabeça ainda doía, mas a dor não estava tão intensa quanto havia sido nos últimos dois dias. Finalmente sem febre, os únicos pontos que doíam eram onde ela tinha hematomas. A tontura e as náuseas não tinham passado por completo, ela se sentia fraca em razão da combinação de febre e falta de comida. Mas, de modo geral, ela percebia uma grande melhora em sua condição física.

— Cam? — ela chamou. Não obteve resposta e sentiu um arrepio de preocupação. Ele estava fraco demais para sair andando sozinho. E se tivesse caído? Assustada, ela seguiu as pegadas dele até o avião, e então viu que ele dera a volta nele. Não estava em lugar algum. — Cam! — ela chamou de novo, mais alto dessa vez. — Cam!

— Estou aqui em cima.

Ele respondeu de um ponto mais alto na encosta. Ela se virou e o viu entre as árvores, descendo.

— O que está fazendo aí em cima?

— Procurando pela asa.

Que diferença fazia encontrar a asa? Ela não podia ser recolocada no avião para que eles pudessem sair dali voando. Talvez fosse coisa de piloto querer saber onde todas as partes estavam. O que mais a deixava preocupada era o fato de ele ter ido tão longe, sozinho, em sua situação — usando os sapatos sociais. As pernas dele ficariam molhadas até os joelhos e os pés, gelados.

Irritada, ela começou a subir a encosta íngreme para se aproximar dele... em parte para lhe oferecer ajuda caso precisasse, mas também para que pudesse repreendê-lo por sua falta de cuidado. Sua irritação aumentava a cada passo, porque cada um deles era difícil; ela tinha de se segurar às árvores, praticamente engatinhar sobre as rochas, e quando pisou em um buraco escondido, uma de suas pernas afundou até a coxa na neve. Ela se assustou e exclamou em seguida: — Droga!

— O que houve? — Cam perguntou. Ele estava dando a volta em uma rocha e, naquele momento, estava fora do campo de visão.

— Pisei em um buraco — ela respondeu, franzindo o cenho na direção dele, embora ele não conseguisse ver sua expressão.

Ela saiu do buraco e tirou a neve da calça. Uma parte dela havia entrado na bota; ela conseguia sentir o frio se espalhando pela perna. Tirou a meia da mão direita e começou a tirar a neve de cima da bota, retirando o que sobrara antes que a molhasse mais.

Cam deu a volta na rocha; ele estava usando as árvores como apoios, assim como ela fizera. — Você torceu o tornozelo?

— Não, é que a neve entrou em minha bota — ela disse irritada. Endireitou-se e colocou a meia de novo na mão enquanto olhava para ele. O que ela viu a deixou rígida, como se estivesse se preparando para um choque.

Ela já tinha visto o rosto dele frio e sem expressão, já tinha visto o modo como esboçava sorrisos e o brilho em seus olhos quando fazia algum comentário sarcástico. Mas aquela expressão revelava uma pessoa completamente diferente. Sua boca formava uma linha fina, os olhos acinzentados estavam mais estreitos e brilhavam de raiva, fazendo com que ela se arrepiasse. Seu rosto estava pálido de ódio, deixando os olhos dele mais vivos e penetrantes. Podia dizer que aquela era a cara de quem queria matar alguém.

— O que houve? O que aconteceu? — Ela ficou parada sem se mexer, com os olhos arregalados enquanto o observava se aproximar.

Ele esticou o braço e segurou o cotovelo dela, virando-a e levando-a com ele. — Alguém tentou nos matar — ele respondeu de modo firme. — Ou melhor, acho que alguém tentou matar *você*. Eu entrei de gaiato no navio.

Bailey parou, sem conseguir dizer nada em razão do susto.

— O quê? — ela perguntou incrédula, em um tom de voz alto. Seu coração acelerou.

Ele a segurou com força enquanto ela recuperava o equilíbrio e seus dedos apertaram ao redor de seu cotovelo. — O tanque de combustível foi sabotado para fazer com que parecesse que o avião tinha mais combustível do que de fato tinha.

Os pensamentos dela se dividiram. Parte de sua mente se concentrou no tanque de combustível, tentando entender como, enquanto a outra parte pensava no que ele dissera sobre alguém querer matá-la. — *Eu*? Como? Por quê... — Ela pressionou os lábios e respirou profundamente. — Comece de novo. Por que você acha que o tanque de combustível sofreu sabotagem e por que acha que eu sou o alvo?

— Quando a asa foi arrancada, o tanque de combustível foi aberto. — Ele pausou. — Você sabe que os tanques de combustível ficam nas asas, certo?

— Nunca me preocupei com isso — ela disse honestamente. — Não me interessa onde eles ficam, desde que estejam abastecidos. — Eles chegaram ao abrigo e pararam, ambos um pouco ofegantes pelo esforço.

Cam virou o rosto dela para si, segurando ambos os cotovelos. Ele mexeu os lábios em um breve sorriso ao olhar para ela. — Havia um saco plástico transparente no tanque. Técnica bem simples. Você enche um saco com ar, fecha a entrada e ele causará volume no tanque. A válvula mostra que o tanque está cheio quando, na realidade, a maior parte do espaço dentro do tanque está tomada pelo saco. E, por ele ser transparente, não dá para vê-lo quando há combustível no tanque.

— Mas... mas... *por quê?* — ela perguntou com raiva. Essa experiência toda havia sido um grande pesadelo, mas ela conseguira enfrentá-la. Enfrentara o horror do acidente, enfrentara o fato de ser a única responsável pela sobrevivência dos dois no primeiro dia. Enfrentara o frio congelante, o vento cortante, a falta de alimentos, o fato de estar doente, com febre, até de estar suja; não sabia se poderia lidar com a ideia de que alguém havia tentado matá-los, de propósito. — Por que acha que eu sou... — Sua voz ficou embargada.

— Porque Seth Wingate telefonou para a J&L um dia antes de partirmos, perguntando sobre seu voo — ele disse de modo direto. — Ele nunca tinha feito isso.

As palavras a atingiram como um soco. — Seth... — Apesar de toda a hostilidade, ela nunca pensou que ele fosse capaz de machucá-la. Ela nunca sentiu medo dele, mesmo sabendo que ele tinha um temperamento forte. Até compreendia o tratamento que ele e Tamzin lhe reservavam, pois sabia que, se estivesse no lugar de ambos, se sentiria do mesmo modo. Isso não queria dizer que gostava de tal atitude, ou deles, mas compreendia. Saber que uma pessoa a detestava tanto a ponto de tentar matá-la a deixava enojada.

Ela não era santa, mas também não era um ser desprezível que merecesse morrer.

— Não — ela disse, balançando a cabeça. Ela acreditava no que ele dizia, mas simplesmente era difícil aceitar tudo aquilo. — Oh, não. — Lembrou-se do que Seth lhe dissera: "*Sua cadela, vou matá-la*", da última vez em que conversara com ele, quando permitiu que ele a provocasse respondendo que reduziria seu fundo fiduciário. Ela nunca havia respondido a qualquer dos absurdos e acusações que ele dizia, preferindo agir como se ele não tivesse dito nada. Se aquilo tinha feito com que ele passasse dos limites... era culpa dela.

Ela procurou por incongruências na teoria de Cam, qualquer falha em sua lógica. — Mas... mas você tem mais de um avião... Como ele soube qual deles seria o da viagem?

— Se você entendesse alguma coisa sobre aviões, poderia adivinhar qual deles usaríamos em nosso voo para Denver. O Lear... não, é o avião maior, aquele que usamos para atravessar o país. O Skyhawk não atinge a altitude necessária para atravessar as montanhas, por isso seria ou o Skylane ou o Mirage. Eu teria usado o Mirage, mas estava em manutenção... e agora me pergunto se talvez o Mirage tivesse sido estragado de propósito, forçando-nos a usar o Skylane.

— Mas por quê? Que diferença faria?

— Talvez ele tenha mais familiaridade com os Cessnas. Sei que ele já perguntou a Bret sobre aulas de voo, e Bret indicou um instrutor a ele. O interesse em pilotar não é a mesma coisa que sabotagem, mas mostra que ele tinha interesse. E, inferno, não é difícil conseguir essa informação. Não sei como ele fez, se sabotou o Mirage sozinho ou se conversou com Dennis e descobriu que o Mirage estava em manutenção. A única maneira de descobrir com certeza é perguntando a Dennis... ou procurando os policiais e pedindo que eles investiguem, que é o que prefiro.

— Quando formos resgatados... — ela começou, mas ele balançou a cabeça, interrompendo-a.

— Bailey... ninguém vai vir para nos salvar. Ninguém sabe onde estamos.

— O Transmissor Localizador de Emergências. Você disse...

— Não está funcionando. A bateria acabou. Ou o transmissor também foi sabotado. De qualquer modo, não está funcionando. Eu nem sei mais se meu rádio estava funcionando, no fim da viagem. Sei que estava no começo, mas, pensando bem, não consigo me lembrar de quando escutei o tráfego aéreo pela última vez.

— Mas como isso pode ser calculado? — ela quis saber. — Como fazer um rádio parar de funcionar em determinado momento? Como alguém saberia onde estaríamos quando ficássemos sem combustível?

— Nossa localização seria simples de descobrir. Um relatório meteorológico indicaria os ventos, eu estaria voando com força normal, o Skylane tem uma extensão conhecida. Nossa localização *exata* não poderia ser determinada, mas qualquer pessoa esperta saberia o tamanho que o saco plástico precisaria ter para retirar o espaço de determinado número de litros de combustível, e ter a certeza de que teríamos o suficiente para chegar às montanhas. — Ele ergueu a cabeça e olhou ao redor, à paisagem silenciosa, majestosa e incrivelmente acidentada. — Eu diria que chegar às montanhas seria essencial no plano... a algum lugar distante, onde os destroços possivelmente não fossem encontrados. O Hell's Canyon é muito distante. As trilhas de caminhada só serão abertas dentro de um mês, por isso não há ninguém nas montanhas para, talvez, ter visto o avião cair e dar à equipe de resgate uma ideia de onde procurar.

— Como você sabe que sou eu o alvo? — ela perguntou com tristeza, porque estava morrendo por dentro. — Como sabe que não é você?

— Porque era Bret quem deveria ter pilotado — ele disse. — Ele ia pilotar, mesmo estando doente. Karen telefonou para a minha casa na última hora para que eu o substituísse, porque ele foi teimoso demais para admitir que não devia pilotar. Encare os fatos, Bailey — ele terminou com um toque de impaciência na voz.

— Então você... — Ela fez uma pausa, sentindo-se enojada. Engoliu, tentando controlar a voz: — Então você é o...

— Sou o idiota infeliz que ia morrer com você, isso mesmo.

Ela fez uma careta ao escutar a resposta, detestava sentir as lágrimas queimarem-lhe os olhos. Não choraria. *Não* e pronto.

— Inferno — ele disse asperamente, segurando o queixo dela com a mão fria e levantando-o. — Quis dizer que ele veria as coisas dessa maneira, não que *eu* as vejo assim.

Bailey conseguiu esboçar um breve sorriso, apesar de a mágoa tomar conta dela. Lidou com isso da mesma maneira de sempre: guardando os sentimentos para si. — Você deve ver as coisas dessa maneira; certamente seria assim que eu as veria. Você teve o azar de substituir um amigo, e quase morreu por causa disso.

— Existe outra maneira de enxergar tudo isso.

— É mesmo? Não acho.

Ela não estava preparada para a maneira como a expressão dele mudou, saindo da raiva fria dos últimos minutos para algo que era quase mais assustador. Seus olhos ficaram mais intensos, seus lábios se curvaram como os de um predador pronto para atacar a presa. Ele ajustou o toque no queixo dela para que seu polegar descansasse sobre o lábio inferior dela, puxando-o um pouco para fora.

— Se eu não tivesse quase morrido, nunca teria descoberto que essa pose de megera fria que você demonstra é apenas isto: uma pose. Mas você foi desmascarada agora, querida, e não tem volta.

21

Bailey resmungou, feliz pela distração momentânea, que ela suspeitava ter sido o motivo para ele ter mudado de assunto.

— Já que tocou no assunto, eu pensava que você era um rabugento antipático. — Ela sabia que a conversa sobre alguém estar tentando matá-la não havia terminado, mas precisava de algum tempo para compreender os detalhes, tempo para que suas emoções se estabelecessem.

— É mesmo? — Ele brincou com o lábio inferior dela e a soltou. — Vamos falar sobre isso depois. Temos muito tempo, porque não conseguiremos sair daqui dentro de um dia... nem de dois dias.

Ela olhou ao redor; era estranho como o local se tornara familiar, como ela se sentia segura ali em comparação a como se sentia em relação a estar sozinha. Em primeiro lugar — o abrigo. Eles não podiam levar o abrigo consigo, e pensar em construir outro *todos os dias* era assustador. Por outro lado, não havia alimentos ali. Se ninguém ia salvá-los, eles tinham de fazer isso sozinhos, e isso significava sair do pico frio da montanha antes que ficassem tão fracos a ponto de não conseguirem andar.

— Certo — ela disse, erguendo os ombros. — Vamos arrumar as coisas.

Ele esboçou um leve sorriso. — Não precisa ser tão rápido. Não acho que eu conseguiria chegar muito longe hoje, e provavelmente poderíamos passar mais um dia aqui para nos acostumarmos com a altitude.

— Se esperarmos mais um dia, ficaremos sem comida antes de começar — ela disse.

— Talvez não. Se pudéssemos encontrar meu blazer; eu coloquei algumas barrinhas de cereal no bolso. Não disse nada antes porque nenhum de nós estava em condições de procurar pelo blazer. Além disso, eu pensei que seríamos resgatados sem precisarmos dele.

Algumas barrinhas dobrariam a quantidade de alimentos deles e poderiam fazer diferença na sobrevivência. Ele também precisava de um casaco, qualquer um, antes de começarem. Ao pensar em roupas, ela pensou também em outra coisa. — Você não pode sair daqui com esses sapatos.

Ele deu de ombros. — Preciso sair. Eles são os únicos que tenho.

— Talvez não. Temos o couro que cortamos dos bancos, além de muitos fios para usar como cadarços. Não deve ser muito difícil fazer um tipo de cobertura para seus sapatos.

— Talvez seja mais difícil do que você pensa — ele disse de modo seco. — Mas é uma ótima ideia. Vamos nos aprontar hoje. Precisamos beber o máximo de água que conseguirmos para nos hidratar antes de começar. Se pudéssemos derreter a neve com mais rapidez, poderíamos beber mais.

— Uma fogueira seria bom — ela concordou com um pouco de sarcasmo. A única fonte de calor de que dispunham era o calor corporal, que *conseguia* derreter a neve que colocavam dentro de um frasco de enxaguante bucal, mas não era muito rápido. — Que pena que não colocamos uma caixa de fósforos em nossas malas.

Ele levantou a cabeça e fixou o olhar. Virou-se e olhou para o avião. Pela sua postura, ficava evidente que acabara de se lembrar de algo.

— O que foi? — Bailey perguntou sem paciência, quando ele não disse nada. — *O quê?* Não me diga que você tem uma caixa de fósforos escondida dentro daquele avião, porque, se tiver, vou arrancar todas as minhas roupas de você.

Ele parou e disse, pensativo: — Essa deve ser a ameaça mais estranha que já recebi — e seguiu em direção ao avião.

Bailey se apressou para acompanhá-lo, atravessando o caminho pela neve. — Se não me disser...!

— Não tenho nada para dizer por enquanto. Não sei se vai dar certo.

— O *que* é? — ela gritou atrás dele.

— A bateria. Pode ser que eu consiga fazer fogo com a bateria, se ela não estiver muito descarregada, e se o tempo não estiver muito frio. Até onde sei, a bateria deve estar descarregada. Ou estragada. — Ele começou a tirar os galhos que bloqueavam seu acesso aos destroços.

Bailey pegou um galho e também começou a puxar. Os propulsores não estavam girando quando eles caíram, então as árvores haviam sofrido menos danos do que o normal, mas isso significava que menos galhos estavam quebrados, o que, por sua vez, significava que não era fácil retirá-los do caminho. Ela precisava de uma machadinha.

— É possível acender uma fogueira com uma bateria? — ela perguntou quando o galho voltou a seu lugar. Ela rangeu os dentes e tentou de novo.

— Claro. Ela produz eletricidade, e a eletricidade é a mesma coisa que calor. É uma explicação simplista, mas se houver substância na bateria... — Ele torceu um galho até se quebrar e o jogou para o lado. — Posso ligar uma parte deste fio a cada um dos terminais, e depois a um pedaço de fio que desencapei. Com sorte e substância que baste, isso aquecerá o fio desencapado de modo que queime um pedaço de papel ou madeira, se encontrarmos um pedaço seco.

— Temos papel — ela disse no mesmo instante. — Eu trouxe um caderninho, além de alguns livros e revistas.

Ele parou e olhou para ela. — Por quê? Um livro, eu poderia entender, mas você estava indo fazer rafting. Eu já fiz, e sei como é cansativo. Você estaria cansada demais para ler tanto. E para que serviria o caderno?

— Às vezes tenho dificuldade para dormir.

— Você não me engana — ele disse ao pegar outro galho e puxar. — Você dormiu como uma pedra nas duas noites.

— E por acaso estamos em *circunstâncias muito comuns*, não é? — ela sugeriu docemente. — Estou totalmente cansada de dormir.

Ele riu. — Levando em conta o tanto que dormimos ontem durante o dia, é de surpreender que tenhamos dormido à noite.

— São os benefícios de estar doente e ferido, creio eu.

Depois de retirarem os destroços para que ele chegasse à bateria, ele suspirou aliviado: — Parece que está inteira. Senti receio de que não estivesse por causa do estrago causado aqui.

— Você consegue tirá-la?

Ele balançou a cabeça rapidamente ao observar os metais torcidos que parcialmente cobriam a bateria. — De jeito nenhum, não sem um alicate. Mas se eu conseguir enfiar minha mão aqui sem cortar meus dedos...

— Deixe-me fazer isso — ela disse rapidamente, indo para o lado dele. — Minhas mãos são menores que as suas.

— E não tão fortes — ele disse, inclinando-se para uma árvore e esticando o braço direito o máximo que pôde. Quando ele fez isso, ela percebeu que as unhas dele estavam azuis de frio e fez uma careta. Sabia por experiência própria como era ruim e doloroso ficar com as mãos descobertas naquele frio e vento.

— Você precisa aquecer as mãos para não ter geladuras — ela disse.

Ele gemeu daquele modo másculo que poderia significar desde "eu concordo" a "pare de me atormentar", e não prestou atenção a ela. Ela não podia forçá-lo a esquentar as mãos, por isso cruzou os braços e calou-se. Não fazia sentido algum perder tempo discutindo com ele. Quanto antes ele fracassasse ou tivesse êxito, mais cedo ele pararia para cuidar de si.

Ela aguentou por cerca de três segundos. — Um caso típico de envenenamento por testosterona, se é que entendo disso — ela comentou.

A cabeça dele estava parcialmente virada, mas ela viu sua face se mover enquanto ele sorria. — Está falando comigo?

— Não, estou falando com esta árvore. O resultado é mais ou menos o mesmo.

— Estou bem. Se eu conseguir acender uma fogueira, vou poder me aquecer.

Tentada, ela disse: — Bem, se você tem certeza disso

— Sim, eu tenho.

— Porque eu pensei que poderia aquecer suas mãos do mesmo modo que aqueci seus pés, mas se você está bem... deixa pra lá.

Ela parou depois de dizer isso. Em parte, ela se perguntava se tinha ficado maluca, mas não tinha como voltar atrás, por isso esforçou-se para parecer casual.

Ele ficou parado e, lentamente, voltou ao normal, endireitou-se e virou-se para ela. — Acho que me precipitei. Minhas mãos estão doendo muito.

— Então é melhor andar logo com esse fogo — ela disse animada e fez um movimento com as mãos, imitando as labaredas da fogueira. — Vamos!

Ele olhou para ela como se dissesse: "Eu vou pegar você", e voltou a mexer no avião. Pelo ângulo em que ele estava apoiado, ficava estranho pegar qualquer coisa e as árvores ficavam no caminho. Por fim, ele disse: — Cěrto. Agora vamos cortar alguns fios. Precisamos preparar tudo antes de eu tentar, porque, se houver a substância, que não deve ser muita, podemos ter apenas uma chance de tentar.

— O que precisamos fazer?

— Em primeiro lugar, devemos procurar um local mais distante do vento que pudermos, e fazer um círculo com pedras. Depois, podemos usar um pouco de madeira seca para atiçar o fogo. Provavelmente alguns dos pedaços pequenos que você colocou no abrigo para preencher os espaços devem estar secos. Duvido que encontremos alguma coisa mais seca. Se você fizer isso, vou começar a raspar algumas cascas do lado de dentro dessas árvores.

O vento era um problema; ele passava pelas montanhas, o que significava que não havia uma área mais abrigada. Por fim, frustrada, ela abriu as malas e retirou as coisas de dentro, alinhando-as e fazendo uma forma de gancho com elas na frente do abrigo. Era uma solução não muito boa, no máximo, porque as malas não podiam ficar muito próximas da fogueira a ponto de *elas* pegarem fogo, por isso ofereciam pouca proteção do vento forte.

Ela tirou a neve da área, depois Cam usou a chave de fenda do kit de ferramentas para atravessar a terra congelada, muitas vezes, até quebrá-la. Usou a parte de trás do martelo para cavar a terra solta. O buraco para a fogueira tinha apenas alguns centímetros de profundidade quando ele bateu na rocha, mas aquilo teria de ser suficiente.

Havia muitas pedras para fazer a base da fogueira. Cam as reuniu enquanto Bailey procurava por madeira seca. Como ele havia previsto, a madeira mais seca que ela encontrou tinha sido a do abrigo. Sempre que tirava um graveto do lugar, bloqueava o espaço que sobrava com outro galho que quebrava de uma árvore. Eles ainda tinham de dormir naquele abrigo mais uma noite, por isso ela queria que ele se mantivesse da maneira mais intacta possível.

Usando seu canivete, Cam descascou uma parte da casca externa de uma das árvores, depois raspou a casca de dentro até ter o dobro do que pareciam os materiais de um ninho de passarinho. Cuidadosamente, ele fez a fogueira com a madeira raspada e alguns pedaços enrolados de papel rasgados do caderno dela, os gravetos por cima, depois mais alguns pedaços maiores de madeira. — É madeira verde, então não vai queimar muito, mas o lado bom é que não vai queimar rápido, também — ele disse. Isso se conseguissem começar o fogo, ela pensou, mas não disse nada.

Se a bateria funcionasse, eles tinham de encontrar uma maneira de levar a chama do avião para a fogueira armada. O vento não cessava, o que significava que ele não podia simplesmente enrolar uma folha de papel, atear fogo a ela e caminhar até a fogueira. Bailey tirou todos os itens de primeiros socorros da caixa de metal verde e a entregou a ele. Usando a chave de fenda de novo, ele fez furos em uma das partes da caixa, colocou dentro dela um pouco da terra de onde ele havia montado a fogueira, tirou algumas das agulhas das árvores sempre-verdes e as colocou em cima da terra. Enrolou outra folha de papel, cortou uma faixa de gaze e colocou tudo dentro do rolo de papel.

Bailey observou em silêncio. Eles haviam parado de falar fazia meia hora, porque as preparações eram muito importantes. Fazer uma fogueira era muito importante. Ela ficava animada só de pensar.

Só faltava o fogo. Ele descascou completamente o fio de uma parte curta, depois prendeu os dois lados de dois pedaços bem mais compridos. Em seguida, rapidamente conectou um lado de cada uma das partes mais compridas ao pedaço curto, torcendo os fios de cobre juntos.

Eles se aproximaram do avião lado a lado. Ela segurava a caixa, ele, os fios.

— Se der certo, quando o papel pegar fogo, feche a tampa e leve a caixa à fogueira — ele instruiu. — Terei de tirar os fios da bateria para não perdermos nem um pouco da energia; talvez tenhamos de fazer isso de novo. Rolar o papel para cima diminuirá a chama e você terá tempo suficiente para levá-lo à fogueira. Vá em frente e acenda a fogueira.

Ela assentiu com a cabeça. Seu coração batia com tanta força que estava quase se sentindo mal. *Por favor, têm que dar certo*, ela torcia em silêncio. Eles precisavam muito daquilo.

Ela ficou ao lado dele, segurando um dos fios encapados posicionados para que o fio desencapado estivesse tocando a ponta do rolo de papel. Cam tinha de se colocar entre uma das árvores e os destroços, cerca de 30 centímetros de distância do chão, para poder alcançar a bateria com as duas mãos e prender os fios compridos, um no terminal positivo e o outro, no negativo. Quando terminou, permaneceu na posição, com os olhos atentos na caixa na mão de Bailey.

Ela tentou não tremer enquanto segurava o fio desencapado perto do papel. — Quanto tempo vai levar?

— Espere alguns minutos.

Para ela, pareceu uma hora. O tempo se arrastou enquanto eles olhavam, agoniados, para o papel, esperando por um pouco de fumaça, uma marca, rezando para que algo acontecesse.

— Por favor, por favor, por favor — ela repetia baixinho. Nada estava acontecendo. Ela fechou os olhos porque não conseguia mais esperar. Talvez se não olhasse, o papel começasse a queimar. Era uma esperança infantil, um pensamento tolo, como se o fato de ela estar observando não deixasse nada acontecer.

— Bailey! — Cam disse com urgência.

Assustada, ela abriu os olhos. A primeira coisa que viu foi uma delicada e fina fumaça, tão transparente quanto uma miragem. Ela subiu quase instantaneamente, sendo levada pelo vento. Rápido, Bailey mudou de posição levemente, aproximando a caixa do corpo, para protegê-la.

Uma marca de queimado marrom começou a aumentar no papel, espalhando-se para o pedaço de gaze dentro da caixa. Uma chama clara e pequena começou a tomar a gaze. As beiradas do papel queimaram, começaram a curvar.

— Vai — Cam disse, e ela cuidadosamente fechou a tampa para que ficasse quase totalmente fechada, e se apressou para chegar à fogueira. Ajoelhando-se ao lado da pirâmide de gravetos, papel e madeira, ela rapidamente abriu a caixa, tentando proteger a frágil chama ao máximo. O rolo de papel já estava queimado pela metade.

Cuidadosamente, ela tirou o rolo da caixa, colocando a ponta em chamas no centro da armação de casca de árvore e papel.

Com um estalo, a adorável e pequena chama tornou-se mais forte e mais alta, pulando para envolver o papel e, então, a casca da árvore. Enquanto ela observava, os pequenos gravetos começaram a queimar, depois brilhavam quando a chama pegava.

Ela começou a rir, tão feliz que pensou que poderia chorar também. Virou-se para ver Cam vindo na direção dela, com um sorriso amplo no rosto. Alegre, ela pulou e correu até ele, lançando-se em seus braços. Ele a pegou, tirando-a do chão para rodá-la levemente.

— Funcionou! — ela disse quase gritando, segurando-se naqueles ombros largos e envolvendo os quadris dele com as pernas para se apoiar.

Ele não disse nada. Suas mãos seguraram as nádegas dela, puxando-a para mais perto. Uma forte ereção surgiu contra o calor e a maciez entre as pernas dela. Assustada, ela olhou para cima, seu riso se desfazendo. Ela viu os olhos vivos dele, brilhando com intensidade e desejo, e então ele a beijou.

22

Os lábios dele estavam frios, mas havia calor no beijo, um desejo e uma habilidade que conseguiram uma reação imediata dela. O alarme de sempre tocou mais alto em sua mente, mas, de certo modo, foi menos urgente e pela primeira vez em muito, muito tempo, ela o ignorou. Em vez disso, ela passou os braços em volta do pescoço dele e o beijou, entreabrindo os lábios conforme ele insistia e permitindo uma pequena penetração da língua dele.

Uma estranha mistura de culpa e prazer tomou conta dela. Não pretendera criar aquilo, não pretendera seguir por aquele caminho, mas, agora que estava nele, queria ficar.

Deveria tirar as pernas dos quadris dele, e sabia disso, e se afastar, assumindo uma posição menos sexual, mas não foi o que fez. Sentir a força da reação dele era excitante, e a ideia do prazer do que esperava por ela, se simplesmente relaxasse e deixasse acontecer, era uma tentação. Até mesmo além do prazer e unida a ele, estava a simples satisfação de ser abraçada, a necessidade puramente humana de estabelecer contato físico. Havia muito tempo não se entregava e, de repente, não podia mais evitar.

Já havia dormido nos braços dele, e ele nos dela, por duas noites, e apesar de a proximidade física ter sido uma necessidade para que compartilhassem do calor corporal e se mantivessem vivos, saber disso não diminuiu a confiança e a sensação de ligação formada durante aquelas várias horas no escuro. Ela nunca havia passado por aquilo antes, nunca quis. A melhor maneira de proteger suas emoções era mantendo as pessoas distantes, confiar apenas em si mesma; aprendera isso em lições precoces e difíceis.

Mas ali estava ele, próximo, forte e quente, e ela não queria soltá-lo.

Foi ele que interrompeu o beijo, afastando o rosto e olhando para ela com os olhos semicerrados. Os hematomas sob seus olhos e os arranhões de seu rosto talvez pudessem ter diminuído a força daquele olhar, mas não era o que acontecia. O desejo forte queimava ali, prometia mais. As mãos dele continuavam nas suas nádegas, ainda apertavam seu corpo contra o pênis rígido e um ritmo lento que fazia seu coração pular enquanto procurava respirar. E então ele esboçou um sorriso. — Eu sinto muito por interromper — ele disse —, mas estou quase caindo.

Ela olhou para ele sem entender por um segundo, mas logo se deu conta da situação. — Oh, droga! Eu me esqueci! Sinto muito... — Enquanto falava, ela tirou desajeitadamente as pernas da cintura dele e escorregou para o chão, o rosto quente de vergonha. Como ela podia ter esquecido de que ele estava fraco? Na véspera ele não conseguia nem se mexer sozinho, praticamente!

Ele titubeou um pouco e ela rapidamente colocou o ombro embaixo do braço dele, segurando-o pela cintura para lhe dar apoio.

— Não acredito que esqueci — ela disse enquanto o ajudava a chegar perto da fogueira.

— Pessoalmente, fico feliz por você ter esquecido. Gostei muito disso tudo, mas o pouco de sangue que restou em meu corpo foi para o sul e eu fiquei meio zonzo por um instante. — Ele piscou para ela enquanto recebia ajuda para se sentar diante da fogueira. Só havia o saco de lixo cheio de roupas para se sentar, mas eles estavam usando as roupas dela para tudo, por que não se sentariam sobre elas?

— Deus, como isso é bom — ele disse, levando as mãos na direção das chamas e, assustada, Bailey olhou ao redor.

Ela também se esquecera da fogueira. Como pôde? Fora a animação com a fogueira que fizera com que ela saísse correndo até ele. Mas, assim que ele a beijou, *zum*, todo o resto sumiu de sua mente. E se a chama tivesse começado a falhar, e se ela tivesse precisado ajustar a posição das malas para bloquear o vento? Aquele fogo era precioso; ela devia ter prestado atenção, cuidado dele, e não ter pulado nos braços de Cam Justice como uma amazona monta um cavalo.

— Sou uma cabeça de vento! — ela disse, observando a fumaça subir antes de ser dissipada pelo vento. Os gravetos mais verdes haviam começado a queimar e a fumaça era densa, bem mais pesada do que teria sido com uma boa fogueira de acampamento, mas era milagrosa. — Eu devia ter cuidado da fogueira.

— Mas não teríamos nos divertido tanto — ele disse. — Pare de se culpar. Não é responsável pelo mundo.

— Talvez não, mas, se este fogo tivesse se apagado, nenhum de nós dois ficaria contente. — Sentando-se o mais perto do fogo que pôde, esticou os braços com cuidado. Ela conseguia sentir o calor do fogo em seu rosto e a sensação era tão boa que ela quase gemeu. As pessoas não davam valor às coisas, como o calor, os alimentos e a água. Ela pensou que nunca mais viajaria sem uma caixa de fósforos à prova d'água na bolsa, além de outras necessidades nas quais pensasse, como, por exemplo, um telefone por satélite. E roupas de baixo impermeáveis. E algumas dezenas de saquinhos de cereais.

— Teríamos sobrevivido. Sobrevivemos sem fogo por dois dias. Ele só nos deixa um pouco mais confortáveis.

Fisicamente, talvez, mas era um grande incentivo a seu ego, que já tinha sofrido grandes baques naquele dia, e ainda estavam apenas no meio da manhã.

— Mas — ele continuou pensativo — gostaria de ter lembrado da bateria antes.

— Por quê? Nenhum de nós conseguiria ter feito nada antes — ela disse. — Você estava machucado demais para se mexer, e eu estava mal também.

— Se eu soubesse qual seria a recompensa por conseguir o fogo, eu teria me arrastado sem roupa pela neve para chegar àquela bateria.

Bailey começou a rir. A imagem que fez em sua mente foi ridícula ao extremo... não a parte sobre andar pelado, pois ela achava que seria ótimo, a julgar pelas partes que já tinha visto, mas, sim, de se arrastar sem roupa pela neve por causa de um beijo.

Ele esticou a mão e curvou os dedos no elástico da calça dela, puxando-a para trás.

— Sente-se — ele disse. — Precisamos conversar.

Havia um tom sério na voz dele. Bailey ergueu as sobrancelhas para ele. — Esse tom de voz deve me fazer bater continência?

— Funcionava com os homens sob meu comando.

— E eu não sou um deles — ela disse.

— Que bom. Se você fosse um deles, existem regras contra alguns dos planos que tenho e que envolvem você. Quer conhecê-los ou não? Se quiser, sente-se.

Ele voltou a puxar o elástico de sua calça. Um tanto surpresa, ela sentou ao lado dele sobre o saco de lixo. As roupas dentro dele formavam um desnível e ela escorregou para o lado; ele a abraçou e a segurou mais para cima.

— Estou sendo digno aqui — ele disse, olhando para ela de soslaio — e fazendo um alerta. Mas esta será a única vez, provavelmente, então não se acostume.

Ela começou a perguntar, queria saber sobre o que era o alerta, mas teve medo de saber a resposta. Talvez "medo" fosse a resposta errada. Assustada, sim. Incomodada. Apavorada. E, acima de tudo, excitada.

— Quando pensei que seríamos resgatados, fiz o meu melhor para não fazer qualquer coisa que a assustasse — ele disse de modo tão casual como quem fala sobre o mercado de ações. — Eu sabia que você voltaria para seu território, capaz de comandar a situação e me evitaria se eu atacasse logo. Mas agora sei que o resgate não virá, e tenho você para mim por alguns dias, talvez até algumas semanas. É justo dizer que planejo tê-la nua daqui a um ou dois dias, assim que estivermos em uma altitude mais quente e quando nos sentirmos mais fortes, em melhores condições.

Bailey abriu a boca para dizer alguma coisa, qualquer coisa, e a fechou de novo, porque não soube o que falar. Sua mente ficou estranhamente vazia. Deveria estar... o quê? Todas as respostas que certamente daria a uma cantada pareciam ter saído de férias, porque não conseguiu pensar em nenhuma. Mais uma vez, tentou dizer alguma coisa, mais uma vez não disse. Ela devia fazê-lo calar-se, como costumava fazer quando as pessoas tentavam passar por suas defesas, e ficou surpresa ao perceber que não conseguiria.

— Por que está imitando um peixe? — ele perguntou sorrindo levemente, inclinando a cabeça para o lado.

Com receio de não dizer nada coerente, ela negou com a cabeça.

— Alguma pergunta?

Muitas perguntas invadiram sua mente, a maioria delas sem palavras, todas elas coisas que ela não conseguia dizer. Ela balançou a cabeça de novo.

— Nesse caso, precisamos começar a nos mexer. Temos muitos preparativos.

Ele começou a se levantar, mas dessa vez foi Bailey quem o puxou pelo cós da calça.

— Deixei o pacote de lenços com *Aloe vera* e uma cueca limpa para você lá dentro — ela disse, apontando para o abrigo. Ficou feliz por sua voz ter voltado ao normal, embora o que estava dizendo parecesse completamente vazio. — Você precisa se limpar ou vai dormir do lado de fora hoje à noite.

Cinco minutos depois, ela ainda conseguia escutá-lo rindo dentro do abrigo.

Voltar a mente para assuntos práticos de novo foi difícil, mas ela logo se ocupou com as várias coisas que precisavam ser feitas antes de eles começarem a tentar sair da montanha.

Uma das primeiras coisas, como Cam dissera, era reidratar-se, e isso significava derreter o máximo de neve possível, o mais rápido possível. As pedras que ele colocara ao redor da fogueira absorviam calor, mas não pareciam tão quentes a ponto de fazerem com que o frasco de enxaguante bucal derretesse, por isso ela colocou o frasco sobre a parte de fora do círculo, contra as pedras.

A segunda coisa, para ela, era Cam. Ele estava pouco preparado para aquele clima. *Ela* tinha muitas roupas, mas nenhuma das peças serviria nele. Mas, se uma peça não servisse, talvez duas juntas, sim. Os sapatos eram o problema maior, mas ela tinha o couro dos assentos. Precisava fazer um tipo de proteção que oferecesse aquecimento, que mantivesse a neve longe de seus pés e que lhe desse tração — tarefa difícil, porque ela não era uma sapateira. Não podia cortar e costurar o couro no formato adequado. Nem podia desperdiçá-lo cortando-o de modo que não desse certo.

Ela pegou o caderno e a caneta e tentou desenhar um diagrama de como precisava que o couro se dobrasse, para que pudesse fazer os cortes com antecedência. Ela apertou a caneta e desenhou o ponto pelo papel, mas este continuava branco. A tinta da caneta estava congelada. Frustrada, ela colocou a caneta contra as pedras quentes também. Viu que um pouco da neve dentro do frasco já havia derretido. Sem dúvida, o fogo era algo maravilhoso.

O avião fora sabotado, e da teoria de Cam, a respeito de quem estava por trás dele, era difícil de fugir. Seth tentara matá-la, e não se importara em matar Cam também. Isso era difícil de aceitar, difícil de compreender. Os últimos dois dias haviam sido um pesadelo de dor e frio congelante, além da sensação de mal-estar, e ela teve de ultrapassar seu limite. Mas, sentada ali, observando o fogo, ela se sentiu mais animada. Não era à toa que os povos primitivos dançavam ao redor do fogo; eles provavelmente sentiam uma alegria histérica por terem calor e luz. Ela se inclinou para a frente, estendeu as mãos e sentiu o calor nas palmas. Nunca, em hipótese alguma, voltaria a ignorar a importância do calor.

Sentia-se melhor. O inchaço e a vermelhidão em seu braço tinham diminuído. Cam estava melhor. Ninguém iria resgatá-los, por isso eles tinham de se salvar. Pela primeira vez, ela sentiu confiança de que eles sobreviveriam, porque agora tinham fogo.

E, quando voltassem para Seattle, muitas coisas aconteceriam.

23

O escritório da J&L parecia um necrotério. Por pura necessidade física, Bret e Karen foram para casa dormir na segunda noite, mas Karen disse ao sair:

— Parece que estamos abandonando Cam.

As equipes de busca da Patrulha Civil Aérea não haviam encontrado nada. Bret pedira todos os relatórios de manutenção do Skylane, e ele e Dennis, o principal mecânico, estudaram todos eles diversas vezes, procurando problemas não resolvidos que poderiam ter se tornado catastróficos. Não havia nada; o Skylane era confiável e fora para a manutenção para coisas corriqueiras e pequenas, como o dispositivo de remover gelo do parabrisa.

O responsável pelas buscas, um homem atarracado de cabelos grisalhos chamado Charles MaGuire, estava se dedicando, porém demonstrava pessimismo. Era veterano naquele tipo de busca, e sabia que quase raramente encontrava boas notícias. Se havia sobreviventes, era possível saber quase imediatamente. Caso contrário, se o acidente ocorresse em um local isolado, os corpos, ou o que restava deles, acabavam sendo recuperados... na maioria das vezes.

— O sinal do transponder foi perdido... aqui — ele disse, apontando para um ponto a leste de Walla Walla. — Na área da Umatilla National Forest. Concentramos as buscas ali. Mas as Estações de Serviço de Voo receberam uma transmissão de pedido de socorro cerca de 15 minutos depois disso. Muita estática, apenas algumas palavras foram transmitidas. Não sabemos se é o mesmo avião, mas não temos nada mais correspondendo a uma mensagem de socorro. Obviamente, não sabemos a velocidade ou altitude, mas precisamos pressupor que o avião estava com problemas desde a perda do sinal do transponder.

— Cam teria chamado pelo rádio, não teria esperado 15 minutos — Bret disse.

— Talvez ele tenha tentado. Obviamente, também houve problemas com o rádio. Não sei de nenhum problema elétrico que prejudicasse tanto o rádio quanto o transponder, mas um acidente de algum tipo... eles foram atingidos por alguma coisa, talvez.

— Se o avião conseguiu manter-se no ar por tanto tempo, Cam o teria pousado — Bret disse de modo positivo. — Estamos falando de um cara que nunca entra em pânico, que praticamente nasceu com asas.

— Se alguma coisa atingiu a aeronave, ele poderia ter se machucado — MaGuire disse. — A passageira, a Sra. Wingate... era o tipo de pessoa que entraria em pânico e não serviria para ajudar ou teria agarrado os controles e impedido o avião de cair de bico?

— Ela teria agarrado os controles — Karen disse imediatamente. Como sempre, ela estava bem ali, escutando tudo. — E o rádio. Não é preciso ser um gênio para entender o rádio. Mas ela estava no banco de trás; teria de se inclinar sobre os assentos e desviar de Cam para segurar os controles.

— Qualquer coisa pode ter acontecido lá em cima. Se eles perderam o para-brisa, estamos falando de uma enorme força de vento, mas não dá para diminuir a velocidade o suficiente para fazer alguma diferença ou o avião cairia. Ela provavelmente não teria sabido reduzir a potência — MaGuire disse dando de ombros. — A verdade é que havia algo de muito errado com a aeronave. Podemos pensar em várias situações, mas simplesmente não sabemos o que houve, apenas que alguma coisa ocorreu. Se pegarmos o ponto no qual o sinal do transponder foi perdido, estimarmos a distância que eles poderiam ter percorrido no período antes de a transmissão do pedido de socorro ser recebida, então ficamos com uma área que iria até o Hell's Canyon. É uma área bem grande e um dos terrenos mais acidentados do país. Meus homens estão no ar o dia todo, mas isso vai levar tempo.

Bret era um membro da Patrulha Aérea Civil, mas estava fora das buscas por diversos motivos, e o mais forte era o fato de a J&L Transporte Aéreo Executivo não ter fechado as portas quando o avião de Cam desapareceu. Ainda havia serviços a fazer e as pessoas dependiam desses serviços para trabalhar. Ele não viajara no dia anterior porque não tinha dormido, mas, naquele dia, precisava fazer uma viagem. Karen se recusava a parar de trabalhar, apesar de seus olhos estarem inchados de tanto chorar e de, às vezes, ela correr para o banheiro para chorar mais. Bret faria o voo que ela havia marcado ou teria de se ver com ela.

— Também existe a possibilidade de o avião ter sido sabotado — Karen disse a MaGuire, lançando a Bret um olhar desafiador. Ela continuava insistindo em sua teoria, independentemente do que ele dissera. Bret apertou a área entre os olhos.

MaGuire pareceu assustado. — Por que você acha isso?

— O enteado da Sra. Wingate telefonou um dia antes do voo, perguntando sobre a viagem. Nunca tinha feito isso antes. Eles não se dão bem, para dizer o mínimo. Ela controla o dinheiro todo e ele quer a grana.

MaGuire olhou para Bret. — Isso é interessante, mas em si não significa nada. O enteado teria acesso ao avião e saberia como sabotá-lo a ponto de ninguém perceber antes do voo?

— Ele conhece um pouco sobre aviões — Bret disse. — Ele fez algumas aulas de voo, acredito. Mas não sei se ele saberia o suficiente...

— Ele pode ter contratado alguém — Karen disse irritada. — Eu não disse que ele poderia ter feito isso sozinho.

— É verdade — MaGuire admitiu. — E quanto ao acesso?

Bret passou a mão no rosto. — Este é um campo de voo pequeno. Recebe apenas aviões pequenos e nosso serviço de frete. Há uma cerca ao redor do campo e câmeras de vigilância, mas nenhum tipo de equipamento que haveria em um aeroporto comercial.

MaGuire caminhou até a janela e olhou para fora, com as mãos dentro dos bolsos. — Você não quer pensar que pode haver sabotagem envolvida, e preciso dizer que, durante todos os anos em que tenho feito isso, nunca vi nada que me fizesse pensar que um avião havia sido danificado de propósito. Até alguém me mostrar provas de que houve sabotagem, não vejo motivo para nos preocuparmos com isso. Por outro lado, é sempre bom pensar na segurança. Alguém fica aqui 24 horas por dia?

Bret olhou para Karen. Ela estreitara os olhos e parecia hostil, mas não disse nada. Ele pensou que, se MaGuire trabalhasse ali, suas correspondências só seriam entregues no milênio seguinte.

— Às vezes, mas depende. Os mecânicos podem trabalhar até tarde, ou às vezes temos um voo à noite. Um avião particular pode chegar ou partir. Eu diria que não há um padrão previsível.

— Não saber quando alguém surge tornaria difícil planejar algo assim. Na ausência, por exemplo, de um buraco aberto na cerca ou de uma invasão aqui no terminal, não acho que existam provas cabíveis de investigação. Deveríamos direcionar nossos recursos para localizar o ponto do acidente.

Essa era a reação correta de um homem que já tivera de tomar decisões difíceis antes, mas Karen não gostava de ter sua teoria derrubada. Ela aceitara o fato de que Cam estava morto, mas não havia aceitado o fato de não ter a quem culpar. — Enfiem suas cabeças na terra, então — ela disse e saiu do escritório de Bret.

Bret suspirou e sentou-se. — Sinto muito — ele disse. — Ela está tendo dificuldades para aceitar isso. Nós dois, na verdade. Eu puxei todos os relatórios de manutenção e reparos do Skylane, e o mecânico e eu estudamos todos eles procurando por alguma coisa, qualquer coisa, que indicasse o que houve de errado. É difícil, sem saber o que aconteceu.

— Sinto muito — MaGuire disse. — Gostaria de poder fazer mais. Essas situações, quando sabemos que a pessoa se foi, mas não podemos encontrá-la, são as mais difíceis. É duro. De um jeito ou de outro, precisamos saber.

— Sim — Bret disse suspirando. Como se tivesse planejado aquele movimento, ele pegou o arquivo do Skylane e o abriu de novo, folheando cada cópia dos relatórios de manutenção, as fichas de abastecimento, as diversas folhas de papel exigidas para cada uma das aeronaves. Karen tinha tudo no computador, salvo em um banco de dados on-line, mas no passado eles haviam perdido todos os registros em razão de uma falha catastrófica do computador, e declarar os impostos havia sido um pesadelo. Desde então, eles também vinham mantendo arquivos em papel, por mais redundantes e ultrapassados que fossem. Bret e Dennis chegaram a comparar todos os relatórios com os arquivos de computador, para ver se alguma coisa havia sido omitida ou se algo fora registrado de modo equivocado, e nada disseram a Karen, pois ela teria arrancado a cabeça deles por apenas sugerirem que ela havia cometido um erro.

MaGuire o observou com simpatia, sabendo que era difícil aceitar que às vezes coisas ruins simplesmente aconteciam, sem qualquer motivo aparente.

De repente, Bret enrijeceu e folheou para o início do arquivo, MaGuire franziu a testa, ao perceber sua linguagem corporal, e foi para o lado dele. — Não me diga que encontrou alguma coisa.

— Não sei — Bret disse. — Talvez eu tenha lido errado. Era o relatório de abastecimento daquela manhã. — Ele folheou o arquivo de novo, tirando a folha de papel que era a terceira da pasta, e leu. — Isso está errado! — ele disse. — Esta porra está errada!

— O quê?

— Isto! Veja o número de litros colocados. Não tem como.

MaGuire analisou o relatório de abastecimento. — Cento e quarenta e sete litros.

— Isso. A capacidade do Skylane é de 329 litros. Isso não faz sentido. O pedido de reabastecimento especificava que os tanques fossem completados. Com capacidade total, ele teria de reabastecer em Salt Lake City, por isso não haveria como ele decolar com menos da metade do que precisava para chegar lá. Mesmo que ele tivesse feito isso, quando fizesse a leitura, teria avisado pelo rádio e reabastecido em Walla Walla, e não voado além de lá.

— Sim. — MaGuire franziu o cenho para olhar para o relatório, refletindo a respeito. Karen estava na porta, em pé, observando e escutando, seu corpo indicando atenção. — Precisamos entrar em contato com a empresa de combustível, descobrir o que os registros mostram. Talvez isso seja um erro.

O abastecimento era realizado por uma empresa terceirizada. Com um telefonema, eles descobriram que os relatórios indicavam que 147 litros haviam sido colocados no Skylane às 6h02 da manhã do voo, e os relatórios daquele dia batiam com o total da bomba. Com mais alguns telefonemas, logo eles estavam conversando com o motorista do caminhão, que disse: — Eu enchi os tanques conforme exigiam os pedidos. Chequei a válvula e verifiquei. Até achei estranho o fato de tanto combustível ter ficado nos tanques, mas pensei que um frete tivesse sido cancelado depois que o avião já estava reabastecido.

Um avião, principalmente um avião de frete ou comercial, não carregava combustível desnecessário. O combustível era pesado e, quanto mais a aeronave carregasse, mais força precisava para chegar ao destino. Geralmente, o pedido de abastecimento solicitava o suficiente para chegar ao destino, com um pouco a mais para o caso de ele ter o destino mudado ou se as circunstâncias exigissem alguma demora no pouso. "Pouco" era um termo relativo, é claro, mas Mike, que havia levado o Skylane para Eugene no dia anterior, nunca teria levado mais de meio tanque do que o necessário. Para ter certeza, Bret puxou os registros de abastecimento do dia em que Mike havia pilotado o avião. Não havia como ele ter ido para Eugene e voltado deixando tanto combustível sobrando.

— Então, o que isso significa? — Karen quis saber. — Cam pensou ter combustível que bastasse para chegar a Salt Lake City, quando, na verdade, não tinha? Alguém sabotou a válvula de combustível? — Ela cerrou os punhos com força.

O rosto de MaGuire parecia ter envelhecido. — Quer dizer que existe a possibilidade de os tanques de combustível parecerem estar cheios sem estar?

Bret fechou os olhos. Parecia sentir-se mal. — A maneira mais simples é colocar um saco de plástico transparente no tanque — ele disse a Karen. — Enchê-lo com ar, ninguém consegue ver e o tanque não manterá tanto combustível como deveria. Não é complicado.

— Eu disse! — Karen exclamou, tremendo de ódio. — Ele tinha que estar planejando alguma coisa ou não teria telefonado naquele dia!

— Acho que devemos checar se há fitas gravadas — MaGuire disse rapidamente.

24

Seth preenchera a papelada para se tornar funcionário do Grupo Wingate, conheceu seu supervisor, foi apresentado às pessoas a quem deveria reportar-se e recebeu seu crachá de funcionário. Grant Siebold havia facilitado as coisas para ele, como ficou sabendo depois; ele não teve de mijar em um copo para fazer um teste antidrogas — exame a que todo funcionário novo era submetido. Acreditou que a "omissão" seria descoberta depois, quando qualquer droga que ele tivesse fumado ou engolido tivesse tempo de sair de seu organismo. Ele entendeu bem a mensagem, de modo bastante óbvio; se ignorasse aquele sinal claro e continuasse com seus velhos hábitos, quando sua urina indicasse a presença de drogas ele seria chutado para fora.

Teve de fazer um pouco de pesquisa na Internet, para saber como a maconha se tornava perceptível no organismo. Felizmente, fumar um pouco de erva era seu único vício em drogas; o seu anestésico preferido era o álcool. Mas mesmo a bebida teria de ser eliminada.

Então ele saiu às compras. Observou como as pessoas se vestiam, mesmo no setor de correspondências: calça preta, camisa branca, gravata. Os sapatos podiam ser de cadarço ou mocassins, mas nada que lembrasse tênis. Sapatos pretos.

Sempre havia detestado as regras das empresas e as roupas chatas que exigiam, mas agora se penitenciava parecendo com todos ali dentro. Uma ida à loja Nordstrom, onde resistiu às escolhas mais modernas, o ajudou na tarefa. No caminho de volta para casa, ele escutou as mensagens de voz. A maioria era de pessoas com quem ele ia às baladas, perguntando onde ele estivera na noite anterior. Ele não retornou qualquer telefonema. As de Tamzin ele apagou sem se dar ao trabalho de escutar.

Lembrou-se de que não tinha comida alguma em casa, por isso foi a um mercado. Mais uma vez, os itens que comprou não eram comuns em suas listas de compras, porque não foi aos corredores de vinho e cerveja. Aveia. Cereal. Fruta. Suco de laranja. Leite. Café. Seu estômago se revirou ao pensar em ingerir essas coisas, mas sabia que precisaria. Biscoitos água e sal e sopa em lata eram suas refeições planejadas.

A vida de antes estava terminada. Se quisesse sobreviver, não podia mais fazer as escolhas erradas ou adotar um comportamento irresponsável. O vazio tomava conta dele como um dia de chuva, esticando-se em um desfile sem-fim de semanas, meses, anos que pareciam todos exatamente iguais e não prometiam um minuto sequer de raio de sol. Tudo bem. Ele merecia isso.

Depois de chegar em casa e guardar seus produtos na geladeira, ele tirou as roupas e deitou-se na cama, esperando cochilar um pouco. A noite insone anterior o deixara exausto, mas não conseguiu dormir. As lembranças marchavam na cabeça dele como um exército de formigas.

Ele deve ter cochilado, porque o toque do telefone o fez sentar na cama. Pegando o aparelho, observou o número no identificador de chamadas. Seu coração acelerou quando ele reconheceu o número. Apertou o botão para atender e disse: — Bailey? — com um tom de voz cuidadoso e incrédulo.

— Bailey! — Tamzin disse rindo. — Cruz-credo, lave a boca com sabão!

Porra. Seth sentou-se e colocou os pés no chão, do lado da cama. — Tamzin. O que está fazendo na casa de Bailey?

— Esta não é a casa da *Bailey* — ela disse com desdém. — Era a casa de nossa mãe, e agora é minha. Você não precisa de nada tão grande quanto isto aqui; eu tenho família e você, não.

— Como conseguiu entrar?

— Você não acha que ela mudou o código do alarme, não é? Continua o mesmo de quando o papai era vivo. E é claro que eu tenho uma chave.

Não havia nada de óbvio nisso. Seth compreendeu que ela havia roubado a chave um dia, enquanto fazia uma visita, provavelmente até antes de o pai deles morrer.

— Saia daí — ele disse sem pestanejar. — Legalmente, Bailey ainda está viva, e você não pode tocar em nada.

— Como assim "legalmente ela está viva"? Uma certidão de óbito ainda não foi emitida?

— Você não assiste ao noticiário? — ele perguntou. — Não foi encontrado o local do acidente ainda. Nenhum corpo. Nenhuma evidência de acidente, então, nada de certidão de óbito.

— Por que está demorando tanto, então? Quanto tempo vai levar até que encontrem o *avião*? Não dá para cair com um avião e ninguém perceber.

A onda de insatisfação que tomou conta dele foi tão forte que ele teve de morder a língua para não dizer o que queria a ela. Não podia deixar sua raiva controlá-lo. Nunca mais poderia dizer o que lhe viesse à cabeça sem pensar nas consequências. Então, ele disse: — Se ela não estiver morta e descobrir que você entrou na casa dela, que ela pensa ser dela, vai reduzir seu dinheiro mensal para vinte dólares. Pode acreditar.

Houve uma pausa e Tamzin perguntou em um tom totalmente alterado: — Está dizendo que existe mesmo a possibilidade de ela voltar?

— Estou dizendo que é melhor não arriscar. A casa não vai sair daí. Se demorar seis meses até que ela seja declarada morta, a casa continuará aí.

— Mas eu já contei para as pessoas... bem, eles entenderam mal. Oh, você vai rir desta: o irmão idiota dela telefonou... você sabe quem, é aquele que veio para o enterro do papai. Ela ia encontrá-lo em Denver. Eu disse a ele que ela era uma vaca e que estamos felizes por ela ter morrido.

Ah, *porra*. — O que, exatamente, você disse?

— Eu acabei com ele. Não o suporto, a maneira como apareceu querendo ser simpático logo depois de nosso pai morrer. Eu disse a ele que apenas um idiota se meteria em seu caminho, e que ela havia recebido o que merecia.

A satisfação na voz dela era enorme e, de repente, Seth percebeu que sua irmã o detestava. Talvez ela pensasse que, com ele na prisão, ela teria acesso a todo o dinheiro. Ou que ela pudesse encomendar seu assassinato, e então todo o dinheiro seria dela, livre e desimpedido. Talvez guardasse ressentimento dele a vida toda, porque seu pai deixara claro que queria que Seth o sucedesse no Grupo Wingate. Independentemente dos motivos que ela tinha, ele percebeu de uma vez, sem dúvidas, que ninguém sentia mais ódio por ele do que sua irmã.

— Só para a sua informação: eu tenho um testamento — ele disse.

— E daí? Você tem uma irmã. — Ela queria dizer que esperava ficar com o dinheiro dele, independentemente de existir um testamento ou não.

— Se alguma coisa acontecer comigo, deixei tudo para a caridade. Você não vai pôr a mão em nem um centavo sequer. — Ele desligou e ficou sentado por um momento, tremendo. Depois, telefonou para seu advogado e pediu que providenciasse a realização do testamento.

No primeiro dia de trabalho, ele chegou meia hora mais cedo. Não havia conseguido dormir muito e teve receio de ficar preso no trânsito. Estava muito nervoso. Separar e entregar correspondências não devia ser um trabalho muito difícil. A parte mais complicada seria tolerar os olhares curiosos, porque tinha quase o dobro da idade do funcionário mais jovem naquele setor. Pelo menos ninguém o conhecia de vista, exceto os executivos mais importantes — e duvidava que veria algum deles. Se tivesse de levar correspondências e entregas a seus escritórios, as assistentes o receberiam, e não os executivos em pessoa. Ficou feliz com esse nível de afastamento.

Os outros funcionários do setor de correspondências começaram a chegar, a maioria trazendo os copos comuns da Starbucks. Seth estava nadando contra a corrente ali, porque não gostava muito de cafeterias. Gostava de café, simples e puro, e não sofria se não pudesse beber. Talvez devesse adquirir o hábito, para se igualar aos outros, ele pensou. Ou comprar um copo de café, jogá-lo fora, guardar o copo e enchê-lo com sua bebida preferida. Tentou imaginar quanto tempo um dos copos duraria antes de se desmanchar.

Os outros funcionários olharam para ele, sem saber o que pensar. Talvez pensassem que ele trabalhava no andar de cima. Que se danasse; eles eram jovens e ele, não; então tomou a iniciativa:

— Meu nome é Seth. Estou começando aqui hoje.

Eles se entreolharam. Uma das mulheres, uma moça alta e magra, com os olhos frios de uma fuinha, perguntou: — Aqui? No setor de correspondências?

— Isso mesmo.

Mais trocas de olhares. — Você é recém-saído da prisão ou coisa parecida?

Estou tentando me manter fora da prisão. — Não — ele respondeu casualmente. — Fiquei em coma por 15 anos e finalmente acordei.

— Jura? — um dos rapazes perguntou, com cara de assustado. — O que aconteceu?

— Tomei uma lata de óleo.

— Mentira — a fuinha disse. — Você precisaria estar com uma lesão séria no cérebro para passar tanto tempo em coma.

Malvada, porém mais esperta do que os outros. — Quem disse que eu não estou? — ele disse por fim e virou-se.

A supervisora do setor de correspondências era uma mulher baixinha, troncuda e de cabelos grisalhos, com o estranho nome de Candy Zurchin e a noção de moda de uma avó. Seu guarda-roupa parecia ser composto de conjuntos em tom azul-marinho, camisas cinza e sapatos pretos de amarrar, e ela comandava a sala de correspondências com uma eficiência profissional que punha as escolas católicas no chinelo. Certamente ela mantinha todos os funcionários sob seu comando, inclusive a fuinha que dizia: "Sim, senhora", sempre que Candy pedia a ela para fazer alguma coisa — e respondia sem sarcasmo, o que era o mais impressionante.

Seth controlou seu ego, orgulho e gênio e fazia tudo o que ela mandava, em silêncio e sem reclamar. O trabalho não exigia muita habilidade mental, mas, quando analisava o emprego de modo objetivo, via que era um bom treinamento, porque, apesar de ser muito chato, também exigia atenção a detalhes e disciplina. A vontade de enrolar era quase incontrolável; alguns dos funcionários não davam o sangue no trabalho. Mas sabia que, se ele fosse um executivo de alto escalão, prestaria bastante atenção às recomendações e aos comentários de Candy Zurchin.

Dois dias antes, não teria prestado atenção a ela.

O trabalho era simples: separar e entregar todas as correspondências e entregas que chegavam, pegar as correspondências que precisavam ser enviadas, colocar selos e etiquetas, guardar as coisas que precisavam ser guardadas e tirar tudo de lá naquele dia. Sempre assim. Raramente variava e nunca terminava. Ele ficava surpreso com o volume de correspondências tradicionais. Será que ninguém tinha ouvido falar em e-mail? Mas o e-mail parecia limitado às comunicações entre departamentos e de funcionário a funcionário; cartas a contatos externos e coisas importantes, como contratos, ainda eram enviadas em papel.

Talvez Siebold tivesse orientado Candy a não permitir que Seth se escondesse lá embaixo, porque logo no primeiro dia ela o mandou com um carrinho repleto de cartas, envelopes e pacotes. — A melhor maneira de aprender é fazendo — ela disse. — Os escritórios são bem identificados. Se não conseguir encontrar alguém, pergunte.

Os andares nos quais ele estava fazendo as entregas eram, é claro, os superiores. Se o fato de ele ser reconhecido o humilhasse, Grant Siebold queria que isso acontecesse logo.

Seth aprendeu muitas coisas. Aprendeu que os funcionários do setor de cartas eram quase invisíveis. Aprendeu que uma assistente tinha as unhas perfeitamente pintadas porque prestava muita atenção a elas. Ficou sabendo quem jogava no computador. Soube quem era querido e quem não era, algo facilmente perceptível pelas atitudes das assistentes. Um vice-presidente bebia no trabalho; Seth sentiu o odor fraco, porém inconfundível, assim que entrou no escritório, puxando seu carrinho. Também sentiu o aroma do spray que havia sido lançado para disfarçar o cheiro. A assistente o viu cheirando o ar e o olhou com frieza, como se dissesse: "Você não sabe de nada, não viu nada, não sentiu cheiro de nada." Ele assentiu com a cabeça e seguiu em frente.

Percebeu que sofria de megalomania, porque ninguém o reconheceu.

25

Naquela mesma tarde, Cam calçou as novas proteções de couro para seus sapatos para um *test drive* — ou um *test walk*. Elas eram simples, amarradas em parte com os cadarços dos sapatos dele e os fios elétricos no restante, e os furos haviam sido feitos no couro com o canivete dele. Mas eram flexíveis, cobriam os sapatos sociais e chegavam quase até a panturrilha, e Bailey os fizera grandes o bastante para que pedaços de tecido — ela havia sacrificado uma camiseta — pudessem ser colocados ao redor dos pés dele para oferecer proteção do frio. Além disso, sem os sapatos amarrados, ele conseguiu prender partes do tecido ao redor do pé antes de calçar os sapatos. De modo geral, seus pés tinham muito mais proteção agora e, graças ao fogo, estavam quentes.

O dia havia sido extremamente cheio, mas, estranhamente, não muito difícil. Eles ficaram sentados lado a lado no saco de lixo em frente à fogueira; Bailey fez as proteções para os sapatos, e ele fez um trenó improvisado para carregar seus itens preciosos, além de alguns sapatos rudimentares para neve. Conforme a neve dentro do frasco ia derretendo, eles a bebiam. Uma vez que a neve derretia com muito mais rapidez agora que tinham uma fogueira, pela primeira vez desde o acidente eles puderam beber o suficiente para que a sede não fosse constante.

Ela estava estranhamente satisfeita, sentada ao lado dele, mantendo o silêncio durante a maior parte do tempo, enquanto trabalhavam. Ela se preocupava, claro, e como não se preocupar? Eles tinham diante de si uma tarefa longa e perigosa, à qual talvez não sobrevivessem. As montanhas eram irregulares e incrivelmente rugosas, e não perdoavam erros. Mesmo que conseguissem passar por tudo aquilo, persistia o fato de alguém ter tentado matá-los e todos os indícios apontavam para Seth.

Provar que ele estava por trás daquilo poderia ser algo difícil. Em primeiro lugar, toda a evidência estava ali, espalhada pela encosta da montanha. Mesmo que os destroços pudessem ser encontrados de novo, qualquer evidência forense poderia muito bem ser destruída pelo clima. Por outro lado, o frio podia preservar os sinais; ela simplesmente não sabia. Tinha de encarar a possibilidade muito real de que, apesar de ela e Cam saberem que alguém tentara matá-los, talvez nunca conseguissem provar. Como ela conseguiria continuar levando sua vida como antes, sabendo disso? Como lidaria com Seth? Não conseguiria. Teria de desonrar o acordo feito com Jim e, mesmo sob aquelas circunstâncias, não gostava da ideia.

Mas tudo isso aconteceria no futuro, se ela tivesse um. Só tinha certeza do presente. A ideia era tanto libertadora quanto confortante. Não estava apenas esperando por um socorro que agora sabia que não viria. Eles tinham um plano, e o estavam colocando em ação, contando consigo mesmos e com sua criatividade, determinação e força. Ela estava ciente disso.

Quando as proteções para a neve ficaram prontas, ela começou a cuidar do problema das roupas dele. Pegando duas camisas de flanela — e, graças a Deus, ela levara muitas delas, preparando-se para as duas semanas de rafting, abotoou as duas juntas, fazendo uma camisa grande e esquisita com as duas peças. Era uma solução estranha, mas, de outro modo, nada do que tinha serviria no peito e nos braços dele. As mangas eram curtas demais e as duas mangas que não eram usadas ficavam penduradas nas costas dele, mas era uma camada de aquecimento que ele não tinha antes e que não precisava ser arrumada o tempo todo. Ele vestiu a peça no mesmo instante. As duas camisas não combinavam, então o look ficou muito esquisito, mas nem Bailey nem Cam se importaram com isso. O importante era o calor.

Ela vestiria a blusa de frio, eles decidiram. Em primeiro lugar, porque lhe servia. Ele vestiria a capa de chuva nova em folha de Bailey, que não esquentava muito, mas, pelo menos, bloqueava do vento. Ela teve outras ideias para conseguir mais camadas, se conseguisse lidar com os detalhes.

Manter as pernas de Cam aquecidas era um problema. Embora ela pudesse vestir algumas calças de moletom, ele só tinha a calça social. Apesar de a calça de moletom ter elástico na cintura, ele não cabia nela. Era alto demais e ela era magra, em razão dos exercícios físicos que fazia.

Por fim, ela teve uma ideia: — Acho que posso fazer alguma coisa como remendos — ela disse a ele.

Ele desviou o olhar dos sapatos que estava fazendo com os galhos de árvore e fios, com as sobrancelhas arqueadas, demonstrando uma surpresa falsa. — Não me diga que trouxe pedaços de tecido na mala.

— Espertinho. Só por causa disso, pode congelar.

Ele se inclinou e bateu no ombro dela com o dele. — Peço desculpas. O que está surgindo da Fábrica de Ideias dessa vez?

— Tenho quatro toalhas de microfibra.

Ele pensou e assentiu: — Certo, consigo entender por que você resolveu levar toalhas para uma viagem de acampamento de duas semanas. Faz sentido.

— Obrigada, Sr. Descrente — ela disse de modo seco e explicou: — Se eu conseguir fazer pequenos cortes nas beiradas... não cortar a beirada em si, mas cerca de dois centímetros para trás, então posso passar uma faixa de tecido pelos cortes para fazer um tipo de cinto e amarrar essa ponta ao redor de sua cintura, depois prender as pontas juntas da mesma maneira em suas pernas e, pronto, você terá os remendos.

— Para alguém que não sabe costurar, você é bem esperta no assunto.

Ela riu: — Acho isso irônico. Sempre detestei qualquer coisa relacionada a agulhas e linhas, e agora não só estou tendo de fazer coisas, mas, literalmente, tive de costurar sua cabeça. Tem alguma coisa *errada nisso*.

Ele olhou para o sapato em suas mãos e riu. — Eu que o diga. Sempre detestei neve, detestava sentir frio... e olhe para mim agora.

— Se detesta neve, como sabe fazer sapatos para isso?

— O princípio é simples, distribua o peso pela superfície ampla, e então o que tem de fazer é um padrão para poder enfiar em seus pés.

Ela o observou fazer o sapato, com dificuldade, com os galhos mais flexíveis da sempre-verde, suas mãos grandes, hábeis e certeiras, como se ele já tivesse feito isso mil vezes. Mais uma vez, ela teve a forte sensação de satisfação, a sensação de que estava onde deveria estar — não presa naquela montanha, mas ali naquele momento.

A luta para sobreviver, por mais exaustiva e árdua que tivesse sido, fora externa. Por dentro, ela se sentia estranhamente livre de estresses, porque suas escolhas eram simples: fazer o que precisava ser feito ou morrer. Fazer um abrigo. Manter-se o mais aquecida que conseguisse. Derreter neve para beber. E só. Não havia nada de complicado na sobrevivência, enquanto a vida era feita *apenas* de complicações.

Mas, ao mesmo tempo, puxa!, ela mal podia esperar até que tudo aquilo terminasse. Queria um banho quente. Queria uma toalha macia. Queria um *supermercado*.

— Sabe o que eu adoraria comer agora? — ela disse de um modo carregado de desejo.

Ele fez um som como se estivesse engasgando e depois riu. A mente de Bailey estava bem longe de sexo e ela olhou para ele por um momento antes de perceber o que dissera. Seu rosto corou.

— Não *isso*. — Ela deu um tapinha nele. — Cale-se. Estava pensando em uma tigela grande de sopa de milho e batata, fervendo, com pedaços de bacon e queijo ralado por cima. — Sua boca começou a salivar enquanto se lembrava do sabor da comida.

Ele secou as lágrimas dos olhos com o polegar e disse: — Eu já prefiro uma carne. — O olhar assanhado que ele lançou a ela indicou que não estava pensando na carne em si, e ela corou ainda mais.

Ela o empurrou, tentando tirá-lo de cima do saco de lixo.

— Saia! Afaste-se de mim com sua mente suja!

— É verdade — ele disse, sem se mover. — Em todos os sentidos.

— Estou falando sério. Saia. Vá experimentar suas botas.

Ele ainda estava rindo quando se levantou e saiu andando. Bailey o observou caminhar em direção ao avião, com seu olhar, sem querer, demorando-se nas nádegas e longas pernas dele, até ela perceber o que estava fazendo e olhar para cima. Embora a fogueira não precisasse, ela jogou mais um pedaço de madeira para se ocupar.

Ele a estava seduzindo, ela percebeu, de verdade, usando palavras, risos e a dependência forçada que tinham um do outro. Ela não podia se afastar dele, não podia deixá-lo sozinho, porque a sobrevivência de ambos dependia de sua proximidade, de sua cooperação.

Talvez ela simplesmente devesse deixá-lo seguir em frente, sua proteção lhe dizia, deixá-lo fazer sexo. O processo de sedução pararia; não haveria mais motivos para ele. Se ela desse sexo a ele, ele pararia de assustá-la, porque pensaria que já tinha vencido. As emoções dela continuariam seguras.

Ela nunca havia se apaixonado, nunca quisera. Agora, pela primeira vez na vida, estava com medo de se apaixonar, estava com medo de que Cam Justice chegasse perto o suficiente para lhe causar sofrimento quando partisse. Ela estava presa pelas circunstâncias, e perceber isso era assustador. Não podia escapar dele, e não podia deixá-lo congelar. Se ele fosse qualquer outro homem, ela talvez conseguisse, mas ele a via por dentro. Bailey não sabia como, mas era verdade. De certa forma, ela havia revelado muito e não havia como voltar atrás.

Detestava sentir-se vulnerável. Detestava suspeitar de que dentro de dois dias ela passara a se importar com ele mais do que se permitira importar com qualquer outro ser humano, exceto, talvez, seu irmão, e isso era completamente diferente.

O desejo de acompanhar Cam com o olhar era enlouquecedor, como uma coceira. Sem querer, ela olhou, observou quando ele se agachou para inspecionar a asa direita. Pouco de seu cabelo podia ser visto por causa da bandagem que continuava enrolada em sua cabeça, mas pelo menos a cabeça estava protegida do frio. Ele parecia um homem das neves, com as peças de roupas que, em sua maioria, ele amarrara em seu corpo, em vez de vesti-las, mas ainda se comportava como se estivesse vestindo um uniforme militar, porque não se importava nem um pouco com o fato de estar parecendo um homem das neves. Não se importava se tinha de vestir as roupas de uma mulher, mesmo que, realmente, a calça de moletom e as camisas de flanela não fossem exatamente femininas. Ela suspeitava de que ele não se importaria se tudo que ela tivesse levado estivesse decorado com babados. Por que os babados importariam se a autoconfiança era tão grande?

De repente, ele esticou o braço para alcançar a parte de baixo do avião, ajoelhou-se e começou a procurar embaixo da asa. Assustada, ela se levantou. Ele era maluco? Não, o avião não se mexera nem um pouco durante todo aquele tempo, mas isso não significava que ele não *poderia* se mover, principalmente com Cam movendo-se embaixo dele, apertando, puxando.

— O que você está *fazendo*? — ela perguntou, apressando-se na direção dele, pretendendo tirá-lo dali à força se não quisesse sair por vontade própria.

Ele se afastou, trazendo algo escuro consigo, sorrindo.

— Encontrei meu blazer — ele disse de modo triunfante.

O avião era preto. O blazer era preto. Amassada na neve, misturando-se com o metal retorcido e as sombras, a peça não tinha sido vista. Era ótimo o fato de, agora, ele ter um blazer, pelo menos, mas ele só se importava com...

— As barrinhas ainda estão no bolso? — ela perguntou, curiosa.

Ele deu um tapinha no bolso, continuando a sorrir. — Sim.

— Devemos comê-las agora ou de manhã? — Ela estava tão faminta que acreditava que seria capaz de comer metade de um boi.

— De manhã, para termos energia. Podemos dividir mais uma barra de chocolate hoje à noite. O açúcar tira a energia, mas só vamos dormir à noite, de qualquer modo.

Ela suspirou. Ele tinha razão e ela sabia disso; detestava os fatos, mas concordava. As barrinhas provavelmente estariam congeladas, mesmo; seria melhor esperar que descongelassem durante a noite.

Ele removeu a neve do blazer, e Bailey o pegou dele. Precisaria ser seco antes de ele vesti-lo, mas pelo menos eles tinham fogo, e a peça poderia ser seca. Ele devia estar pensando a mesma coisa, porque olhou para o céu. — Acho melhor pegar mais madeira enquanto ainda temos um pouco de luz. Você precisa fazer mais alguma coisa?

— Aqueles remendos de toalha para você, acredito. Não vai demorar muito, talvez meia hora. E como estão as proteções para os sapatos?

— Estão ótimas. A neve não entrou em meus sapatos e eu tenho mais tração agora. — Ele envolveu a nuca dela com a mão e a puxou para perto de si para beijá-la rapidamente, um beijo que, de certa forma, se prolongou. Em seguida, ele se afastou e encostou a testa na dela. — Vamos terminar tudo para podermos ir para a cama.

26

Bailey estava preocupada, pensando que, quando Cam disse "cama", ele planejava mais do que "dormir", mas além de ser um estrategista melhor do que aquela atitude demonstraria, também tinha consciência de sua condição física. Os dois dividiram uma barra de Snickers, beberam água, escovaram os dentes e acomodaram-se no abrigo. O fogo crepitava, mandando fagulhas pequenas através das paredes do abrigo, e pela primeira vez eles não estavam na escuridão completa. O calor que emanava para o lado de dentro não era muito grande, mas o suficiente para fazer diferença, ou, então, a sensação psicológica que o fogo oferecia fazia com que se sentissem mais confortáveis.

Mas o calor não bastava para que eles não mais precisassem ficar juntos. Quando se aconchegava nos braços dele, Bailey percebia aumentar a ligação que sentia ter com ele. Não havia nada que ela pudesse fazer, não havia maneira de sair daquele caminho para evitar o turbilhão emocional que se mostrava adiante. Apesar de saber que aquela trilha levava a um acidente, só conseguia aproveitar o passeio.

Apesar de estar mais confortável fisicamente, era difícil dormir. Ela cochilava, mas despertava todas as vezes em que ele saía do abrigo para alimentar a fogueira. Em uma das vezes, ela acordou assustada quando ele a tocou, dizendo: — Bailey. Bailey. Acorde. Está tudo bem, querida. Acorde.

— O quê...? — ela perguntou sonolenta, apoiando-se no cotovelo e olhando para ele. — O que houve?

— Diga-me você. Você estava chorando.

— Estava? — Ela passou a mão nas faces e disse: — Droga — e deitou-se de costas ao lado dele. — Não há nada de errado — ela acrescentou, envergonhada. — Isso acontece às vezes.

— Chorar dormindo? Com o que estava sonhando?

— Com nada, até onde sei. — Ela deu de ombros, esperando passar a impressão de que não se importava. — Acontece e pronto. — E era uma bobagem. Ela detestava chorar, mas, quando não havia motivo, o choro era mais irritante ainda. As lágrimas faziam com que ela parecesse fraca, algo que não conseguia tolerar. Ela virou-se de lado, de costas para ele, e apoiou a cabeça no braço. — Volte a dormir, está tudo bem.

O braço quente dele escorregou pelo quadril dela, parando sobre sua barriga. — Há quanto tempo tem feito isso?

Ela queria dizer a ele que isso acontecia desde sempre, para que Cam pensasse que não era nada de anormal e esquecesse aquela história, mas acabou dizendo a verdade antes de conseguir se controlar: — Um ano, mais ou menos.

— Desde que seu marido morreu. — Ela sentiu a mão dele ficar tensa de repente.

Ela suspirou: — Mais ou menos um mês depois.

— Então você o amava.

Ela percebeu o tom frio da voz dele, a leve incredulidade, e, de repente, ficou cansada de viver com todas as ideias e suposições erradas. — Não. Eu respeitava o Jim, e sentia carinho por ele, mas não o amava, assim como ele não me amava. Foi um acordo de negócios, pura e simplesmente... e foi ideia dele, não minha. — Se parecesse estar na defensiva... bem, era verdade, estava mesmo e cansada de tudo aquilo. Ao mesmo tempo, sentiu alívio por finalmente conversar sobre aquilo com alguém. Apenas Grant Siebold conhecia a história toda, e ela raramente o via agora que Jim estava morto.

— Que tipo de acordo de negócios?

Ela não percebeu nada de diferente no tom de voz de Cam naquele momento, mas não se importou. Se ele pensasse mal dela por ter concordado com o esquema de Jim, e de ter lucrado com a situação, seria melhor que ela descobrisse logo.

— Jim tinha uma veia maquiavélica. Era muito bom em compreender as intenções das pessoas, era muito bom em tomar decisões espertas nos negócios, por isso acho que ele adquiriu o hábito de manipular as pessoas. Não me interprete mal, ele não era inescrupuloso. Tinha fortes valores éticos. Sempre gostei dele. Era simpático, pé no chão — ela prosseguiu.

— Eu gostava de trabalhar para ele. Ele não traía Lena, não olhava para as funcionárias com segundas intenções, por isso eu não me preocupava em tomar cuidado com ele. Era um amigo interessado, dava-me conselhos sobre investimentos que às vezes eu seguia e, outras vezes, não. Ele dizia que eu era muito cuidadosa. Eu dizia a ele que não brincava com minha aposentadoria. Ele ria de mim, mas tinha interesse por algumas de minhas escolhas de investimento. — Ela respirou profundamente e continuou: — E então Lena morreu.

— E ele se sentiu solitário.

— Não foi isso o que aconteceu — ela disse de modo irritado. — A questão é que Jim e Lena haviam feito seus testamentos anos antes, quando Seth e Tamzin eram pequenos. Como a maioria dos casais, eles colocaram um ao outro como beneficiários de tudo, deixando à escolha do cônjuge viúvo o que passar para os filhos. Apesar de Jim ter reunido uma enorme fortuna, não era muito cuidadoso quando o assunto era o testamento e eles nunca o atualizaram. Quando Lena morreu, ele percebeu que precisava mudar o testamento, mas, analisando seus filhos, não gostava do que via.

— Nem ele nem ninguém — Cam disse de maneira seca. — E continua sendo assim.

— Concordamos totalmente nesse ponto. — Principalmente porque Seth era a única pessoa na lista de suspeitos. — Pois então, ele estava organizando suas finanças quando descobriu que tinha câncer em estágio avançado. Sempre esperou que Seth acordasse para a realidade, que se estabelecesse e começasse a se interessar pela empresa, mas, quando descobriu que estava morrendo, percebeu que não poderia dar mais tempo a Seth. Assim, elaborou seu plano.

— Deixe-me adivinhar.

— Por favor, adivinhe.

Ele pareceu rir do tom sarcástico dela. — Você é difícil, sabia? Provavelmente foi por isso que ele a escolheu. Certo, aqui vai: ele quis contratar você para supervisionar os bens dele, mas, sabendo que você teria de lidar com Seth e Tamzin pelo resto da vida, você cobrou muito e a única maneira de ele conseguir pagar foi casando com você.

Ela estava irritada, mas começou a rir, porque gostaria que as coisas tivessem sido assim. — Gostaria de ter sido esperta a esse ponto. Mas você está no caminho certo, mais ou menos. Lembre-se: Jim era um manipulador. Estava sempre vendo uma coisa aqui e outra lá, pensando em algo aqui e em outra coisa acolá. Ele não conseguia evitar. Assim era a personalidade dele. Ele não tinha esperanças com Tamzin, mas nunca desistiu de Seth. Pensou que, se ele se casasse comigo e me desse o controle de seu dinheiro,

Seth se sentiria tão humilhado que acabaria tomando consciência e mudando sua vida.

— Sim, isso funcionou muito bem. Se Seth viu alguma luz, foi aquela no letreiro de seu bar favorito.

— Pois é — ela concordou e suspirou. — Se Seth começasse a agir como um adulto maduro, então eu deveria passar o controle dos bens para ele... *mas* Seth não podia saber a respeito dessa parte do acordo. Jim dizia que Seth era esperto o bastante para fingir o que fosse preciso por quanto tempo precisasse para conseguir o controle e depois voltar a ser quem era. Jim tinha certeza de que isso daria certo. Até agora, não deu.

— Ele não precisava se casar com você — Cam disse. — Poderia ter cuidado de tudo simplesmente pelo modo como estabelecesse seus fundos.

— Casar-se comigo fez parte do plano que ele armou para colocar Seth no caminho certo. Se eu fosse apenas uma fiduciária do fundo, Seth podia ficar irritado, mas não se sentiria humilhado. Tudo tinha a ver comigo: sou mais jovem que Seth; supostamente, tirei vantagem de um homem mais velho e quase morrendo; eu me mudei para a casa que era da mãe deles. Fazer com que as pessoas soubessem que Jim dera o controle de seu dinheiro para *mim* deveria ser o ponto principal.

Ele disse: — Bem, isso responde a uma das perguntas.

— E qual é essa pergunta...?

— O motivo de ele ter se casado com você.

Aquele não era o motivo principal daquela conversa? — Qual seria a outra pergunta?

— O motivo pelo qual *você* se casou com *ele*.

Bailey pensou já ter respondido a essa pergunta. Olhou para trás, para ele, franzindo a testa, embora ele não conseguisse perceber sua expressão com a pouca luz oferecida pela fogueira. — Eu disse. Fazia parte do acordo.

— Mas por que você concordou com isso? O casamento é um passo extremo.

Não na família dela. Seus pais viam o casamento como uma conveniência legal, para ser dissolvido sempre que uma das partes desejasse ir embora. Mas ela não entrou nessa questão. Em vez disso, disse, demonstrando cansaço: — Nunca me apaixonei. Então pensei: por que não? Ele estava morrendo. Eu faria isso para ele e, em troca, ele cuidaria para que eu tivesse segurança financeira.

— Então ele deixou algum dinheiro para você.

— Não deixou, não. — O alívio havia desaparecido e ela estava ficando cansada dessa conversa. — Tenho privilégios, como viver na casa e ter minhas contas pagas, e recebo um salário muito bom para controlar os fundos, mas não herdei nada. Todos os privilégios terminarão se eu me casar com outra pessoa, mas o salário continuará sendo pago enquanto eu realizar o trabalho.

— Entendi. Não vou nem perguntar o que você considera como um salário "muito bom".

— Que bom, porque não é da sua conta — ela disse, de modo sucinto.

Ele a abraçou e apoiou o queixo em seu ombro. — Mas estou curioso em relação a uma coisa. Você nunca se apaixonou de verdade? Nunca?

A mudança no assunto a deixou desconfortável e ela se remexeu, inquieta. — *Você* já?

— Claro. Diversas vezes.

Foi o "diversas" que fez com que ela se incomodasse. Se tivesse sido amor de verdade, não teria ocorrido apenas uma vez? O amor de verdade não deveria acabar. O amor de verdade se expandia, abria espaço para filhos e animais de estimação e para um monte de amigos e parentes. Não vinha com uma data de validade, para que depois dessa data as pessoas procurassem outros parceiros.

— Quando eu tinha seis anos, fiquei perdidamente apaixonado pela minha professora da primeira série. O nome dela era Srta. Samms — ele disse, relembrando, e ela conseguiu perceber que ele sorria. — Ela havia acabado de sair da faculdade, tinha grandes olhos azuis e um cheiro ótimo, melhor do que todos que eu já sentira na vida. Ela também era noiva de algum idiota que não era bom o suficiente para ela, e eu tinha tanto ciúme que queria bater nele.

— Acredito que você foi esperto o suficiente para não tentar — Bailey disse, relaxando. Não podia considerar como sério o amor de um menininho de seis anos pela professora.

— Não. Eu não queria entristecer a Srta. Samms matando o namorado dela. — Ela riu e ele a beliscou. — Não ria, estou falando supersério. Quando eu crescesse, ia pedir a Srta. Samms em casamento.

— Então o que aconteceu com esse grande amor?

— Comecei a segunda série. Estava mais velho, mais maduro.

— Claro. Maduro.

— Escolhi um alvo mais apropriado na vez seguinte. O nome dela era Heather, estava em minha sala e, um dia, levantou a saia e mostrou a calcinha para mim.

Ela não conseguiu controlar outra risada. — Meu Deus! Heather era bem rápida.

— Você nem imagina. Meu coração ficou despedaçado quando descobri que ela estava mostrando a calcinha para outro menino.

— Que grande desilusão! Como você conseguiu superar isso?

— Mais tarde, quando eu tinha 11 anos... Katie. Ah, Katie. Ela rebatia as bolas nos jogos com uma rapidez impressionante. Partiu para outra antes que eu conseguisse reunir a coragem de me aproximar... quando voltou, eu tinha 14 anos. Aos 16, Katie me dominou e tirou proveito de mim.

— Oh, posso apostar! Quer dizer, como algumas meninas são atrevidas!

— Ela era forte — ele disse com seriedade. — Eu tinha tanto medo dela que deixei que fizesse o que quisesse comigo por alguns anos.

Ela se virou e devolveu o beliscão que havia levado.

— Ai! Não tem algum outro jeito de tratar um homem? Estou contando de como fui usado e abusado, e, em vez de sentir pena de mim, você abusa um pouco mais.

— Pobre coitado. Posso dizer que você ficou traumatizado. Foi por isso que passou a chamar uma determinada parte de seu corpo de "Velho Charlie".

— Pensei em chamá-lo de "Joe Lento", mas tive de seguir meu coração.

Bailey perdeu completamente o controle do riso que vinha contendo. — Justice, você é engraçado.

— Você está rindo de todas as minhas dificuldades no campo amoroso? Não sei se deveria contar-lhe o resto.

— E quantas histórias ainda há?

— Só uma, e é séria. Eu me casei com ela.

Isso *era* sério, e Bailey parou de rir. Conseguiu perceber, pela mudança na voz dele, que não estava mais brincando. — O que aconteceu?

— Para ser honesto, não sei. Não a traí e não acho que ela tenha me traído. Nós nos casamos enquanto eu ainda estava na aeronáutica; o pai dela era um oficial, ela havia sido criada entre militares, então sabia o que esperar. Seu nome era... é... Laura. Todas as mudanças de uma base para outra, as separações, ela levou numa boa. Mas acho que não conseguia lidar com a vida civil. Quando eu saí da aeronáutica, as coisas começaram a ficar infernais. Se tivéssemos tido filhos, creio que teríamos permanecido juntos, mas sem filhos; a verdade é que não nos amávamos o suficiente para manter tudo unido.

— Graças a Deus vocês não tiveram filhos! — ela disse de modo intenso, antes de se recompor. — Sinto muito. É só que...

— Você já passou por isso.

— Várias vezes.

— Acredito que é por isso que tem medo de se importar com alguém — ele disse, e o coração dela bateu apressado. *Ela* sabia por que mantinha as pessoas distantes, mas nunca havia revelado tanto de si a alguém. Tarde demais, ela viu que o humor fácil dele derrubara sua proteção e ela dera a ele uma enorme vantagem, que ele não hesitaria em usar.

Como se para enfatizar esse pensamento, ele emitiu um som de satisfação, o som de um predador com a presa capturada, e disse:

— Mas agora eu peguei você.

27

— Homens! — Bailey murmurou ao atravessar a neve. — Não dá para entender, não dá para abater.

— Eu escutei isso — Cam disse olhando para trás. — Além disso, você não tem uma arma.

— Talvez eu possa sufocá-lo enquanto dorme — ela disse para si mesma. Sua voz estava abafada pelo tecido que estava sobre a metade de baixo de seu rosto, mas, evidentemente, não estava abafada o bastante.

— Escutei isso também.

— Então acho que vai conseguir escutar isto: você é um teimoso, cabeça-dura, macho *idiota*, e se ficar tonto e cair, provavelmente vai quebrar alguns ossos mesmo que a queda não o mate de vez, e eu juro que vou deixá-lo sangrando na neve! — ela aumentou a voz até estar quase gritando com ele.

— Eu também te amo. — Ele estava rindo, e ela sentiu vontade de chutá-lo.

Poucas vezes tinha ficado tão furiosa com alguém como estava com ele, mas raramente perdia a paciência. Era preciso se importar com alguém para ficar irritado, um fato que a fazia se preocupar ainda mais. Não queria se importar com ele. Ele havia tomado o que ela considerava uma decisão ruim, e ela queria pensar que não se importava em deixá-lo lidar com as consequências, porque ele era adulto. Mas ela estava nervosa. E preocupada com ele. *E* deixando sua imaginação fluir, pensando em todas as coisas terríveis que poderiam acontecer com ele, e não havia nada que ela pudesse fazer em relação a isso, porque ele era um idiota machista, teimoso e cabeça-dura.

Ele estava puxando o trenó que fizera, com as coisas que pensaram que precisariam, além de mais uma coisa que ele havia colocado de manhã: a bateria. Tirá-la dos destroços havia sido um esforço hercúleo, que o deixou pálido e suando — uma grande parte do problema era que a bateria era muito pesada, com mais de 35 quilos. Mas ele havia testado a bateria, e ainda tinha substância, então ele decidira que deveriam levá-la, porque, se alguma coisa acontecesse a ele, ela ainda conseguiria fazer uma fogueira.

Ela gritou com ele, dizendo que eles teriam sobrevivido sem fogo, de qualquer modo. Ele dissera não, não teriam, disse que, quando saíssem da neve e ele conseguisse encontrar madeira seca, poderia fazer uma fogueira usando a fricção, porque fora escoteiro e sabia fazer aquilo.

— Tudo bem — ela disse. — Então pode me ensinar, e não teremos de arrastar uma bateria de 40 quilos! Você sofreu uma pancada na cabeça. Perdeu muito sangue. Não deveria estar se cansando tanto!

— Ela não pesa 40 quilos — ele respondeu, ignorando completamente o restante do comentário dela, embora, de fato, a bateria pesasse quase isso.

Então ele havia se esforçado para colocar aquela coisa no trenó, e o peso fizera as bases de madeira afundarem na neve. Vendo que ela não conseguiria demovê-lo da ideia de levar a bateria, ela havia assumido as rédeas e começado a puxar sozinha, mas ele a tirou do caminho e assumiu o trabalho e a posição de puxador do trenó.

— Você pode levar a mochila — ele dissera com decisão, referindo-se à bolsa de bordo na qual ele havia colocado alças.

Ela estava tão nervosa que pensara em jogar nele uma bola de neve, mas tinha receio do que qualquer pancada na cabeça, por mais leve que fosse, poderia causar a ele. Também não queria molhar as roupas dele, não depois de ter feito tanto esforço para mantê-lo o mais aquecido possível. Mas sufocá-lo enquanto dormia... era uma possibilidade.

O terreno era terrivelmente irregular e perigos se escondiam sob a neve. Às vezes, a subida era tão íngreme que ela tinha de segurar o trenó por trás e impedir que escorregasse, levando Justice monte abaixo. Às vezes, simplesmente não havia como descer sem cordas ou equipamentos de escalada, por isso eles tinham de dar a volta até encontrar uma descida menos íngreme. Depois de caminharem por três horas, segundo ele, ela duvidava que eles tivessem conseguido descer mais de três quilômetros, mas haviam feito zigue-zague por vários quilômetros. E ela continuava irritada.

Os sapatos para neve eram esquisitos e exigiam que ela levantasse bem as pernas a cada passo, como se estivesse marchando em uma parada. Seus músculos ardiam por conta do esforço. Talvez não tivesse erguido o pé o suficiente, mas a ponta do sapato direito dela repentinamente prendeu em alguma coisa enterrada na neve e isso a lançou para a frente.

Ela conseguiu colocar as mãos na frente para amortecer a queda, batendo com o joelho direito e rolando, ficando na posição sentada. Suas mãos e joelhos ardiam, mas uma dor aguda se espalhava por seu tornozelo direito. Murmurando palavrões, ela pôs a mão na área machucada e, lentamente, girou o tornozelo para ver se sofrera algum dano.

— Você se machucou? — Cam ajoelhou-se ao lado dela, os olhos acinzentados preocupados e expostos acima da faixa de flanela vermelha que cobria seu nariz e sua boca.

— Foi uma torção, mas acho que posso continuar andando — ela disse. Flexionando o tornozelo ferido, parecia que, depois da dor latejante, doía menos agora. Ela tentou se levantar, mas teve dificuldades por causa dos sapatos que continuavam presos a seus pés. Se o sapato direito tivesse saído quando ela caiu, o tornozelo provavelmente não teria sofrido nada. — Ajude-me a levantar.

Segurando-a pelas mãos, ele a puxou para ficar em pé e a segurou enquanto ela apoiava o peso em um dos pés. O primeiro passo foi bem dolorido, mas o segundo foi menos. — Estou bem — ela disse, soltando as mãos dele. — Nada sério.

— Você pode subir no trenó se estiver com dor — ele disse, franzindo o cenho enquanto observava Bailey mancando, porém seguindo firme.

Bailey parou, surpresa com o que ele acabara de dizer. Será que o cara não tinha *bom-senso*? — Está maluco? — ela gritou. — Não pode me puxar montanha abaixo.

Ele olhou para cima com um olhar frio e determinado. — Não apenas posso, como farei o que tiver de fazer para levá-la para casa.

Por algum motivo, essa frase simples a abalou. Ela balançou a cabeça. — Você não deveria se sentir desse jeito. Não é sua culpa o fato de o avião ter caído. Se alguém deve ser culpado, essa pessoa sou eu.

— Por que acha isso?

— Seth — ela disse simplesmente. — Ele me irritou, eu ameacei diminuir a quantia que ele recebe todos os meses, e ele se rebelou. É minha culpa, totalmente. Não devia ter perdido a paciência.

Ele balançou a cabeça. — Não me importa o que você tenha dito, mas isso não justifica que ele tenha tentado matar duas pessoas.

— Não estou justificando as atitudes dele. Estou dizendo que eu causei isso. Por isso, você não tem motivo algum para se sentir responsável...

Ele abaixou a máscara de seu rosto. — Não me sinto responsável pelo acidente.

— ... ou por mim — ela completou.

— As coisas não são simples assim. Às vezes, a culpa nada tem a ver com responsabilidade. Quando você valoriza alguma coisa, quer cuidar dela.

Valoriza. A palavra a atingiu em cheio e a encostou à parede. Ele não devia ficar dizendo coisas desse tipo. Os homens *não diziam* coisas assim, isso era contra sua natureza. — Não pode me valorizar — ela disse, automaticamente afastando-se dele, psicologicamente, embora não fisicamente. — Não me conhece.

— Bem, nesse ponto discordamos. Faça as contas.

A última frase deixou Bailey perdida. — Que contas? Estamos falando sobre matemática?

— Agora estamos. Vamos parar um pouco e vou explicar.

Ele amarrou a corda do trenó a uma árvore para que ele não escorregasse, e depois eles se sentaram lado a lado em uma pedra que havia absorvido um pouco de calor da luz do sol. Bailey estava vestindo tantas roupas que não conseguiu sentir o calor, mas pelo menos o vento não soprava por entre as camadas de peças. Ela tirou a máscara e fechou os olhos por um minuto, fingindo que o sol estava esquentando seu rosto.

Eles beberam um pouco de água, depois comeram um pedaço da barrinha de cereal restante. Haviam dividido uma das barrinhas pela manhã e concordaram que comeriam a outra lentamente ao longo do dia, acreditando que a energia seria mais usada no primeiro dia. Conforme eles descessem, a altitude diminuísse e o oxigênio ficasse mais abundante, teoricamente teriam mais energia... em tese. Ela esperava que estivessem certos, porque, até então, tudo tinha sido um grande esforço.

Ele declarou: — Este é o quarto dia, certo?

— Certo.

— Contando desde as oito da manhã do primeiro dia, que foi quando decolamos, agora já são 76 horas.

Ela concordou. O primeiro dia, o dia do acidente, não contava como um dia inteiro. Contando do tempo desde que haviam decolado, as primeiras 24 horas haviam terminado às oito horas do segundo dia. — Até agora, estou acompanhando seu raciocínio.

— Quanto tempo um encontro costuma durar? Quatro horas, talvez?

— Quatro ou cinco.

— Certo, digamos cinco horas. Setenta e seis horas divididas por cinco dá o equivalente a... 15 encontros. Se dividir isso por quatro, estamos em nosso 19º encontro. Calcule a diferença; estamos em nosso 17º encontro.

— Tudo bem — ela disse, surpresa com a criatividade dele com essa teoria. — Dezessete encontros, não é? Estamos, praticamente, namorando sério.

— Namorando sério uma ova. Estamos prestes a morar juntos.

Ela olhou rapidamente para ele para ver se estava brincando, mas estava olhando para ela com uma determinação tal que fez com que ela se surpreendesse. Estava falando sério: ele queria mais do que ela já tinha dado a qualquer pessoa. Queria mais do que sexo. Queria um compromisso... e não havia nada no mundo que a assustasse mais.

Mas ele... ele dissera que a *valorizava*. Bailey não conseguia se lembrar de alguém que tivesse colocado o bem-estar dela em primeiro lugar, mas era isso que Cam estava lhe dizendo.

— Não posso... — ela começou, pretendendo dar a ele uma desculpa, o que conseguisse pensar, como motivo para não se envolver.

— Você pode — ele interrompeu. — Você vai. Vamos fazer com que você se acostume com a ideia devagar. Compreendo que você está lidando com coisas que a traumatizaram na infância, e esse é o tipo mais difícil de esquecer. Porém, mais cedo ou mais tarde, você vai confiar em mim, e aceitará que alguém se importa com você.

Ela queria dizer a ele que isso não era um problema. Outras pessoas já tinham se importado com ela antes. Logan se importava com ela. Jim sentia carinho por ela. Ela tinha amigos... bem, tivera alguns conhecidos afetuosos antes de se casar com Jim, mas eles haviam se distanciado dela, então ela podia dizer que não tinha amigos de verdade. Até mesmo seus pais haviam se importado com ela, com todos os filhos, embora não tanto quanto se importavam consigo próprios.

Ela queria dizer tudo isso a ele. As palavras se formaram em sua mente, mas se recusavam a se formar em sua boca. Ela estaria mentindo. A confiança *era* um problema. Sua defesa contra as pessoas que não se importavam com ela era que ela não se importasse antes. Na categoria de "não se importar", ela já estava na frente de todos que conhecia.

Menos ele. Ela não conseguiria afastar-se dele. Não conseguiria esquecer-se dele, não conseguiria *não se importar* com ele.

E... ele disse que a valorizava.

Ela olhou profundamente naqueles olhos acinzentados e sentiu o chão fugir de seus pés. Estava perdida, completamente sem defesas contra ele. Começou a chorar. — Oh, não — ela soluçou, aterrorizada. — Não posso chorar.

— Você poderia até me enganar. — Ele a abraçou com força, balançando-a levemente para a frente e para trás, dando-lhe conforto. — Acho que você está fazendo um ótimo trabalho.

Ele estava se esquecendo do óbvio. Ela se afastou e tentou parar de chorar, antes de entrar em apuros. — Não, é sério. Vou ficar com o rosto cheio de gelo.

— Com certeza eu poderia derretê-lo — ele disse, esboçando um sorriso.

Que droga, ela estava em um grande apuro.

28

A fim de terem tempo suficiente para construir um abrigo resistente, eles pararam de caminhar às três da tarde. Ainda estavam em uma parte alta das montanhas, à mercê de ventos gelados, temperaturas congelantes e possivelmente mais neve, apesar de o céu estar limpo no momento. As frentes frias podiam chegar rapidamente e eles não tinham acesso ao Weather Channel para ficar de olho nas previsões do tempo. Outro fator para parar naquele momento era o fato de terem deparado com uma árvore grande que caíra em cima de algumas pedras; a árvore oferecia um apoio central já pronto, o que economizava muito trabalho. Se continuassem caminhando por mais uma hora, mais ou menos, talvez não encontrassem nada tão adequado.

Bailey estava exausta, mas, para seu alívio, o mal das montanhas não havia retornado. No dia seguinte, ela pensou, eles poderiam caminhar um pouco mais, chegar a um ponto mais distante... talvez. Eles estavam quase sem comida e, quando a última barra de chocolate terminasse, a energia de ambos diminuiria rapidamente.

Eles tinham de descer o bastante para começar a encontrar frutos, castanhas, folhas comestíveis — qualquer coisa — ou a situação logo pioraria.

— Acredito que a primeira coisa a fazer é construir uma fogueira — ela disse, ansiosa pelo calor e pelo ânimo psicológico que a fogueira ofereceria.

— Hoje à noite, faremos uma — ele disse de modo distraído, olhando para as montanhas ao longe. — Depois de hoje, acho melhor guardarmos o resto da substância para quando estivermos mais para baixo, fora desse vento todo.

Ela fechou um dos olhos, olhando para ele como se estivesse confusa. Aquilo parecia o oposto ao que ela pensava. — Não precisamos mais de fogo agora?

— Para nos esquentarmos, sim, mas sobrevivemos sem uma fogueira por duas noites, por isso sabemos que ela não é estritamente necessária. Eu estava pensando em usar uma fogueira para sinalizar nossa localização. Não podemos fazer isso agora porque o vento espalha a fumaça e duvido que encontraremos qualquer ponto que seja completamente abrigado, considerando a força do vento.

Bailey virou-se e olhou na mesma direção para onde Justice olhava. O dia estava mais claro, o vento tão frio e constante que os detalhes se destacavam. As grandes montanhas se destacavam contra o céu, com seus picos brancos delineados pelo azul puro. Ela conseguia ver a linha de neve e, abaixo, o verde forte, que prometia temperaturas mais quentes e pelo menos a possibilidade de haver alimentos. — Até onde devemos descer?

Ele deu de ombros. — Não sei. Acredito que a neve deve terminar bem mais embaixo. Esta é uma área selvagem federal, por isso o serviço florestal a monitora para controlar incêndios. Qualquer coisa que pareça ser feito pelo homem é conferido.

Então, eles poderiam ser resgatados em um ou dois dias, dependendo de quanto tempo levassem para sair da área onde ventava mais. Dois dias antes, mesmo na véspera, ela teria ficado muito animada com a possibilidade, mas agora... era tarde demais. Dois dias antes, ela tinha controle de suas emoções. Claro que estar aquecida e bem alimentada seria bom, mas e se, depois que não mais estivessem ligados pela necessidade, o interesse de Cam por ela terminasse? Ela não confiava nas emoções, e certamente não confiava nelas em condições de emergência.

Ela estava dividida e detestava sentir-se assim. Por um lado, quanto antes ela se separasse dele, melhor. Por outro lado, santo Deus, ela queria que tudo aquilo durasse. Queria acreditar em um final feliz eterno, um amor que durasse a vida toda. Ela conhecia pessoas que *pareciam* se amar por todo aquele tempo, como Jim amara Lena, mas uma dúvida sempre a impedira de confiar totalmente naquela ideia. Talvez Jim tivesse amado Lena, mas e se Lena não o tivesse amado? Jim era milionário; talvez Lena tivesse olhado ao redor, mas não viu nada melhor. Bailey não gostava de ser tão cética, mas já vira coisa demais para acreditar em uma versão de conto de fadas para uma história de amor.

O amor era um jogo de azar, Bailey pensou, e ela nunca havia sido uma boa jogadora. Não sabia o que fazer, como lidar com aquela situação. Em parte, ela queria apenas deixar tudo para trás e aproveitar a companhia dele o máximo possível; afinal, não era realista esperar uma vida toda de felicidade, e provavelmente seria também impossível. Apenas um idiota era *sempre* feliz.

O período de felicidade valia pela infelicidade que vinha depois de um rompimento? A maioria das pessoas parecia pensar que sim, porque entravam no trem do amor diversas vezes, sem parar. Depois de serem descartadas, as pessoas choravam por aí durante algum tempo, às vezes faziam coisas tolas, mas, por fim, acabavam de volta à estação, com a passagem na mão, prontas para embarcar. Ela não pensava que o ganho momentâneo valia a dor, por isso havia observado o trem passar a seu redor. Agora, ela havia sido agarrada e jogada dentro de um vagão, e não mais parecia ter escolha.

Cam passou um dedo pelo rosto dela. — Você se distraiu. Está olhando para o nada há cinco minutos.

Trazida de volta para a realidade, ela não pensou em nada momentaneamente. — Ah... eu estava pensando sobre o que vai acontecer quando formos para casa. — Ela gostou da resposta. Boa desculpa! Era uma resposta *bem* razoável naquelas circunstâncias.

Ele pareceu sério. — Não posso lhe garantir. Sem provas do que ele fez, provavelmente nada, não podemos chegar fazendo acusações sem algo para prová-las, ou ele pode nos processar por difamação.

— Ele adoraria fazer isso. Assim, teria atenção para dizer todas as coisas que tem dito sobre mim, e você pode apostar que Tamzin o apoiaria. — Ela se sentiu mal só de pensar em um processo que desse chance de Seth extravasar tudo o que conseguisse inventar. Ela não tinha medo desse tipo de coisa, porque as pessoas que não corriam riscos raramente se sujavam. Não havia nada de errado com seu passado, nenhum caso com homens casados, nada de droga, nenhuma ficha na polícia.

Mas nada disso deteria Seth. Ele provavelmente poderia levar ao tribunal cinquenta pessoas que jurassem ter dormido com ela, ou usado drogas com ela, ou que ela tivesse revelado seu plano sujo de se casar com um homem que estivesse morrendo e convencê-lo a passar a ela o controle de seus bens. Na verdade, provavelmente a única razão para ele não ter feito isso era que o controle dos bens não estava no testamento de Jim, onde poderia ser contestado. Jim havia deixado tudo certo antes de morrer — antes de eles se casarem, na verdade — e havia colocado Bailey no controle, e o desempenho dela havia sido excelente. Seth pareceria um tolo desafiando *aquilo*. Além disso, o dinheiro mensal era uma quantia considerável. Nada comparado aos bens todos, é claro, mas não era de se jogar fora.

— Acredito que precisamos dizer a ele *o que* sabemos — Cam disse. — E contar sobre nossas suspeitas a uma outra pessoa, porque, se alguma coisa suspeita ocorrer com você, ele será o primeiro a ser procurado. Exceto se ele for maluco, vai entender que não pode fazer nada. — Ele se inclinou e a beijou, e brevemente prendeu o lábio inferior dela entre seus dentes e puxou delicadamente. — Também sugiro que você vá morar comigo, para que ele não saiba exatamente onde encontrá-la. Você teria de ser louca para continuar sozinha naquela casa.

O coração dela acelerou com emoção e sentiu um frio na barriga. Assustada tanto pela proposta dele quanto pela reação que teve, ela disse: — Existe uma grande diferença entre dar alguns beijos e ir morar com outra pessoa, Justice. Mudar-me de casa faz sentido. Morar com você, nem tanto.

— Acho que faz muito sentido — ele disse. — Mas falaremos sobre isso depois. Agora, precisamos trabalhar ou teremos de dormir ao ar livre.

Ele fez uma base para a fogueira enquanto ela juntava pedras e madeira para a fogueira e também para construir o abrigo. A árvore caída ofereceu a maior quantidade de madeira, porque estava ali tempo suficiente para que a madeira estivesse seca por dentro e os galhos pudessem ser arrancados com facilidade. Eles seguiram o mesmo procedimento de antes com a bateria, e dentro de meia hora pequenas chamas queimavam a madeira com constância.

Como os dois estavam trabalhando, e porque Cam tinha mais ideia do que estava fazendo do que Bailey fizera no primeiro dia, o abrigo rapidamente foi montado. O ângulo da árvore, onde ela estava deitada em cima da grande rocha, criava, no ponto mais alto, um espaço grande o bastante no qual eles podiam ficar sentados. Cam havia posicionado uma parte da fogueira de modo que um pouco do calor radiasse contra a pedra e, assim, para dentro do abrigo. Proteger a fogueira do vento ainda era um problema, por isso ele colocou os galhos em uma margem do outro lado da fogueira, construindo-a alto até as chamas pararem de dançar com tanta intensidade.

Ao final do trabalho, ambos estavam um pouco suados e muito sujos. A sujeira desagradava a Bailey, mas o suor era mais perigoso. Cam sentou-se perto da fogueira, enquanto ela entrou na nova "casa", completa com os pedaços de espuma que ela insistira para que eles levassem — pelo menos as espumas quase não pesavam —, para se limpar e secar da melhor maneira que conseguisse.

Quando saiu, mais uma vez enrolada em camadas e camadas de roupas, Cam, cuidadosamente, foi colocando pinhas ao redor da fogueira. — Uau — ela disse. — Agora o acampamento vai ficar com cheiro de coisas de Natal. Não tinha pensado nesse toque especial.

— Espertinha. Depois que as pinhas assarem, poderemos comer os pinhões dentro delas. Devia ter lembrado disso ontem.

— Sério? Pinhões? Eles vêm mesmo das pinhas? — Era engraçado o fato de ela sempre ter pensado que as pinhas eram chamadas assim por alguma razão desconhecida. Agachando-se ao lado da fogueira, ela cutucou as pinhas. Quem pensaria nisso? Ela ficou feliz ao pensar na comida quente. Os frutos, quaisquer que fossem, ajudariam muito a diminuir a fome.

— Sim, elas vêm. Fique de olho e não deixe que elas peguem fogo — Cam disse ao entrar no abrigo. — Vou me secar antes de o suor se congelar em meu corpo.

Ela se sentou e manteve os braços esticados na direção do fogo. Depois de um momento, ela percebeu que estava prestando atenção ao som que Cam fazia enquanto se despia e se secava, imaginando-o nu, apesar de saber que ele não estava, assim como ela não havia tirado todas as roupas. Será que ele havia escutado os movimentos dela enquanto tirava as peças de roupa, e *a* imaginara nua? Ou estava ocupado demais reunindo as pinhas?

De repente, ela percebeu que a limpeza em seus corpos podia ser quase vista como um prelúdio para o sexo, como se estivessem se preparando um para o outro. Ela não havia se sentido desconfortável com ele durante as três noites que eles haviam dormido juntos, mas não existia espaço para sexo antes. Agora, havia. E, embora o sexo em si não a deixasse pouco à vontade, a ideia de fazer sexo com *ele* bastava para deixá-la nervosa e ciente do que aconteceria.

Talvez ela estivesse imaginando mais do que ocorreria. Afinal, ele ainda estava se recuperando de um ferimento muito sério. Ele era um homem esperto; sabia que não deveria cansar-se naquele momento.

Certo, ela pensou de modo seco. Por isso ele havia passado o dia puxando um trenó pela neve.

Por outro lado, ele *havia* puxado um trenó o dia todo. Provavelmente estava exausto. Provavelmente sexo fosse a última coisa em sua mente.

Claro. Aquele era o mesmo homem que tivera uma ereção no primeiro dia, quando estava quase morto, e, desde então, tivera várias outras. Pelo que ela podia perceber, sexo *era* a última coisa em sua mente... antes de ele dormir, e a primeira assim que acordava.

Ele estava sendo muito contido, ela percebeu. Era calmo, mas decidido e determinado. Colocava uma coisa na cabeça e fazia o que fosse preciso, custasse o que custasse. Essa não era uma postura muito contida.

A questão era: ela queria fazer sexo com ele? *Sim!* E não. Ela estava morrendo de medo de que as coisas fossem muito longe entre eles, mas sua objeção era psicológica e emocional. Em um nível puramente físico, ela queria sentir o peso dele sobre ela e os quadris dele preso entre suas pernas. Queria senti-lo dentro dela.

Precisava se decidir: sim ou não? Se dissesse não, ele pararia. Confiava totalmente nele em relação a isso.

Uma mulher inteligente teria dito não. Uma mulher cuidadosa teria dito não. Bailey sempre tinha sido inteligente e cuidadosa.

Até aquele momento. Ela olhou para a entrada do abrigo e seus instintos disseram *sim*.

29

Cam teve outra ideia: esvaziou o kit de primeiros socorros de metal mais uma vez, o encheu com neve e depois o colocou sobre as pedras quentes na beira da fogueira e adicionou um punhado de folhas de pinha. O chá devia ser nutritivo, ele disse, e algo quente para beber ajudaria muito para eles sentirem conforto.

Bailey estava tão nervosa que sequer conseguia ficar parada. Meia hora antes, a ideia de beber algo quente a teria deixado extasiada, mas agora ela não conseguia parar de pensar na noite que estava por vir. Automaticamente, ela abriu uma pinha como ele a ensinara, procurando pelos frutos pequenos e escuros; nem todas as folhas tinham frutos. Na primeira pinha, ela havia encontrado dez ou doze, mas eram tão pequenos que não representavam muita coisa. O lado bom era que havia muitas pinhas. Assá-las e depois pegar os pinhões era um processo demorado, mas tempo não era problema para eles.

Por fim, reuniram um número suficiente de frutos para se alimentarem até ficarem satisfeitos. Para sua surpresa, apesar de ter comido apenas o equivalente a um punhado, sentiu-se satisfeita. Os pinhões precisavam ser mais assados, por isso o gosto não era tão bom, mas ela não se importou; comida era comida. Ainda não estava no estágio de comer insetos, mas pela primeira vez soube o que era estar faminta , bastante para levar em consideração alimentar-se de insetos.

À medida que a neve na caixa do kit de primeiros socorros ia derretendo, Cam adicionava mais até ter líquido suficiente para que ambos tomassem uma xícara. Ela observou a água ficar com um tom verde-claro por causa das folhas.

— Os escoteiros ensinam esse tipo de coisa, não é? — ela perguntou por fim, apenas para quebrar o silêncio. — Por quanto tempo você fez parte do grupo de escoteiros?

— Minha vida toda, desde os escoteiros mirins até os escoteiros do exército. Era divertido, e toda a experiência anterior se mostrou útil quando tive de estudar técnicas de fuga e evasão para o caso de meu avião ser derrubado.

— Derrubado? — Ela olhou para ele. — Pensei que você pilotasse um avião-tanque.

— E eu pilotava um desses, mesmo. Mas isso não quer dizer que um inimigo não pudesse enviar um míssel em minha direção se tivesse a chance. Pense bem. Se derrubar um avião-tanque, muitos soldados não poderão voar. É por isso que um avião-tanque não fica lá em cima sozinho.

Ela sentiu um aperto no peito ao pensar em um míssil acertando um avião-tanque. Qual era a possibilidade de alguém sobreviver a uma explosão desse porte?

Ela também havia pensado que pilotar um avião-tanque era um dos trabalhos mais seguros para um piloto. Agora, via que era como se sentar diante de uma enorme lata com gasolina, com idiotas jogando palitos de fósforos nela. Como as esposas dos soldados aguentavam tamanho estresse? E exatamente que tipo de maluca era a ex-esposa de Cam para não suportar quando ele *saiu* da aeronáutica?

Sem saber no que ela estava pensando, ele enfiou o dedo no chá e rapidamente o tirou. — Acho que já está quente o suficiente — ele disse. Ela passou a ele a tampa do frasco de desodorante e ele rapidamente o enfiou no líquido quente, tirando-o cheio pela metade, e o passou a ela com cuidado.

Cuidadosamente, ela tomou um gole. O gosto era o que esperava: um pouco amargo. Não se importou. O calor ótimo, maravilhoso e bem-vindo se espalhou por seu corpo conforme ela engoliu e ela fechou os olhos, feliz. — Minha nossa! Isso dá uma sensação boa — ela gemeu. Tomou mais um gole e entregou a tampa a ele. — Experimente.

— Percebi que você disse que a "sensação" era boa, e não o gosto — ele disse ao pegar a tampa e beber. Ela viu a experiência de prazer que pensou que veria no rosto dele. Ele envolveu a tampa com os dedos para sentir o plástico aquecido e suspirou: — Você estava certíssima.

Colocou mais líquido na tampa e eles o dividiram. — Um brinde aos escoteiros mirins — ela disse, erguendo a tampa em sinal de brinde antes de passá-la a ele.

Mais aquecidos do que tinham se sentido em quatro dias e com a fome temporariamente saciada, eles se sentaram e observaram o sol se pôr. Nada em relação àquilo parecia incomum, ela percebeu. Ela se acostumara, não apenas à altitude, mas também a ele, e a estar sozinha com ele. Televisão, shopping, fazer pesquisas de mercado em seu computador... tudo parecia pertencer a outro mundo, outra vida. A vida, repentinamente, se resumira ao básico: comida e abrigo.

— Eu poderia dizer que conseguiria me acostumar com isso — ela comentou. — Mas estaria mentindo.

Ele esboçou um sorriso. — Você acha que nunca vai gostar de ficar ao ar livre?

— Dá para ficar, desde que seja em pequenas doses, como fazer rafting nas férias. Mas eu quero muito comida, quero uma barraca, quero um saco de dormir. Quero poder ir embora quando ficar cansada de tudo. Essa coisa de sobrevivência é para os pássaros.

— Era divertido quando eu era criança, mas eu nunca passei frio de congelar, nunca levei uma pancada na cabeça e ninguém nunca praticou costura em minha cabeça... sem anestesia.

Ela olhou para ele rapidamente. — Você não gritou — ela disse.

— Isso não quer dizer que eu recomendaria aquilo a alguém.

A bandagem enrolada na cabeça dele estava suja, mas com sorte era um sinal de que havia impedido que sujeiras entrassem no corte. Ele não tinha febre, o que significava que não havia infecção. De modo geral, ela sentia orgulho da maneira como havia cuidado dele.

Ele esticou o braço e tocou a bandagem. — Acha que eu posso tirar isto agora?

Ela deu de ombros. — Tem mantido sua cabeça aquecida.

— E também tem me atrapalhado demais. Posso enrolar outra coisa em minha cabeça. Por enquanto, uma bandagem menor vai servir.

Como ela concordou, ele retirou a bandagem e também as gazes que cobriam o ferimento. O inchaço já havia desaparecido, e embora ele tivesse um grande hematoma na testa e o corte costurado lembrasse o de Frankenstein, ele parecia estar se curando bem. Ela tirou um dos lenços umedecidos do pacote e começou a limpar o ferimento, tentando remover o sangue seco. Ele tolerou os cuidados dela por cerca de um minuto. — Me dê isto — ele disse, resmungando de modo impaciente, pegando o lenço da mão dela e esfregando com força entre seus cabelos.

— Está coçando, não é?

— Pra cacete. — O lenço saiu vermelho por causa do sangue que havia secado em seu cabelo. A maior parte havia sido retirada pelo enxaguante bucal que ela derramara sobre a cabeça dele, mas obviamente nem tudo. Ele usou outro lenço para ter a certeza de que havia tirado tudo, sua cabeça ficou muito úmida quando terminou, e precisou usar uma camisa de flanela para secar os cabelos antes de eles congelarem. Bailey pegou os itens de primeiros socorros, mas ele balançou a cabeça. — Deixe assim até amanhã de manhã. Vai ficar tudo certo esta noite.

Eles terminaram o chá e ele usou um graveto para tirar a caixa de primeiros socorros de cima das pedras quentes. Ela teve uma ideia. Pegou outra camisa, usou-a para segurar a caixa e rapidamente enrolou o tecido nela.

— As pessoas costumavam esquentar tijolos e enrolá-los em flanela, para colocá-los entre os lençóis e aquecer a cama — ela disse ao entrar no abrigo com seu aquecedor improvisado. Eles haviam colocado todas as peças sobressalentes que usavam como cobertor no abrigo e ela rapidamente arrumou tudo em camadas que os mantinham mais aquecidos, colocando o bloco aquecido no meio.

Ela passara as noites anteriores dormindo de botas, mas resolveu tirá-las, suspirando de alívio ao flexionar os pés e tornozelos. O calor imediatamente começou a passar pelos dois pares de meias que ela usava.

Cam entrou atrás dela. Ao ver o que ela fizera, ele riu e começou a arrancar suas proteções de couro, tirando os sapatos junto. Seu ombro bateu no dela ao se sentar a seu lado, recostando-se na rocha atrás deles, e seus pés se aninharam.

Os batimentos cardíacos dela aumentaram. A conversa entre eles era trivial, mas, por baixo da superfície calma, ela tinha consciência do desejo constante. Quando seus dedos se tocaram na hora de passar a tampa de um ao outro, ou quando ela tocara o rosto dele ao tirar as bandagens, ela havia estremecido com a necessidade de sentir mais. Queria que eles entrelaçassem seus dedos; queria colocar as mãos no rosto dele e sentir a força sob a pele. Queria sentir os braços dele envolvendo-a, puxando-a para perto e contra seu corpo, como fazia à noite.

Ela havia passado a vida toda sentindo-se bem segura, e não percebera isso até dormir nos braços dele. Não fazia sentido que se sentisse assim com ele, porque nunca estivera em tamanho perigo, mas estava acontecendo. Ela se *encaixava* com ele, como duas peças de um quebra-cabeça.

— Devemos dormir um pouco — ele disse, observando atentamente todas as reações dela. — Tivemos um dia cansativo.

O sol havia se posto e a escuridão total estava rapidamente chegando. *Logo*, ela pensou ao se esticar e se aninhar embaixo das roupas. Ele calçou os sapatos para sair e alimentar a fogueira, depois voltou para se deitar ao lado dela. Seu braço caiu pesado sobre a cintura dela e ele a puxou para si, virando-a de modo que seu rosto ficasse aconchegado contra seu pescoço. Ele tinha o cheiro dos lenços de *Aloe vera*, e de fumaça, e de homem.

Ele colocou a mão embaixo de todas as blusas que ela vestia, aconchegou o seio, passou a lateral de seu polegar sobre o mamilo e fez com que ele se enrijecesse. Ela suspirou. Pretendia se manter calma, mas não teria como. Seu coração batia com tanta força que mal conseguia respirar. Isso não devia significar tanto. *Ele* não devia significar tanto. Infelizmente, o que devia ou não acontecer não tinha relação com o que estava acontecendo.

Ele a beijou, sua boca leve sobre a dela. Ela estava tão nervosa que por um momento não conseguiu relaxar, não conseguiu reagir. Quando ela estava começando a se entregar, a responder à pressão dos lábios dele, ele lhe deu um beijo na cabeça. — Boa-noite.

Boa-noite?

Boa-noite! Ela se remexeu, sem acreditar. Ela havia se preocupado e esperado ansiosamente, e agora ele queria *dormir*?

— Não! — ela protestou, com a incredulidade explícita em sua voz.

— Sim. — Ele a beijou de novo, com a mão ainda em seu seio. — Você está cansada. Eu estou cansado. Durma.

— Quem foi que morreu e colocou você no controle? — ela quis saber. Que ótimo, ela estava começando a agir como uma adolescente. Era a segunda vez em um dia que ele destruía suas intenções; logo ela, que não deixava nada abalar sua vida. Sempre tomara muito cuidado para não permitir que uma pessoa fosse muito importante para ela, exatamente por esse motivo...

Ficou parada enquanto desistia de sua indignação, já que não estava dando certo. Podia pensar e tentar o quanto quisesse, mas estaria perdendo tempo e energia. Seria possível que tivesse se apaixonado por ele em apenas quatro dias? Como ele dissera, o tempo que passaram juntos era o equivalente a 19 ou vinte encontros. Logicamente, ele tinha razão.

Aquilo era amor. Era sobre o que as pessoas conversavam, aquela explosão dolorosa, alegre, triste, confusa de sentimentos que não reagiam à razão. Era como estar embriagado sem os efeitos que deixavam o raciocínio lento. Era sentir-se impotente e forte ao mesmo tempo, como se não pudesse caber dentro de si.

Ele não respondeu aos protestos dela; apenas a beijou na testa como se compreendesse o transtorno pelo qual ela passava. Bem, e como não entenderia? Ele já tinha se apaixonado. Tinha experiência. Talvez, com bastante experiência, ela não se pegaria agindo como uma tola, mas esperava nunca se sentir daquele jeito de novo. Uma vez era o suficiente. Se não desse certo, entraria para um convento ou se mudaria para a Flórida, onde estaria cercada por idosos com idade para ser seus pais e não voltaria a se sentir tentada.

Ela tirou a mão dele de seu seio e a afastou. — Se não vamos fazer sexo, então mantenha as mãos longe de mim. — Perceber que provavelmente estava apaixonada por ele só a deixava mais irritada. Além disso, perceber que estava prestes a ter um acesso de frescura adolescente era humilhante. De jeito nenhum imploraria por sexo. De jeito nenhum cederia, nem mesmo se *ele* implorasse. Queria bater nele. Queria agarrar seu pênis e torcer. Assim, ele aprenderia uma lição. Em vez de chamar seu órgão de Velho Charlie, teria de chamá-lo de Charlie Enrolado.

Ela percebeu que ele tremia, só um pouco, e sentia a respiração dele. O safado estava rindo, apesar de ter tido o bom-senso de esconder.

Bailey virou de costas para ele, sua raiva aumentada pelo simples fato de não poder se mexer sem tocá-lo. Eles *tinham* de se tocar, tinham de se deitar juntos, tinham de dividir o calor.

Apenas para mostrar que ele não tinha importância, ela dormiria. E esperava roncar.

A tentação a perturbou. Ela queria matá-lo. Queria estrangulá-lo. Que inferno — isso só podia ser amor.

Gostaria de estar doente. Assim, pelo menos, aquilo seria curável.

Até conseguir se acalmar, ela levou cerca de meia hora, tempo em que sentiu que ele estava acordado e observando, atento a cada respiração dela. Como ele ousava se preocupar com ela? Se estivesse mesmo tão preocupado, teria dado o que ela queria.

Foi uma prova de sua força de vontade o fato de ela ter adormecido.

30

Bailey acordou sentindo o prazer da mão dele, quente e firme, movendo-se de um seio a outro, massageando e acariciando. Não se sentiu confusa; percebeu que era ele imediatamente, sabia que era ele quem a segurava com tanta segurança. Delicadamente, puxou e apertou seus mamilos, com a mão fazendo um movimento lento e certeiro ao deixá-los firmes. O prazer se espalhava por seus seios de modo lento, fluindo em seu corpo, começando a despertar o calor e a intensidade do desejo.

Ela ficou levemente entorpecida pelo prazer e pelo sono. Se quisesse mais, só teria de fazer um movimento para trás, para atiçar a ereção dele, que se fazia sentir em seu corpo. Um simples convite era tudo de que precisaria...

Ela abriu os olhos quando se lembrou.

— Coloque essa droga longe de mim — ela disse, afastando-se e tentando se livrar das pesadas camadas de roupa, além do braço dele, que a prendia. Se ele achava que podia acender seu fogo e depois se afastar, e que ela aceitaria isso, estava redondamente enganado.

Ele se deitou de costas, rindo tanto que ela achou que ele fosse engasgar. Pensou em ajudá-lo a engasgar. Por fim, conseguiu deitar-se de bruços e se apoiar nos cotovelos. Olhou para ele através da cortina de cabelos que cobria seu rosto. Ele devia ter saído para aumentar o fogo, embora ela não tivesse percebido. A luz da fogueira estava forte, refletindo na pedra atrás dele e iluminando suficientemente bem o abrigo, a ponto de ela conseguir vê-lo enquanto ele punha as mãos na barriga e ria sem parar. Ela esperou até ele ver que ela não estava achando nada daquilo engraçado.

— Não posso tirar meu pênis e colocá-lo no bolso enquanto não o estiver usando — ele conseguiu dizer, secando as lágrimas dos olhos.

— Não me importa onde você vai colocá-lo — ela disse. — Apenas pare de cutucar-me com ele.

— Eu ia perguntar se você está com um humor melhor do que estava quando foi dormir, mas logo de cara posso ver que não. — Ele ainda estava sorrindo quando se virou de lado de novo, encolhendo o braço forte embaixo da cabeça e esticando o outro para envolver a cintura dela e colocá-la de novo na posição de antes. Ela ficou rígida, descontente com a situação, apesar de saber que eles tinham de dormir naquela posição. A única alternativa seria deitar de frente para ele, o que ela não queria fazer, ou então podia ficar atrás dele, o que também não queria. As coxas dele escorregaram contra as dela, as costas dela ficaram contra o peito dele e o calor corporal dele mais uma vez a cercou... e o volume na calça dele mais uma vez ficou aconchegado em suas nádegas.

Ele passou a mão por uma mecha de cabelo do rosto dela e, irritada, ela afastou a cabeça do toque dele. — Estou tentando acordar você há mais de meia hora — ele murmurou.

— Não sei por quê. Você queria que eu dormisse; eu estava dormindo. Agora pode me deixar em paz.

Ele a abraçou com mais força. — Eu estava tentando ter consideração. Você estava tão nervosa que não teria se divertido — ele explicou.

Os lábios dela se contraíram. — Como sabe? Não me deu a chance.

— Não fazia sentido *arriscar*. Você ficou muito tensa à tarde. Não sei o que a estava incomodando, mas poderia esperar até você estar pronta para conversar sobre isso ou até conseguir resolver esses problemas consigo mesma.

— Pare de tentar ser tão compreensivo — ela disse, de mau humor. — Não combina com você. — Mas ela não o afastou quando ele a abraçou ainda mais perto de seu corpo.

— Então, está pronta para falar sobre isso?

— Não.

— Conseguiu resolver a questão, independentemente de qual seja?

— Não! Já pedi para me deixar em paz. Quero dormir. — Ela não estava nem um pouco sonolenta, mas ele não precisava saber disso.

Ele afastou o cabelo dela e acariciou sua nuca, com seus lábios e respiração fortes em sua pele. — Sei que não é fácil para você confiar em alguém — ele disse e o movimento de seus lábios era um carinho suave. — Você gosta de ficar sozinha.

Não, ela não gostava. Apenas se sentia mais *confortável* sozinha. Havia uma diferença.

— É arriscado importar-se com alguém — ele continuou naquele tom suave, um pouco mais que um sussurro. Sua voz era como um calmante. — E você não gosta de se arriscar. Mantém as pessoas distantes porque sabe que é sensível, e o melhor modo de se proteger é não deixar ninguém se aproximar.

Ela sentiu um leve choque, que lhe causou certo pânico.

— Não sou sensível. — Ela agia com calma e distância porque era uma pessoa calma e distante. Não chorava porque não era chorona. Não era sensível.

— Você é sensível — ele repetiu. — Pensa que eu não me lembro de você conversando comigo, depois do acidente, quando ainda pensava que eu era um idiota? Sua voz estava muito delicada, parecia que você conversava com um bebê. Você foi carinhosa.

— Não fui. — Será que tinha sido?

— Sim, foi.

Talvez tivesse sido carinhosa. — Não me lembro — ela resmungou. — Mas, se fiz isso, foi porque estava agradecendo.

— Até parece. Você teria me tirado do avião porque se sentia grata. Não teria quase se matado tentando cuidar de mim. Não teria me dado sua peça de roupa mais quente quando estava tremendo e obviamente precisando dela.

Ela suspirou: — Levo a gratidão a sério.

— Claro. Acho que você é um docinho de coco — ele repetiu a frase ao escorregar a mão pelo braço dela, passando pela cintura, indo parar embaixo de suas blusas, onde ficou apoiada em sua barriga. As pontas ásperas de seus dedos faziam pequenos círculos na pele macia. — Mas eu gosto do sabor de um docinho de coco. — Os lábios dele passaram da nuca até onde começava a curva de seu ombro e ele, delicadamente, apertou o músculo com os dentes, mordendo levemente.

O corpo todo de Bailey ficou tenso. A onda de desejo foi tão repentina e intensa que ela jogou a cabeça para trás, arqueando a coluna.

— Gosto de morder um docinho de coco. — Ele passou a língua onde havia mordido, depois voltou a apertar enquanto sua mão subia para os seios dela e imitava o movimento com seus mamilos.

De repente, o coração dela estava batendo com força, sua respiração estava ofegante, e ela sentiu um latejar entre as pernas.

Nunca antes ela havia se excitado com tanta rapidez e tamanha intensidade, mas seu corpo já estava acostumado ao toque dele. Aquela era a quarta noite em que dormia em seus braços. Ele a beijara, tocara. Seu corpo estava pronto muito antes de sua mente se acostumar com a ideia.

Com um movimento rápido, ele escorregou a mão pela barriga dela de novo, passou os dedos por baixo do elástico da cintura de sua calça de moletom. O calor da palma de sua mão afastou o frio das nádegas dela conforme sua mão descia, depois subia. Quando ele fez o caminho oposto, ela sentiu o puxão em sua calça, sentiu que ela estava sendo despida.

Ela estava tão tensa que chegava a tremer, mas era uma tensão muito diferente do que já tinha sentido. Apesar de ainda estar vestida, exceto pelas nádegas, ainda coberta com todas as camadas de proteção, aquela parte dela se sentia totalmente nua, as dobras úmidas entre suas pernas expostas e vulneráveis.

Ele foi diretamente ali, para o centro dela. Seus dedos firmes e compridos se aventuraram pela área, encontraram-na, abriram-na.

— Também gosto de pêssegos — ele sussurrou ao introduzir os dedos nela. — Apetitosos e aquecidos pelo sol. Coloque as pernas um pouco para cima, querida. Assim.

Ele brincou com ela, o movimento lento de sua mão passando pelas terminações nervosas extremamente sensíveis, fazendo com que elas despertassem. Ela controlou um gemido conforme os movimentos continuavam, deixando-a maluca e fazendo com que se deliciasse. Então os dedos dele saíram dela, saíram de seu corpo, deixando-a ofegante e trêmula, tomada pelo desejo. Ela ficou deitada, sem se mexer, paralisada de ansiedade, seus olhos fechados ao escutar o zíper sendo abaixado, um som breve quando ele abriu uma embalagem de preservativo e o colocou, depois ajustou a posição um pouco e se encostou nela.

Ela prendeu a respiração, tomada pela agonia de suspense enquanto esperava. Ergueu o braço para alcançar atrás e tocar o rosto dele, escorregando a mão para a nuca.

Lentamente, muito lentamente, ele empurrou... apenas um pouco, e se afastou. O corpo dela mal tinha começado a ceder, abrindo-se a ele. Ela esperou, e ele voltou, com um movimento de balançar que aplicava pressão suficiente para começar a penetrá-la e se afastou de novo.

— Cam... — ela sussurrou o nome dele, o som flutuando na escuridão. O ar estava frio, mas eles estavam aconchegados no abrigo, aconchegados, com o calor queimando entre eles nos pontos em que seus corpos nus se tocavam. Ela disse o nome dele, apenas o nome, nada mais era preciso.

Ele a tomou de novo. A palma de sua mão acariciou a barriga dela, abraçando-a, segurando-a enquanto aplicava pressão e a mantinha. Mais uma vez, ela sentiu seu corpo se umedecer, abrir. O desejo de penetrá-la, de apressar o processo, era quase irresistível, mas o que ele estava fazendo era delicioso demais para parar. Ela escutou um gemido, sabia que era seu, mas, mesmo assim, ficou parada.

Nunca estivera tão consciente de seu corpo, ou da realidade do ato sexual. A cabeça grossa do pênis dele simplesmente pressionou, exigindo entrar, e lentamente o corpo dela cedeu até de repente se entregar por completo e ela se alongar contra ele, quando ele a penetrou.

Ele não foi mais fundo, manteve-se ali enquanto ela estremecia e tremia, acostumando-se com o calor da invasão. Ela ficou surpresa com a intensidade da sensação, que beirava a dor. Há muito tempo ela não fazia isso e esperava que sentiria um pouco de desconforto, mas não aquela sensação de choque, de grande arrepio.

Com o mesmo movimento lento e agonizantemente gradual, ele saiu dela. Seu corpo o soltou de modo tão relutante quanto o aceitara; os músculos internos se contraíram, tentando segurá-lo. Ele suspirou ao sair dela.

— O que está fazendo? — ela perguntou protestando.

— Brincando — ele disse de modo grave, o som quase gutural. Mais uma vez, o quadril dele pressionou, o corpo dela cedeu, e ele posicionou o pênis nela antes de se afastar. Várias vezes ela aceitou essa leve penetração até ele estar entrando e saindo dela com facilidade, até o corpo dela estar queimando de desejo e sua mente estar tão confusa a ponto de ela não perceber nada além dele, não querer nada além dele. Vagamente, percebeu que ele estava tremendo também, pelo esforço que fazia para se controlar, sua respiração estava ofegante, e ele emitia sons baixos e graves a cada pequena penetração. Ela ficou feliz por ele também estar sofrendo. Queria gozar, desesperadamente precisava gozar, mas a posição na qual estavam impedia. Ela queria ficar com as pernas ao redor de seus quadris. Se ela não pudesse ter o que queria, era justo que ele também não tivesse.

Ela não soube quanto tempo se passou até que a "brincadeira" se tornou insuportável. Ele saiu dela e a virou de frente para si, puxando a calça dela com força para tirá-la. Ela tentou ajudar, remexendo-se em um esforço para alcançar a peça, e conseguiu tirar uma das pernas antes de ele ficar sobre ela, colocando as pernas entre as dela e abrindo-as antes de penetrá-la com apenas um movimento.

Bailey envolveu o corpo dele com as pernas, apertou as nádegas dele com as mãos e o empurrou para dentro dela com o máximo de força que conseguiu, gozando com a primeira penetração, arqueando as costas e gemendo sem parar. Ele continuou os movimentos e, quando ela estava começando a se soltar, com o corpo relaxado, ele começou a alcançar o clímax.

Ela se sentiu quase como se eles tivessem caído de novo.

Ela perdeu a noção da realidade, recobrando-a antes de perdê-la de novo. Seu coração batia acelerado, com um estranho ruído que ela aos poucos reconheceu como os saltos do coração dele. O peito dele subia e descia conforme ele se esforçava para respirar.

O calor surgiu dos corpos de ambos em ondas e, apesar de ela estar seminua e de certo modo totalmente descoberta, não estava com frio. Pensou que talvez nunca mais sentisse frio.

— Caramba — ele disse por fim, exaurido.

A mão dela ficou solta por um momento, até ela conseguir bater no ombro dele.

Com esforço, ele saiu de cima dela e caiu a seu lado, puxando algumas das peças que haviam sido jogadas para o lado até conseguir tirar uma ou duas delas de cima de seus corpos.

— Não durma — ele disse, apesar de parecer estar meio sonolento. — Precisamos arrumar isto... vestir você... eu preciso ver a fogueira... — Sua voz falhou.

Depois de um instante, ele disse um palavrão e sentou-se. — E, se eu não fizer isso agora, vou acabar dormindo. — Ele tirou o preservativo e se limpou, depois passou alguns segundos arrumando-se antes de sair para checar a fogueira.

Aquele era o lado bom dos preservativos, Bailey pensou, sonolenta: ela não tinha de limpar nada. Só precisava dormir.

Uma onda de ar frio tomou seu corpo e ela resmungou. Estava claro que sentiria frio de novo. Sentando-se, ela conseguiu ajeitar a calça, vesti-la e começou a arrumar a desorganização das peças de roupa. Cam voltou para o abrigo, com os ombros largos bloqueando por um momento a luz da fogueira. Ele a ajudou a se posicionar, depois se deitou ao lado dela e arrumou a última camada de roupas sobre eles antes de se deitar de costas e puxá-la para mais perto dele.

Ela aconchegou a cabeça sobre o ombro dele, a posição confortável de antes, como se dormissem juntos havia anos. Ela se sentiu um pouco sonolenta... não, *muito* sonolenta. E relaxou. E descansou. Talvez se sentisse um pouco dolorida. Mas, acima de tudo, tinha a sensação de que eles se encaixavam de um modo assustador, porque tudo era muito perfeito.

31

Logan Tillman, o irmão de Bailey, apareceu no escritório da J&L na manhã do quinto dia. Bret soube quem ele era imediatamente, antes mesmo de ele se apresentar. Ele e Bailey não eram parecidos — Logan era mais alto, seu cabelo, mais escuro, seus olhos, mais azuis. Mas havia semelhança na expressão que mostrava que eles eram da mesma família, certa reserva. O rosto dele estava tomado de tristeza, assim como o da mulher alta e sardenta que estava ao seu lado.

— Sou o irmão de Bailey, Logan Tillman — ele disse apresentando-se a Karen. — Esta é minha esposa, Peaches. Eu... não consegui mais ficar em Denver, sem contato, sem notícias. Preferimos ficar aqui. Tem *alguma notícia*?

Bret saiu de seu escritório para apertar a mão deles. — Não, nada. Sinto muito — ele disse, tão triste quanto eles; havia dormido muito pouco desde a queda do avião de Cam. Apesar disso, havia começado a voar de novo, porque o negócio precisava continuar funcionando.

Financeiramente, ele estava em uma situação difícil, algo que nunca previra quando ele e Cam formaram a parceria. Eles haviam feito a coisa certa, colocado as aeronaves no seguro, e feito seguros para ambos, para que o negócio continuasse se alguma coisa acontecesse a um deles, mas não haviam pensado na demora da seguradora para liberar o dinheiro.

Apesar de o avião de Cam ter desaparecido do radar em um terreno extremamente ruim — o que significava que ele havia caído —, apesar de os destroços não terem sido encontrados, a empresa ainda o considerava vivo, e continuaria assim até que os restos fossem encontrados ou um tribunal o declarasse morto. A dura realidade era que Bret estava sem um avião e sem um piloto e, assim, menos dinheiro estava entrando. Ele ficava acordado à noite, preocupando-se com as contas que estavam vencendo. E não conseguia acreditar que eles — ele — tinham sido tão mal preparados. Teria de contratar outro piloto, é claro, mas encontrar alguém que tivesse qualificações parecidas com as de Cam levaria algum tempo.

Ele percebeu que Karen estava olhando para ele com um daqueles olhares que prometiam castigos se ele não fizesse o que ela queria. Ele suspirou. Ela estava esperando que ele contasse ao irmão de Bailey sobre a discrepância envolvendo o combustível.

Ela tinha razão; Logan precisava saber. Bret não queria ter de contar a ele, mas não teve escolha.

— Vamos para o meu escritório — ele disse. — Aceitam um café?

Peaches olhou para o marido de modo preocupado, como se avaliasse se ele precisava ou não de um pouco de cafeína. — Sim, por favor — ela disse, segurando a mão de Logan. Ele apertou a mão dela em retribuição e conseguiu esboçar um sorriso.

Bret os levou para seu escritório e pediu que se sentassem nas duas cadeiras para visitantes. — Como preferem o café?

— Leite em um e o outro puro — Peaches respondeu. A voz dela era como a de Sininho, leve e rápida. Bret havia conversado muito com Bailey nas vezes em que pilotara para ela, e se lembrou de quanto ela gostava de sua cunhada. Logan parecia ser o único familiar com quem ela mantinha contato; era o único que já mencionara.

A dor deles era tão grande que estava em seus rostos. Ele precisava sair dali. — Vou buscar o café — disse rapidamente e saiu para encontrar Karen, que já estava preparando o café, porque, é claro, estava escutando a conversa. Ela lançou a ele um olhar rápido e pungente, tentando compreender sua expressão.

— Engula o choro, chefe — ela disse e olhou para ele com seriedade. Nada de ajuda, porque qualquer pessoa que esperasse compreensão de Karen Kaminski não conseguiria encontrar. Ele percebeu que ela havia tingido o cabelo de novo; antes, havia algumas mechas pretas no cabelo ruivo, mas agora seu cabelo estava mais preto do que ruivo. Ele se perguntou se essa seria a maneira que ela encontrara de ficar de luto.

Ela pegara uma pequena bandeja de algum lugar e colocara três xícaras sobre ela, alguns sachês de leite, misturadores e serviu o café. Silenciosamente, Bret ergueu a bandeja e a carregou para dentro de seu escritório, onde a colocou sobre a mesa.

Logan se inclinou para a frente, pegou uma xícara de café puro e a entregou à sua esposa. Bret observou enquanto colocava leite no próprio café, e se lembrou de que era assim que Bailey tomava o seu. A lembrança foi repentina e, inesperadamente, dolorosa. Centenas de vezes ao dia ele sentia vontade de contar alguma coisa a Cam, mas não era de surpreender, levando em conta o tempo de amizade e de parceria que tinham. Apesar de seus encontros com Bailey terem sido casuais e esporádicos, ele gostava dela. Quando ela estava relaxada, era engraçada e sarcástica, e não levava a si mesma a sério.

Cam não gostava nem um pouco dela e a recíproca tinha sido verdadeira. Era irônico o fato de eles terem morrido juntos.

Bret pegou sua xícara e ficou em pé, de costas para ele, olhando pela janela, enquanto se esforçava para manter sua expressão sob controle.

— Existe uma discrepância nos registros do combustível — ele disse finalmente, com o tom de voz baixo e direto.

Houve uma pausa, uma total ausência de sons.

— O que está dizendo? — Logan perguntou cuidadosamente. — Que tipo de discrepância?

— O avião não tinha combustível suficiente. Tinha menos da metade do que era preciso para chegar a Salt Lake City, onde seria reabastecido.

— Que tipo de piloto decolaria sem combustível suficiente? E por que ele não pousou em algum lugar para abastecer? — Logan parecia irritado, e Bret sabia como ele se sentia. Ele virou-se e encarou o irmão de Bailey.

— Respondendo à sua primeira pergunta — ele disse lentamente —, um piloto que pensava ter combustível suficiente, porque o indicador mostrava que o tanque estava cheio. Essa também é a resposta para a sua segunda pergunta.

— E como ele não saberia? Está me dizendo que a bomba de combustível do avião de vocês estava com defeito? Como pode saber disso se os destroços não foram encontrados?

Logan era esperto, Bret admitia. Compreendeu imediatamente sobre o que Bret estava falando e fazia as perguntas certas.

– Os tanques do avião estavam quase vazios quando ele aterrissou no dia anterior. Mas, quando foi reabastecido aquela manhã, recebeu apenas 147 litros, que é menos da metade do que apenas uma das asas poderia comportar.

— Então o cara que estava fazendo o reabastecimento errou, mas isso não explica por que a válvula de combustível estava com defeito. — Logan estava ficando irritado: isso estava claro no aumento da impaciência em seu tom de voz.

— Não disse nada sobre a válvula estar com defeito — Bret disse com o mesmo cuidado com que Logan havia falado um momento antes. — Não acho que estivesse.

— Então...

— Existem maneiras — ele continuou, ainda tomando cuidado com a escolha das palavras — de fazer um tanque de combustível parecer cheio quando não está.

O silêncio se fez de novo. Logan e Peaches se entreolharam e, então, ele franziu a testa e disse: — Quando conversamos ao telefone, eu contei o que Tamzin disse e você desconsiderou. Está me dizendo que existe a possibilidade de ter ocorrido sabotagem?

— Não sei. Até que o local do acidente seja descoberto, tudo não passará de hipótese. — Demonstrando cansaço, ele coçou a testa. — Mas nada mais faz sentido. Cam era o piloto mais cuidadoso que já conheci. Ele verificava e reverificava; não deixava nada passar quando o assunto era voar. Não haveria como ele *não ter* percebido se o indicador do tanque indicasse que eles estavam quase vazios.

— Seria muito difícil sabotar um indicador?

— Nada difícil — Bret admitiu. — E não foi o indicador que sofreu sabotagem, mas, sim, os tanques. Eles podem parecer cheios quando, na verdade, não estão.

— Vocês avisaram às autoridades sobre isso? — Logan perguntou. — E sobre o que Tamzin disse?

Bret balançou a cabeça, negando. — Sem provas, sem encontrar os destroços, nada pode ser feito.

— Certamente deve haver fitas de segurança. Isto aqui é um aeroporto, pelo amor de Deus!

— Um aeroporto muito pequeno, sem voos comerciais. Mas, sim, existem fitas de segurança.

— E?

— E a empresa de segurança não quer liberá-las sem uma ordem judicial. O investigador do Órgão de Segurança do Transporte Nacional, MaGuire, está pressionando, mas ainda não conseguiu nada.

— E por que eles não querem colaborar? — Pálido e agitado, Logan levantou-se e caminhou pela sala.

— Medo de um processo, provavelmente. Poderia ser apenas a política deles, e algumas pessoas se prendem tanto a uma política como se não vivessem sem ela.

— Mas a polícia não chamou Seth Wingate para interrogá-lo? Depois do que Tamzin disse?

— Alguém escutou o que Tamzin disse a você? — Bret perguntou. — Pode acreditar: todos sabem que ela não é muito estável. E Seth *é* um Wingate; não fez nada de bom na vida, mas continua sendo um Wingate, e isso tem muito peso.

— Bailey também carregava o nome — Logan disse com seriedade, e virou-se para esconder sua emoção. Com lágrimas marejando seus olhos, Peaches levantou-se e foi até ele, apoiando a cabeça nas costas do marido. Apenas isso, e ele se acalmou, virando-se para abraçá-la.

Bret não disse nada, não explicou que Bailey não era a pessoa mais popular que ele conhecia. Os círculos sociais dos quais os Wingate participavam haviam diminuído muito depois de seu marido morrer. As pessoas a viam como uma aproveitadora, alguém que tirou vantagem de um homem doente e de meia-idade que havia perdido a esposa e, logo depois, descoberto que estava morrendo. Depois de sua morte, Bailey permanecera vivendo na casa que, por direito, pertencia aos filhos dele e controlando a grande fortuna dos Wingate. Mas ele não diria nada disso ao irmão enlutado.

— Então não há nada a ser feito.

— Não no momento. Quando os destroços forem encontrados, se houver qualquer evidência de sabotagem, então a situação será diferente.

— *Se* os destroços forem encontrados.

— Eles serão — Bret disse com confiança. — Um dia serão encontrados.

Um dia. Isso era o problema. "Um dia" podia ser dali a dois dias ou dois anos, ou apenas no século seguinte. Até lá, era possível que o criminoso escapasse.

— Não consigo suportar isso — Logan disse naquela noite andando pelo quarto do hotel. Ele havia andado muito desde que recebera a notícia de que o avião em que Bailey estava havia desaparecido. — O registro de combustível sozinho deveria ser suficiente para convencer um juiz de que alguma coisa estava errada.

Peaches estava deitada encolhida na cama, a pele pálida sob suas sardas. Nenhum dos dois havia dormido ou se alimentado direito nos últimos dias. Não saber era o pior. E, ainda assim, eles sabiam pelo menos que Bailey estava morta.

Parecia especialmente cruel aceitar isso, e não poder encontrar o corpo. Ela deveria ter um enterro, deveria ter uma cerimônia que marcasse o fim de sua vida. Peaches resolvera não pensar no que acontecia com corpos ao ar livre, mas sabia que Logan havia pensado nisso, e estava arrasado.

A batida à porta do hotel assustou os dois, porque eles não tinham pedido serviço de quarto, preferindo encontrar um lugar mais barato no qual pudessem se alimentar. Depois de terem gasto tanto dinheiro na viagem cancelada, pela qual só receberiam parte de volta, e depois de terem de se hospedar em um hotel nos últimos dias, eles estavam começando a ficar preocupados com dinheiro.

— Provavelmente é Larsen — Logan disse, o que era lógico, uma vez que Bret sabia onde eles estavam hospedados. Mas era de estranhar o motivo pelo qual ele iria diretamente ao quarto, em vez de telefonar se quisesse falar com eles de novo.

Ele abriu a porta e ficou paralisado de susto. Percebendo sua linguagem corporal, Peaches levantou da cama e colocou-se ao lado dele, olhando surpresa para o homem alto e de cabelos pretos que estava ali. Ela não o reconheceu, mas podia adivinhar.

— Que diabos você quer? — Logan perguntou com tanta hostilidade que ela se assustou. — Como soube onde nos encontrar?

— Quero conversar. E encontrar vocês foi fácil. Perguntei. Vocês telefonaram para casa e disseram às pessoas onde poderiam ser encontrados. Só precisei dizer que havia perdido o seu número de telefone e que tinha notícias sobre o acidente.

— Não tenho nada para falar com você. — Ele fez um movimento para fechar a porta, mas Seth Wingate colocou a mão para bloqueá-la. Ele era um homem forte, com um rosto que poderia ser bonito se houvesse algo em sua expressão além de uma grande pobreza de espírito.

— Então apenas escute — ele disse de modo frio. — Não tive nada a ver com o acidente.

— Alguém teve — Logan disse com a mandíbula tensa e os olhos intensos. — Sua irmã disse que é perigoso se meter com você, que Bailey recebeu o que merecia.

— Minha irmã — Seth disse de modo muito tranquilo — é uma vaca de sangue-frio que pode estar armando para me derrubar.

Logan sentiu vontade de dar-lhe um soco na cara, mas se controlou. Peaches estava ali a seu lado e, apesar de ele não se importar em brigar, nunca faria isso se ela corresse o risco de se ferir.

— A lealdade entre irmãos que vocês têm é realmente muito tocante — ele disse.

Seth esboçou um sorriso amargo. — Você não conhece metade da história — ele disse. — Só queria dizer que não fiz nada. — Em seguida, ele se virou e se afastou, deixando Logan e Peaches observando da porta do quarto do hotel enquanto ele desaparecia no corredor.

32

Durante a última de suas buscas por pedaços de madeira para alimentar a fogueira, Cam encontrou a caixa de primeiros socorros entre as peças de roupa, desembrulhou-a e a levou para fora, para, mais uma vez, enchê-la de neve. A ideia de Bailey de usá-la como aquecedor de cama fez com que ele sorrisse; ela tinha um grande talento para ver a utilidade de um objeto além do uso comum a que ele se prestava e de adaptá-lo às suas necessidades. Se eles fossem forçados a ficar no local do acidente por muito mais tempo, ele não tinha dúvidas de que o abrigo seria transformado em uma tapera de barro, e ela construiria um moinho de vento com o metal e as peças do avião para acionar a bateria, para que pudessem ter todo o fogo que quisessem.

Depois de realimentar a fogueira, ele acomodou a caixa perto das pedras quentes. Ter alguma coisa quente para beber seria ótimo. Poder ficar deitado na cama o dia todo seria ainda melhor, mas, com a situação precária de alimentos, eles não tinham essa opção.

Ele esperou enquanto a neve dentro da caixa derretia, aproximando-a da fogueira o máximo que pôde, mas, ainda assim, tremia por causa dos ventos gelados. Depois de colocar mais neve na caixa, além de algumas folhas de pinha, ele entrou no abrigo para dormir por mais uma hora até que amanhecesse, para o início de mais um dia exaustivo.

Bailey não acordou, mas não havia acordado em nenhuma das vezes em que ele saíra para atiçar o fogo durante a noite. Ele se esticou ao lado dela e ela se aproximou dele como uma pombinha, aconchegando-se e ficando confortável, tudo sem acordar. Com sorte, o resto de suas noites seria passado daquela maneira, mas ele não estava deixando de valorizar os momentos. Só Deus sabia como ela dificultava todos os passos de um relacionamento. *Deixar as coisas fluírem* era um conceito desconhecido para ela, e a confiança emocional era algo que devia ser evitado.

Ele tinha trabalho também, desviando ou desarmando as minas da infância dela. O divórcio era difícil para todos, principalmente para os filhos, mas a personalidade de Bailey tornara a dificuldade ainda maior. Ela precisava de segurança de modo mais profundo do que a maioria das pessoas e passara a vida adulta cuidando para sentir o máximo de segurança. Se isso significasse não se importar com ninguém, que assim fosse.

Era melhor se acostumar, ele disse a si mesmo com alegria: seus dias de solteiro estavam terminados. Ele teria de se habituar com isso. Ela não toleraria que eles fossem apenas namorados, mas, ao mesmo tempo, entraria em pânico com a ideia de casar-se, de se comprometer de verdade. Ele não sabia como a convenceria a se arriscar, mas encontraria uma maneira e se divertiria muito no processo

* * *

— Aqui está seu café da manhã — Cam disse, acordando Bailey com um beijo e entregando a tampa do frasco de desodorante pela metade com chá de pinha.

— Hum café! — Sonolenta, ela se esforçou para se sentar, movendo-se de modo que conseguisse se recostar na pedra, e pegou a tampa dele. O primeiro gole foi maravilhoso, mas não por causa do gosto, e, sim, pelo calor, e pela consideração com o gesto. Ninguém nunca lhe havia preparado nada de manhã, era sempre ela quem se virava. Ela tomou mais um gole, depois ofereceu a tampa a ele.

— Está ótimo... feito com as melhores folhas de pinha cultivadas nos Estados Unidos.

Ele balançou a cabeça ao se sentar ao lado dela. — Já tomei um pouco. É todo seu.

O chá de pinha não tinha o mesmo sabor do café ou do chá, mas ela não estava reclamando. De modo geral, estava feliz por poder tomá-lo. Na verdade, estava ridiculamente feliz naquela manhã, ponto — o que era assustador. Ela afastou o pensamento para analisá-lo depois e disse: — E, então, o que temos programado para hoje? Compras, visitação a pontos turísticos e depois almoço?

— Pensei que podíamos fazer um passeio de apreciação da natureza nas montanhas. — Ele a abraçou na altura dos ombros e a manteve próxima de si enquanto colocava algumas das peças de roupa amarrotadas sobre suas pernas. Mesmo com a fogueira acesa do lado de fora, mesmo com a bebida quente, o ar ainda era gelado demais e o abrigo estava longe de ser totalmente protegido.

— Boa ideia.

— Precisamos nos esforçar hoje. — Ele parecia sério, e ela olhou para ele rapidamente. — Talvez possamos improvisar algumas cordas para descer de modo vertical, e para ganhar um pouco de tempo. Precisamos sair dessa camada de vento hoje, para conseguir manter o fogo.

Bailey não precisou perguntar o motivo. Os pinhões os manteriam em pé, mas eles precisavam de mais alimentos do que apenas alguns punhados de pinhões duas vezes ao dia. Eles não sabiam quantas vezes mais o líquido da bateria iniciaria o fogo antes de acabar, e as pinhas precisavam ser aquecidas para liberar os frutos com facilidade, o que, mesmo assim, era uma fonte de alimentos muito escassa. Aquele era o dia do viver ou morrer... ela esperava que não literalmente, mas existia essa possibilidade, desde o primeiro dia. Eles estavam em uma situação precária.

Depois de comer os pinhões, eles rapidamente guardaram suas coisas, apagaram a fogueira e partiram. Ela estava quase feliz por não haver a oportunidade de eles se aconchegarem, ou até de fazerem amor. A oferta do chá de pinha havia ultrapassado qualquer outro gesto de carinho que ele pudesse ter feito, e quanto a fazer mais sexo, bem, ela estava um pouco dolorida depois de tanta brincadeira, o que não era de surpreender, levando em conta o tempo que havia passado sem sexo.

Além disso, ela precisava de tempo para se acostumar com a ideia. Apesar de se adaptar com facilidade às circunstâncias, emocionalmente era muito menos flexível. Um dia de cansaço físico e nenhuma exigência a suas emoções era exatamente de que precisava.

O que era bom, porque foi exatamente o que ganhou. Cam seguiu em um passo firme, tão firme que ela ficou com muito medo por ele. Ele estava na frente, por isso, se pisasse em um ponto que parecesse sólido, mas que fosse apenas um banco de neve que se desfizesse sob sua pisada, ele cairia antes que ela pudesse reagir, puxando o trenó pesado para cima de seu corpo.

Aquela cena de repente era tão real que ela gritou: — Pare! — e, quando ele parou, ela correu para se colocar na frente. — Vou na frente — ela disse de modo brusco, colocando-se onde ele estava.

— Mas que mer...? Ei! — ele gritou atrás dela, franzindo a testa enquanto tentava alcançá-la.

— Você está puxando o trenó. Eu posso testar o solo.

Ele não gostou nem um pouco daquilo, mas, até conseguir alcançá-la, não havia muito o que pudesse fazer, já que estava puxando o trenó. Ela ajeitou as alças da mochila improvisada nos ombros e seguiu adiante.

Ela pegou um galho forte e comprido para furar o chão diante de si, apenas para ter certeza de que o chão estava mesmo ali, mas não diminuiu o passo. A possibilidade de ser resgatada naquela tarde ou no dia seguinte fazia com que ela continuasse. Deus, ela queria sair daquela montanha! Desenvolveu um ritmo, o toque do galho na neve era seguido pelo passo com seus sapatos de neve sobre a camada fofa. Os sons eram monótonos, ajudavam a aumentar o tédio, o que já era perigoso por si só. *Apoiar*, pisar, pisar, *apoiar*, pisar, pisar. Ela teve de se esforçar para prestar atenção.

Eles desceram montes que um dia antes teriam contornado. A maioria, ela não teria conseguido descer sem o cajado, e em todos eles era preciso retirar os sapatos de neve para conseguirem mais tração. Ela descia antes e Cam entregava o trenó a ela, cuidadosamente segurando a corda que ele havia improvisado com peças de roupas amarradas. Depois, ela segurava o trenó enquanto ele descia, e então ele pegava o trenó de novo.

Ele não pediu para liderar, mas o sistema atual, com ela testando o solo, estava indo tão bem que ele seria um tolo se insistisse em ir na frente. Se havia algo que Cam não era, ela pensou, era um tolo. Ele tinha um ego, mas também cérebro, e o cérebro comandava o resto. Ela gostava disso; não, na verdade, amava. Ela repetiu a palavra para si diversas vezes. *Amar, amar, amar*. Demorou um pouco para que se acostumasse, mas não se sentia tão assustada agora como se sentira antes.

Pouco antes do meio-dia, uma das alças de seu sapato de neve direito arrebentou. Soltou-se enquanto ela dava um passo e seguiu adiante, com um sapato calçado e o outro solto; apenas o fato de ter se apoiado no cajado a impediu de cair de rosto no chão. Assim, ela caiu com um joelho e rapidamente se ergueu. Ela abaixou a máscara do rosto e respirou profundamente. — Estou bem — ela disse quando Cam se aproximou, observando atentamente para ver se ela estava ferida antes de pegar seu sapato de neve.

— Posso arrumar isto — ele disse ao ver a alça arrebentada. — E precisamos parar um pouco mesmo.

Sentaram-se no trenó e respiraram profundamente enquanto passavam a garrafa de água entre si. Ele tirou a alça rasgada, substituindo-a com outra faixa de tecido cortada de outra peça de roupa. Naquele ritmo, pensou com bom humor, se eles não fossem resgatados logo, ela não teria mais roupas para usar como cobertor à noite.

— Fizemos o trajeto em um tempo bom — ele disse, olhando a seu redor. Estamos, provavelmente, um quilômetro e meio abaixo do que estávamos de manhã.

— Um quilômetro e meio — ela disse. — Pensei que fossem quase 10 quilômetros, pelo menos.

Ele sorriu. — Não tanto, mas essa distância é significativa. Não consegue ver a diferença no vento?

Ela levantou a cabeça. Agora que ele dissera, percebia a mudança, sim. As árvores não estavam chacoalhando tanto e, apesar de o vento estar frio, não tinha aquela sensação de gelo que vinham enfrentando desde o acidente. Além disso, por não terem conseguido descer diretamente, mas, sim, terem sido forçados a atravessar a montanha, agora pareciam estar seguindo para o leste, não mais contra o vento. A temperatura provavelmente era de apenas um grau ou dois a mais, porém a diferença na velocidade do vento fazia com que tudo parecesse mais agradável.

Até já estava de bom humor, mas agora sentia-se ainda mais animada. Ela olhou para ele e sorriu. — Talvez você finalmente consiga acender aquele sinal de fogo esta tarde, meu fiel escudeiro.

Ele resmungou e deu um leve beliscão em sua perna, depois terminou de prender a nova alça no sapato de neve. — Novinho em folha — ele disse, abaixando-se ao lado dela para prender a proteção à sua bota. — Está pronta para continuar?

— Prontíssima. — Estava com fome e cansada, mas tanto quanto ele, talvez menos, porque, com aquela grande massa muscular, talvez ele queimasse mais calorias do que ela, até mesmo parado. Aquele era o quinto dia e ela julgava ter perdido cerca de cinco quilos em decorrência do frio e da falta de comida, mas ele provavelmente perdera pelo menos uns sete. Sem qualquer alimento, começariam a perder as forças, por isso corriam contra o tempo para chegar a uma zona mais temperada. Esforçando-se tanto, estavam queimando mais calorias, sim, mas, se terminassem resgatados naquele mesmo dia ou, no máximo, no dia seguinte de manhã, então valia o esforço.

Quando ficaram em pé, Cam flexionou os ombros e os braços enquanto esperava por ela. Bailey só podia imaginar o esforço que ele estava fazendo, puxando aquele trenó pesado pelo terreno acidentado. Ela via o cansaço em seu rosto, na expressão de fadiga. Por quanto tempo mais ele conseguiria continuar?

Partiram de novo, usando o mesmo método de antes. Apesar de terem feito uma pausa, apesar de ela normalmente se exercitar, os músculos de suas pernas queimavam. Mas, se Cam podia continuar, então ela também podia.

Cam gritou e ela olhou para trás e o viu segurando a lateral do trenó; uma das bases havia saído por ter ficado presa em uma pedra e o trenó todo estava ameaçando tombar. A queda não seria muito grande, menos de dois metros, mas seria grande o bastante para estragar o trenó. Desajeitadamente, ela voltou, com o caminhar esquisito imposto pelos sapatos de neve, passou por ele e segurou a parte de trás do trenó. Fora feito de um modo que não havia como segurá-lo bem, por isso ela simplesmente segurou a beirada da base que havia saído e a empurrou de volta com toda a sua força. Escutou um barulho, mas não soltou, aplicando força enquanto Cam se esforçava, empurrando para a frente. Com o centro de gravidade do trenó consertado, estava pronto para ser usado de novo, e ela rapidamente soltou a base antes de seus dedos serem presos contra o chão.

Os pés dela deslisaram para a frente, e com um grunhido, rolou uma pequena ribanceira.

O tombo foi forte o bastante para que tivesse quebrado uma dúzia de ossos. Assim que pôde ficou de quatro. — Merda!!!

— Bailey!

O susto ficou evidente na voz grave de Cam e ela disse:

— Estou bem, não quebrei nada. — Porém ganhou mais uma adição à sua bela coleção de hematomas. Ficou em pé e bateu a neve das mãos e dos joelhos, depois olhou ao redor para encontrar a melhor maneira de retornar para onde ele estava. Infelizmente, teve de voltar pela direção oposta por cerca de 30 metros, escalando um montículo íngreme e difícil com pedras soltas que estavam escondidas embaixo da neve e tornavam a subida muito complicada. Ela estava ofegante quando conseguiu se aproximar dele.

Nenhum dos dois disse nada, porque não havia motivo para perder o fôlego com conversas sem importância. Ele estava bem, ela estava bem e o trenó também. Seguiram adiante.

Um pouco antes das cinco horas, ela parou, olhando com desânimo para a forma semicircular do penhasco que se abria a seus pés. As paredes eram verticais, de pedras, pontuadas aqui e ali por partes brancas nas quais a neve havia encontrado um ponto para ficar. Eles se haviam aproximado pela lateral do penhasco e por um período o caminho foi ficando cada vez mais íngreme, a ponto de, em alguns locais, ela ter precisado caminhar ao lado do trenó, segurando-o para evitar que escorregasse. Agora eles não podiam ir mais para a frente, a menos que quisessem que os últimos quilômetros do percurso fossem feitos em queda livre. À direita, o solo caía tanto que não havia maneira de eles descerem com o trenó. Para contornarem o penhasco, eles teriam de subir, uma subida íngreme que ela sabia que não poderia fazer, não agora. A única opção era voltar.

— Acredito que é aqui que faremos a fogueira — Cam disse, segurando o trenó contra uma grande pedra para que ele não escorregasse montanha abaixo. Decepcionado, ele tirou a máscara e secou o suor do rosto.

— Aqui? — Aquilo era ruim. Se não fossem resgatados, não havia um bom lugar ali para construir nem mesmo o mais rudimentar dos abrigos. Até mesmo as árvores eram relativamente esparsas na área, o que dificultaria a coleta de madeira. Ela suspirou; eles não tinham escolha. Aquele era o fim da trilha. — Aqui.

Ele alongou os músculos das costas, fez um movimento circular com a cabeça. Depois riu e disse: — Veja.

Ela olhou para onde ele apontava e viu, não muito abaixo deles, onde a neve terminava. Não havia um ponto de demarcação claro, mas uma diminuição gradual da neve e um número maior de árvores podia ser percebido. Infelizmente, eles não podiam chegar ali naquele momento.

Bailey ergueu a cabeça para o vento e percebeu que ele não passava de uma brisa. A fumaça da fogueira poderia ficar próxima o suficiente para ser notada, se não de imediato, talvez no dia seguinte. Eles construiriam a fogueira bem grande e a manteriam até que alguém percebesse e se aproximasse para ver, droga.

Cam já estava fazendo o trabalho de preparação, raspando a neve, cavando a base. Bailey soltou a mochila e saiu à procura de madeira. Não conseguiu reunir muito de uma vez, porque precisava ficar com uma das mãos livres para se equilibrar; voltando, ela percebeu que ele havia aberto três bases. — Por que está fazendo três?

— É um sinal universal de emergência: três apitos, três fogueiras, três pilhas de pedras... o que quer que seja, deve ser feito em trios.

— As coisas que aprendi nestas férias — ela disse com seriedade, voltando para sua tarefa. De modo prático, três fogueiras significavam que ela tinha de reunir três vezes mais madeira. Que beleza!

Com a madeira nas três bases, e papel e cascas de árvores como atiçadores, Cam acendeu mais uma fogueira com a bateria. Cuidadosamente, eles aumentaram a chama, alimentando-a até a madeira começar a arder, depois usaram um galho em chamas para levar a chama para as outras bases. Logo, as três chamas estavam altas, mas não parecia haver muita fumaça. Ela queria muita fumaça, uma coluna dela alcançando mais de um quilômetro.

Cam evidentemente estava pensando a mesma coisa, porque adicionou um pouco de madeira verde às três bases. A fumaça que logo se levantou foi mais forte.

— Agora, devemos esperar — ele disse, abraçando-a e puxando-a para um beijo lento e profundo. Ela se inclinou contra ele, cansada demais para fazer mais do que simplesmente colocar os braços ao redor da sua cintura.

Ele arrastou os sacos de lixo cheios de roupa para fora do trenó e os colocou lado a lado. Com o conteúdo arrumado corretamente, os sacos de lixo funcionavam, de certo modo, como pufes, e ambos se sentaram nos assentos improvisados. Durante vários minutos, eles ficaram sem falar, mas reuniram toda a força que puderam. Quando ele falou, ela ficou surpresa ao perceber no que ele estava pensando.

— Quando voltarmos, não ouse tentar se afastar de mim — ele disse.

Ela não podia dizer que essa ideia não lhe havia ocorrido diversas vezes desde que percebera como ele estava se tornando importante para ela. Mas, quando sentiu muito medo, percebeu que era tarde demais para se afastar. — Não vou fazer isso — ela respondeu simplesmente, virando a cabeça para sorrir para ele. Ela esticou a mão. Ele a segurou, dobrando os dedos dela em sua mão, e ergueu a mão dela contra a sua face.

Um pouco antes do pôr do sol, eles continuavam sentados sobre os sacos de lixo, olhando para as montanhas como se fossem dois turistas, quando escutaram o barulho inconfundível das hélices de um helicóptero. Cam levantou-se, balançando os braços quando o helicóptero apareceu, voando na direção deles como uma mariposa de encontro às três chamas.

33

O helicóptero sobrevoou Cam e Bailey, aproximando-se a ponto de sentirem o vento provocado pelas hélices e de Bailey ver os óculos de sol que o piloto estava usando. Ao lado dele, havia outro homem; ambos pareciam estar vestindo um tipo de uniforme, por isso ela presumiu que eles eram da Guarda Florestal. Não havia lugar para o helicóptero pousar, mas o que importava era que alguém já sabia onde eles estavam, e a ajuda chegaria logo — assim ela esperava. Eles não haviam construído um abrigo, mas, se fosse preciso, ficariam sentados ao lado da fogueira a noite toda para se aquecerem.

Ela estava tão cansada que não acreditava que seria capaz de construir um abrigo. Nem mesmo se levantou para acenar para o helicóptero, apesar da alegria pelo resgate que estava próximo de ocorrer — o tempo para o resgate dependeria de quanto tempo uma equipe levaria para chegar até eles.

Cam estava fazendo alguns sinais com as mãos para o piloto.

— Peça alguns sacos de dormir para nós — ela disse a ele. — E algumas garrafas térmicas de café. E uma dúzia de donuts. Oh, sim, e um rádio de comunicação também ajudaria. — A fadiga a estava deixando falante, mas não importava.

O helicóptero se afastou da montanha, voltando de onde tinha saído. Ela suspirou ao vê-lo se afastar. De certa forma, isso era muito decepcionante.

Cam estava rindo quando se sentou ao lado dela. — Não há sinais de mãos para esses tipos de detalhes.

— O que você disse a ele?

— Que somos dois e que estamos bem, o que significa que uma equipe de resgate não deve arriscar a vida tentando nos pegar. E que estamos aqui há cinco dias.

Ela esticou as pernas e as cruzou na altura do tornozelo. Isso era quase como estar sentada em uma varanda, admirando a vista — que era espetacular —, mas, em vez de estar em uma varanda, ela estava na encosta íngreme de uma montanha, com um penhasco vertical não muito longe dela, à sua esquerda. — Deveríamos nos preparar para a chegada da noite. Pegar mais madeira, fazer um abrigo, essas coisas.

Ele se virou para encará-la, inclinando-se para a frente, apoiando os cotovelos nos joelhos enquanto observava o rosto dela, percebendo a total exaustão demonstrada. Esticando o braço, ele segurou sua mão. — Vou pegar mais madeira, mas não quero construir um abrigo. Está mais quente aqui sem o vento. Vamos ficar abraçados perto da fogueira esta noite.

— Certo. Posso tolerar seus abraços. — Ela se mostrou ansiosa. — Acha que não havia como contar a eles nossos nomes, para que avisassem às nossas famílias?

Cam balançou a cabeça, negando. — Não me permiti pensar em minha família — ele disse depois de um minuto. — Sei que eles estão vivendo um inferno, mas me concentrar em continuar vivo pareceu mais importante. Eles provavelmente estão em contato com as equipes de busca, independentemente de onde elas estejam, porque não houve buscas perto de nós. — Ele parou e disse: — Preciso vê-los.

Ela havia pensado em Logan e Peaches, percebeu, sobre como eles deviam estar se sentindo, a preocupação que devia estar tomando conta deles, mas, honestamente, não pensara, nem por um instante sequer, que qualquer um dos outros — nem mesmo seus pais — se preocuparia com ela. Sua mãe podia até chorar um pouco, usar sua falsidade para demonstrar tristeza, mas esperar para que o corpo de sua filha fosse encontrado? Não, não era possível. Seu pai sequer choraria. Ele havia deixado claro, anos antes, que seus três primeiros filhos não eram importantes. Cam tinha sorte por ter uma família, por saber sem hesitar que eles estariam à sua espera.

— Pela sua mãe — ela disse a ele —, espero que você tenha a chance de se lavar antes de encontrá-la. Também precisa de algumas roupas. E de um curativo na cabeça, porque, pode acreditar, ela precisa ter certeza de que está tudo bem com você antes de ver seu estado. — Ela o observou com a ajuda da iluminação dada pelas chamas. A barba dele já estava razoavelmente crescida, e os hematomas grandes sob seus olhos estavam adquirindo um tom feio, meio amarelo-arroxeado. Todos os arranhões estavam cicatrizando. Aquele horrível corte na testa dele; ela não conseguia decidir se os pontos esquisitos melhoravam a aparência com que ele havia ficado ou não. Ela começou a brincar: — Você está horrível.

Ele sorriu e respondeu rapidamente: — Você também está bem feia — ele disse em tom de brincadeira. — Como se tivesse sofrido um acidente de avião e tivesse passado cinco dias na mata. As olheiras são o toque final. Pelo menos você tem certeza de que não me apaixonei por você por causa de sua beleza.

Bailey se assustou. Como ele podia dizer essas coisas sem lhe dar um aviso para que ela se preparasse — mesmo que ela não soubesse como se prepararia para algo daquele tipo. Antes que ela pudesse reagir, ele levou a mão a seu rosto mais uma vez. — Se eu a pedir em casamento, você vai sair correndo montanha abaixo?

Um susto em cima de outro. Ela não havia conseguido reagir a um dos sustos antes de ele atingi-la com outro. O resultado final foi que ela ficou sentada ali, imobilizada diante da impossibilidade de escolher a qual frase responder primeiro. Por fim, ela conseguiu dizer: — Talvez — e deixou que ele tentasse descobrir a que ela tentara responder.

Ele beijou a palma de sua mão, e ela sentiu que ele se controlava para não sorrir. — Então não vou pedi-la em casamento — ele disse. — Pelo menos, ainda não. Sei que você precisa de tempo para se acostumar com a ideia. Deveríamos deixar nossa vida se acertar, nos encontrarmos em situações normais. Também existe o problema de Seth tentar matá-la, e isso precisa ser cuidado antes de mais nada. Acho que precisamos de nove meses a um ano antes de nos casarmos. O que acha?

Para alguém que não pretendia pedi-la em casamento, ele estava preparando bem o terreno, ela pensou. Seu coração estava acelerado, mas, quando ela olhou para ele, perguntou a si mesma como poderia passar o resto da vida sem ver aquele sorriso, sem escutar a voz grave dele ao fazer algum comentário, sem dormir em seus braços. Ela não sabia se conseguiria dormir sem ele.

Ela pigarreou. — Na verdade... concordo com a parte do casamento.

— É só a parte do amor que a assusta, certo?

— Estou... lidando melhor com isso do que pensei que lidaria.

— Não está em pânico sabendo que eu a amo?

— Essa parte também está resolvida — ela disse com seriedade. — É o fato de amá-lo que me assusta muito.

Ela viu o brilho de vitória nos olhos dele. Ele não olhou para baixo para esconder a alegria; deixou que ela visse como estava se sentindo. — Está dizendo que tem medo de me amar, ou tem medo *porque* me ama?

Ela suspirou: — Acredito que precisamos ter cuidado e não apressar as coisas.

Ele esboçou outro sorriso. — E por que não estou surpreso por você ter dito isso? E você não respondeu à minha outra pergunta.

Ali estava a determinação fria e incansável que ela vira enquanto ele se esforçava para manter o avião no ar pelos momentos preciosos de que eles precisavam para chegar à linha das árvores, e não ao topo rochoso das montanhas. Ela podia se sentir segura com ele, ela pensou. Ele não desistia; não fugia. Não a trairia, e se tivessem filhos, ele nunca os abandonaria sem mais nem menos.

— Eu amo você — ela admitiu. As palavras estavam trêmulas, mas ela as disse, apesar de, imediatamente, emendar: — Ou eu acho que amo. E estou com medo. Esta situação é incomum e precisamos ter a certeza de que nos sentiremos da mesma forma quando voltarmos para o mundo real; por isso, definitivamente, concordo com você.

— Eu não disse que precisávamos sentir a mesma coisa. Sei como você se sente. Eu disse que compreendo por que você precisa de tempo para se acostumar com a ideia.

Definitivamente incansável, ela pensou.

— Então, está resolvido — ele disse com uma satisfação contida. — Estamos noivos.

Agora que tinham sido vistos, eles deixaram duas das fogueiras se apagarem e passaram a noite deitados juntos perto da que sobrou, conversando e cochilando de vez em quando. O cobertor e os pedaços de espuma os mantiveram longe do chão frio, e as camadas de roupas os mantinham, se não aquecidos, pelo menos não congelados. Depois de terem descansado e dormido um pouco, ele fez amor com ela de novo. Dessa vez, foi lento, muito lento; depois que ele a penetrou, eles pareciam ter adormecido de novo, mas ele despertava a cada poucos minutos para se mexer, para a frente e para trás. Bailey estava ciente de que ele não estava usando preservativo, e sentir o pênis dentro dela, sem qualquer proteção, fez com que ela tivesse uma das melhores sensações de sua vida.

Ela atingiu o clímax duas vezes naqueles movimentos lentos, e seu segundo orgasmo deu início ao dele. Ele segurou os quadris dela e prendeu seu corpo ao dela de modo tão unido que nem mesmo um sopro poderia ter passado entre eles. Ele gemeu ao estremecer entre as pernas dela.

Depois de se limparem e ajeitarem as roupas, eles voltaram a dormir. Quando amanheceu, eles estavam acordados, esperando pela equipe de resgate. Arrumaram a área o máximo que conseguiram, guardaram todas as suas coisas e depois se sentaram perto da fogueira com o cobertor envolvendo seus corpos. Bailey estava zonza de fome e sentia-se estranhamente frágil, como se, agora que a batalha pela sobrevivência havia sido vencida, sua força tivesse abandonado seu corpo. Sentada ao lado de Cam, sentia-se no limite de suas forças.

Eles escutaram a aproximação do helicóptero um pouco depois das sete da manhã, e o observaram pousar em uma área mais acessível, cerca de 500 metros abaixo deles. Quando a equipe de resgate saiu do helicóptero, ela disse: — É melhor que tenham trazido comida.

— Ou o que você vai fazer? — ele brincou. — Mandá-los de volta?

Ela jogou a cabeça para trás e sorriu para ele. Ele parecia tão extenuado quanto ela; o dia anterior tinha sido exaustivo, e sem comida nenhum dos dois pôde se recuperar.

O sofrimento estava quase no fim. Em poucas horas, eles estariam limpos, aquecidos e alimentados. O mundo real estava se revelando rapidamente, representado pela equipe de quatro homens com capacetes de montanhistas que estavam escalando na direção deles, movendo-se em uma sinfonia bem ensaiada de cordas, puxadores e outros equipamentos.

— Vocês se perderam? — o líder da equipe perguntou quando os quatro homens se aproximaram deles. Ele parecia ter cerca de 30 anos, com a pele bronzeada de quem passara a vida ao ar livre. Ele observou seus rostos pálidos e abatidos, a longa linha de pontos escuros na testa de Cam e discretamente pediu a um dos homens para que fizesse uma avaliação física.

— As trilhas só seriam abertas no próximo mês. Não sabíamos que alguém estava perdido, por isso foi uma grande surpresa quando vimos a fogueira ontem.

— Não nos perdemos — Cam disse, levantando-se e envolvendo Bailey com o cobertor. — Nosso avião caiu ali — ele apontou para o topo —, seis dias atrás.

— Seis dias! — O líder assoviou. — Eu sabia que estava sendo realizada uma operação de busca e salvamento de um pequeno avião que desapareceu perto de Walla Walla.

— Somos nós, provavelmente — Cam disse. — Sou Cameron Justice, o piloto. Ela é Bailey Wingate.

— Sim — disse um dos outros homens. — São esses mesmos os nomes. Como conseguiram chegar até aqui?

— Com uma asa e muita oração — Cam disse. — Literalmente.

Bailey olhou para o homem da equipe de resgate que estava agachado ao lado dela, aferindo sua pressão e observando seus olhos com uma luz. — Espero que tenham comida.

— Não aqui, senhora, mas vamos alimentá-los assim que os levarmos de volta à sede.

Mas ele mentiu. Depois de eles serem conduzidos pela encosta da montanha abaixo e de todos estarem dentro do helicóptero, decidiu-se que eles precisavam de cuidados médicos. O piloto recebeu instruções pelo rádio e eles foram levados ao hospital mais próximo, um prédio de dois andares em uma pequena cidade de Idaho.

As enfermeiras do pronto-socorro, felizmente, satisfizeram suas necessidades mais urgentes e serviram comida e café antes de eles serem examinados por um médico. Para a surpresa de Bailey, ela não conseguiu comer muito, apenas algumas colheradas de sopa, alguns biscoitos salgados que a enfermeira lhe dera. A sopa era em lata, aquecida em um forno de micro-ondas, e parecia um manjar dos deuses; ela simplesmente não conseguiu comer tudo. Cam comeu mais que ela, devorando uma tigela toda de sopa e uma xícara de café.

Depois de um exame rápido, o médico disse: — Bem, basicamente, vocês estão bem. Precisam se alimentar e dormir, nessa ordem. Você teve sorte; seu braço está sarando muito bem. A propósito, quando foi a última vez em que tomou uma vacina antitetânica?

Bailey olhou para ele sem saber o que responder. — Acho que nunca tomei essa vacina.

Ele sorriu: — Mas agora vai tomar.

Depois da injeção, uma enfermeira a levou para uma sala onde havia chuveiros e banheiros. Bailey ficou embaixo da água quente por tanto tempo que sua pele começou a enrugar, mas, quando saiu do banho, estava limpa da cabeça aos pés. A enfermeira entregou a ela uma roupa verde de hospital e um par de meias, sobre as quais ela calçou um par de botas cirúrgicas. Não queria usar suas botas de novo; estava usando aquelas coisas havia seis dias e seus pés estavam tão cansados quanto seu corpo todo.

Cam não teve a mesma sorte. Ele teve de receber soro e passar por uma tomografia. Bailey sentou-se com ele enquanto esperava que o soro terminasse, o que demorou algumas horas. Só então ele pôde tomar um banho e se barbear, com a cabeça enfaixada de novo, e, também, recebeu roupas limpas.

E então todas as perguntas começaram. Eles haviam caído em uma área recreativa nacional, por isso o Serviço Florestal foi envolvido. A equipe de salvamento precisava preencher seu relatório. O Órgão de Segurança do Transporte Nacional foi notificado. O repórter de um jornal da região ficou sabendo sobre eles e apareceu. O chefe de polícia da cidade chegou para conversar com eles. Cam conversou discretamente com os dois homens do Serviço Florestal, com o chefe de polícia e, ao telefone, com um investigador do Órgão de Segurança do Transporte Nacional. Nem ele nem Bailey falaram qualquer coisa sobre sabotagem ao repórter.

As coisas aconteceram muito rápido. Charles MaGuire, o investigador do Órgão de Segurança do Transporte Nacional, estava a caminho. Alguém emprestou a Cam um telefone celular e ele telefonou para a família. Quando terminou, Bailey perguntou se poderia fazer um telefonema também e ligou para o celular de Logan.

— Alô? — ele atendeu no primeiro toque, dando a ela a impressão de que estava com o celular na mão.

— Logan, sou eu. Bailey.

Houve um momento de silêncio e ele, com a voz trêmula, disse:

— O quê?

— Estou em um hospital em... não sei o nome da cidade... Idaho. Não estou ferida — ela disse rapidamente. — Fomos resgatados da montanha hoje de manhã.

— *Bailey?*

A surpresa na voz dele foi tamanha que fez com que ela duvidasse que ele acreditava nela; talvez pensasse se tratar de um trote.

— Sou eu mesma. — Ela secou uma lágrima que escorreu do canto de seu olho. — Quer que eu lhe diga qual é seu segundo nome? Ou o nome de nosso primeiro cachorro?

Ele disse: — Sim. Qual era o nome de nosso primeiro cachorro?

— Nunca tivemos um cachorro. A mamãe não gosta de animais.

— Bailey. — Sua voz falhou e ela percebeu que ele estava chorando. — Você está mesmo viva.

— Estou, sim. Tenho alguns hematomas, um olho roxo, acabei de comer comida de verdade pela primeira vez em seis dias e precisei tomar uma vacina antitetânica que doeu pra caramba, mas estou bem. — Ela pôde escutar Peaches ao fundo, sua voz leve e doce fazendo perguntas de modo tão rápido a ponto de parecer incoerente, ou talvez porque estivesse chorando também. — Um investigador está vindo conversar conosco, e depois acho que iremos para casa. Não sei como ainda, porque estou sem dinheiro, cartões de crédito e carteira de identidade, mas chegaremos aí de alguma forma. Onde vocês estão?

— Em Seattle, em um hotel.

— Não faz sentido pagar por um quarto de hotel; fiquem na minha casa. Vou telefonar para a governanta e pedir para que receba vocês.

— Ah... acho que Tamzin está lá.

— *Ela está?* — Bailey sentiu o sangue começar a ferver e faíscas saíram de seus olhos. Sua raiva foi tão grande e intensa que ela não se surpreenderia se ficasse zonza ali.

— Ela foi para lá um dia depois do acidente. Não telefonei para lá desde então para checar.

— Então verifique agora. Se ela estiver lá, chame a polícia para prendê-la por invasão! Estou falando sério, Logan. Quero que ela saia.

— Não se preocupe, vou tirá-la de lá. Bailey... Tamzin disse algo sobre Seth. Eu acho que ele pode ter alguma coisa a ver com o acidente. Ele negou, mas o que mais ele faria?

— Eu sei — ela disse.

— Sabe?

— Cam descobriu.

— Cam... o piloto?

— O próprio — ela disse, sorrindo para Cam, o Piloto, que piscou para ela. — Acho que vamos nos casar. Escute, este celular não é meu, por isso não vai me encontrar nesse número. Não sei para onde iremos antes de voltar para casa, mas entrarei em contato com você quando eu souber. Vá tirar a vaca daquela casa antes de ela enchê-la de entulhos. Eu te amo.

— Eu também te amo — ele disse, e ela desligou antes de poder fazer mais perguntas, o que certamente ele faria, levando em conta o que ela acabara de lhe contar.

— *Acho* que vamos nos casar? — Cam disse, erguendo as sobrancelhas.

— Ele já teve muitos choques em um dia — ela disse, indo até ele e acomodando-se em seu peito. Eles haviam passado grande parte dos últimos cinco dias e meio abraçados, dormindo ou acordados, e alguma coisa parecia errada quando não estavam se tocando. Ela encostou a cabeça no ombro dele. — Tamzin está em minha casa.

— Eu escutei.

— Não é minha casa de fato, mas eu moro ali, e ela não tem nada que mexer nas minhas coisas. Provavelmente ela já doou todas as minhas roupas para a caridade... isso se não as jogou no lixo.

— Ela precisa mesmo ser expulsa.

— Ela disse a Logan que Seth teve alguma coisa a ver com o acidente.

— Hum. Por que ela diria algo assim? Que bobagem!

Uma conclusão um tanto óbvia lhe ocorreu: — A menos que ela *queira* ver Seth preso.

De modo pensativo, Cam passou a mão por seu rosto recém-barbeado. — É algo a se pensar — ele disse em voz baixa.

34

Charles MaGuire tinha orelhas pontudas como as de um lince, mas era ali que sua semelhança com um gato começava e acabava. Ele era rechonchudo, tinha cabelos grossos e grisalhos, e olhos azuis. Bailey não sabia como ele chegara ali em tão pouco tempo, mas acreditava que, quando uma pessoa trabalha para o Órgão de Segurança do Transporte Nacional, podia pegar voos para qualquer lugar a qualquer hora.

Parecia que ninguém sabia o que fazer com eles e, apesar de muitas pessoas na pequena e simpática cidade estarem oferecendo sua hospitalidade a dois estranhos, no fim, o chefe de polícia, Kyle Hester, havia oferecido a eles seu escritório na prefeitura, e aquela tinha sido a melhor escolha. O delegado Hester era um cara sério, na casa dos 40 anos, ex-militar, assim como Cam, por isso eles pareciam estar no mesmo nível. Cam disse a Bailey que ele havia informado o delegado Hester sobre a sabotagem do avião, por isso o delegado estava bem ciente de que havia mais coisa acontecendo do que a movimentação comum em relação a um resgate.

O delegado era uma daquelas pessoas que resolviam as coisas. Dentro de uma hora, Cam e Bailey tinham celulares novos, que havia sido entregues a eles na prefeitura. Ele também pediu comida; apesar de terem comido no hospital, ele parecia saber que não deviam ter conseguido comer muito no começo, e precisavam de calorias. Por isso, a comida estava ali para que eles a comessem: frutas, chocolate, tigelas de sopa de batata que eles podiam aquecer no micro-ondas da cozinha, biscoitos e queijo. Bailey parecia não parar de comer. Ela só conseguia dar algumas mordidas por vez, mas depois de cinco minutos voltava para comer mais.

O repórter do jornal queria entrevistá-los, mas nem Cam nem Bailey estavam interessados em qualquer publicidade. O motivo pelo qual haviam sofrido o acidente não era algo que quisessem tornar público. O delegado Hester também cuidou disso, protegendo-os de telefonemas e impedindo que qualquer pessoa os incomodassem. O delegado Hester, em resumo, estava ganhando, com rapidez, a simpatia de Bailey.

Quando Charles MaGuire chegou, o delegado entregou o escritório a eles. O investigador do Órgão de Segurança do Transporte Nacional estava claramente surpreso por eles estarem vivos, e curioso acerca de onde haviam caído. No mapa topográfico do delegado, Cam apontou para onde eles estavam quando haviam sido resgatados e traçou uma linha para onde estimava que tinham caído. — Aqui é aproximadamente onde estávamos quando ficamos sem combustível — ele disse e indicou outro ponto nas montanhas.

MaGuire olhou para o mapa. — Se aqui foi onde vocês ficaram sem combustível, como conseguiram chegar até aqui?

— O ar sobe em direção às montanhas — Cam disse. — Eu quis descer para a linha das árvores, a fim de usá-las para absorver o impacto, em vez de cair de bico na face de uma rocha. Via de regra, quando você está planando, percorre 20 pés adiante para cada pé que perde em altitude, certo? — Ele moveu o dedo pelo mapa. —Ao pegar as correntes de ar, chegamos à linha das árvores. Eu desci onde achei que as árvores eram grandes o bastante para amortecerem o avião, mas não tão grandes a ponto de o impacto com uma rocha ser parecido. Precisei encontrar uma parte de árvores que fosse vasta, também, porque elas são finas na ponta.

MaGuire mediu a distância visualmente, surpreso. — Seu sócio, Larsen, disse que, se havia alguém que poderia descer em segurança, essa pessoa era você. Ele disse que você não entraria em pânico.

— Eu estava em pânico por nós dois — Bailey disse.

Cam não concordou. — Você não deu um pio.

— Eu me desesperei em silêncio. Também estava rezando com todas as minhas forças.

— O que aconteceu depois? — MaGuire perguntou. Ele olhou para o curativo na testa de Cam. — Você obviamente se machucou.

— Eu fui nocauteado — Cam disse, dando de ombros. — E fiquei sangrando muito. A asa esquerda e parte da fuselagem se desfizeram, por isso não havia proteção do frio. Bailey me arrastou para fora, estancou o sangramento, me aqueceu e costurou minha cabeça. — O sorriso que ele lhe lançou estava tão repleto de orgulho que quase a cegou. — Ela salvou minha vida ali, e de novo quando precisamos construir um abrigo. Se não tivéssemos conseguido sair do vento, não teríamos sobrevivido.

MaGuire virou-se para ela, analisando-a com muita curiosidade, porque ficara sabendo de muitos fatos sobre os Wingate nos últimos dias e estava tendo dificuldades para associar a imagem de esposa-troféu de Jim Wingate com a mulher calma e despretensiosa que vestia roupas cirúrgicas, estava sem maquiagem e com um olho roxo.

— Você já fez treinamento para primeiros socorros?

— Não. O kit de primeiros socorros do avião tinha um manual de instruções com detalhes sobre como dar pontos, e eu fiz o que era indicado. — Ela torceu o nariz. — E nunca mais quero fazer isso de novo. — Ela estava feliz por ter conseguido fazer aquilo, mas não queria se lembrar dos detalhes ruins.

— Eu tinha perdido muito sangue e havia levado uma pancada na cabeça, por isso não consegui ajudá-la. Ela pegou objetos do avião que poderíamos usar. Usou praticamente todo o seu guarda-roupa para me cobrir, para me manter aquecido... e posso dizer que eram muitas roupas, três grandes malas cheias. Graças a Deus.

— Quando vocês começaram a andar?

— No quarto dia. O braço de Bailey estava ferido, havia um pedaço de metal enfiado nele, e ela não se preocupou em cuidar de si mesma. No segundo dia, nenhum de nós dois foi capaz de fazer muita coisa. Dormimos. Eu estava tão fraco que mal conseguia me mexer. O braço de Bailey infeccionara, e ela estava com febre. No terceiro dia, nós dois nos sentimos melhor e eu consegui caminhar um pouco. Verifiquei o Transmissor Localizador de Emergências, mas a bateria estava quase no fim, por isso eu soube que, se não tínhamos sido localizados até então, não haveria como saber se o Transmissor Localizador de Emergências tinha funcionado bem.

— Não funcionou — MaGuire disse. — Não houve sinal.

Cam olhou para o mapa, mas mentalmente estava dentro do cockpit do Skylane, e ele estava tenso. — Quando o motor parou, todos os leitores estavam normais. Nada parecia estar errado, mas o motor parou. No terceiro dia, encontrei a asa esquerda. Havia um saco plástico transparente pendurado no tanque de combustível. Quando vi aquilo, percebi que alguém havia nos derrubado.

MaGuire suspirou e apoiou uma das pernas em cima da mesa do delegado Hester. — Não suspeitamos de nada a princípio, mas Larsen estava checando sem parar os relatórios de manutenção do Skylane, os relatórios de abastecimento, qualquer papel que pertencesse ao avião. Por fim, ele percebeu que os relatórios de abastecimento mostravam que o avião estava com apenas 147 litros naquela manhã. Checamos com o cara que o abasteceu e ele se lembrava de ter conferido que os tanques estavam cheios. Até esta manhã não havíamos recebido uma permissão judicial para assistir às fitas de segurança do campo de aviação, mas suspeitávamos de que o avião fora sabotado.

— Seth Wingate — Cam disse. — Ele telefonou para o escritório um dia antes do voo para checar se Bailey estava indo para Denver. Ele deve ter influência suficiente para conseguir que um juiz faça um favor a ele, adiando a ordem judicial, apesar de eu não saber o que isso representaria a longo prazo, a menos que ele precisasse de tempo para colocar as mãos na fita de segurança e destruí-la, ou algo desse tipo.

— É nisso que sua secretária insiste. Ele de fato se comportou de modo suspeito, mas também de modo estúpido. Suspeitas são uma coisa, provas são outras. Por enquanto, não temos nenhuma prova, apenas uma anormalidade nos registros de abastecimento.

— Já descobrimos o que houve. A menos que a fita de segurança mostre-o mexendo no avião, todas as provas estão no local do acidente, e recuperar a aeronave seria um trabalhão. O vento é extremamente forte lá em cima, não tem como um helicóptero fazer mais do que apenas sobrevoar a área. A única maneira de chegar até ali é a pé.

— Eu não sabia que Seth sequer saberia *como* sabotar um tanque de combustível — Bailey disse. — Ele tem um temperamento difícil e não gosta de mim, mas nunca pensei que fosse tentar me ferir fisicamente. Da última vez que tentei conversar com ele, ameaçou me matar, mas... — Ela mordeu o lábio, confusa. — Não acreditei nele. Fui uma tola.

— O saco plástico no tanque de combustível é uma coisa simples — Cam disse. — Não é preciso ter muita habilidade para fazer aquilo.

— Para aquilo, não — concordou MaGuire. — Mas quanto ao transponder e ao rádio... ele entende de aviões muito mais do que você pensa.

Cam ficou tenso, seus olhos acinzentados ficaram frios.

— O quê? O que tem o transponder? — Bailey o observou. A voz dele havia mudado, estava mais grossa e ameaçadora.

MaGuire voltou-se para o mapa. — Bem aqui — ele disse, apontando —, a leste de Walla Walla, foi onde você perdeu o sinal de seu transponder. Quinze minutos depois, as Estações de Serviço de Voo captaram uma transmissão não muito clara de pedido de socorro, depois vocês saíram do radar, sumiram. Se ele também sabotou isso, foi muito minucioso. Ele não queria que o local do acidente fosse encontrado... ou queria atrasar a localização até que todas as provas forenses fossem apagadas.

Cam ficou parado, analisando o mapa. — Filho da puta — ele disse em voz baixa.

— Todos parecem pensar a mesma coisa dele. Detesto dizer isto, mas ele pode se safar — MaGuire suspirou. — Minha maior preocupação não é localizar o ponto do acidente, mas, sim, garantir sua segurança, Sra. Wingate.

— Bailey está comigo — Cam disse sem olhar ao redor. — Vou cuidar dela.

Bailey fez uma careta ao perceber a atitude machista e disse a MaGuire: — Pretendo deixar claro a Seth que sabemos que ele tentou me matar, mesmo que não possamos provar, mas que também contamos a alguém, e assim, se ele tentar de novo, será o principal suspeito. Não consigo pensar em outra coisa que possamos fazer.

— Eu consigo — Cam disse, com os olhos ainda frios. — MaGuire, você acha que podemos ir para Seattle agora? Quero cuidar disso já.

A expressão de MaGuire foi de curiosidade, mas tudo o que respondeu foi: — Claro que podem.

* * *

Eles aterrissaram em Seattle perto das oito da noite, daquele mesmo dia, apesar de Bailey não achar adequado dizer noite, já que o sol só se poria uma hora depois. Suas reservas de força ainda estavam no limite e ela só queria ir para a cama e dormir, mas queria estar com Cam, e não tivera a oportunidade de trocar apenas algumas palavras com ele desde que ficara frio e quieto, quando MaGuire lhe contou sobre o que Seth fizera.

De certo modo, não havia problema nisso. Ela mesma estava um tanto fria e retraída. Não era por Seth ter tentado matá-la, mas, sim, por ser um peso que ela tinha de suportar, e Bailey ficara irada por ele não ter se importado com a vida de Cam. Não fazia diferença para ele se Cam morresse ou não.

Ela estava voltando para um mundo mudado. Não podia simplesmente retomar sua vida de antes, como se nada tivesse aconte cido. Independentemente do acordo que fizera com Jim, não podia mais lidar com Seth. Ela teria de ser maluca para arriscar a sua vida e a de Cam por causa de um acordo que fizera com alguém que já estava morto. Outra pessoa teria de cuidar dos bens, talvez um dos funcionários de Jim. Ela era totalmente contra a passar o controle a Seth, porque não achava que ele deveria ser recompensado depois do que havia tentado fazer, mas outra pessoa poderia ficar com o fardo.

Eles voltaram a Seattle em um avião do mesmo tamanho do pobre Skylane. Sem hesitar, Cam havia ocupado o assento de copiloto, sem nem pensar em sentar-se atrás com ela, o que a fez rolar os olhos e sorrir, porque era daquele jeito que um piloto agia. A maioria vivia e respirava voar, a ponto de ficar alienada de todas as outras coisas. MaGuire sentou-se na parte de trás com ela e algo na expressão dele dizia que ele preferia estar no assento do copiloto, mas que Cam havia sido mais rápido.

— Ele está desesperado — ela disse, divertindo-se. — Não coloca as mãos nos controles há seis dias.

— Mas é o meu avião — ele disse em tom de contrariedade. Depois ele deu de ombros e sorriu timidamente. — Acho que já deveria ter contado com isso e sido mais rápido. A maioria dos pilotos que conheço prefere voar a comer.

Ela tentou se manter calma quando eles se aproximaram de Seattle, mas estava voltando com tantas coisas novas que estava tendo dificuldade para assimilar todas elas, e, como sempre, mudanças a deixavam nervosa. Normalmente, ela não tomava uma grande decisão, a menos que tivesse pensado bem, pesquisado e se preparado. Se alguma coisa em sua vida mudasse, ela queria ter o controle da situação. De repente, ela se viu sem controle e quase tudo havia mudado: sairia daquela casa enorme assim que pudesse, e não se importava com o que Seth e Tamzin fariam com ela. Ela se recusava a continuar lidando com eles, o que significava que precisaria encontrar outro emprego.

A maior mudança, é claro, era Cam. Ele mudara tudo com tanta rapidez que ela se sentia como o Coiote rodando sem parar na poeira depois da passagem do Papa-Léguas. Em menos de uma semana, ela não gostava nem um pouco dele, mas, agora, o amava; chegara até a concordar em se casar com ele. O mais estranho era que, apesar de ele ser a maior mudança, era em relação a ele que ela se sentia melhor. Depois de superar o pânico do começo, ela sabia que estar com ele parecia *certo*, como nada antes em sua vida.

Como se sentisse o que ela estava pensando, ele olhou para trás para ela. Ele tinha conseguido óculos escuros em algum lugar, por isso ela não conseguia ver seus olhos, mas essa prova do elo entre eles ajudava a acalmar seu nervosismo de um modo que nada mais conseguia fazer. Ela não estava mais sozinha. Independentemente de como sua vida viesse a mudar, Cam sempre estaria a seu lado.

O avião pousou e o piloto foi brecando conforme eles corriam pela pista. Bailey inclinou-se para a frente para olhar o terminal, onde as pessoas se reuniam fora do prédio, no portão e em uma parte da pista, onde estavam esperando. Não eram muitas pessoas, e de longe ela não conseguia distinguir os rostos, mas sabia que Logan e Peaches estavam ali e seu coração ficou feliz.

À medida que se aproximavam, ela os viu, Logan abraçando Peaches, ambos rindo, e Peaches dando pulinhos de alegria. Ela sabia que provavelmente eles não a estavam vendo, mas acenou mesmo assim. Também conseguiu ver Bret e Karen, mas não reconheceu as outras pessoas. Podiam ser amigos e parentes de Cam, apesar de ele ter conversado com seus pais e de estes terem dito que não conseguiriam chegar a Seattle antes dele, porque pegariam um voo comercial, e tinham de esperar por um voo com horário marcado. Talvez eles tivessem conseguido chegar ali de outro modo.

O piloto parou o avião. Cam abriu o cinto de segurança e saiu. Depois de conversar brevemente com o piloto, MaGuire fez a mesma coisa. Cam simplesmente virou-se e ajudou Bailey a se levantar, com as mãos quentes em sua cintura. — Como você está? — ele perguntou enquanto eles caminhavam em direção à pequena multidão que aguardava impacientemente, esperando até que estivessem a uma distância segura do avião antes de invadir a pista.

— Cansada, mas estou bem. E você?

— A mesma coisa. Prepare-se! — Esta última frase foi dita quando eles foram cercados. Logan e Peaches agarraram Bailey e ela foi abraçada por ambos, dos dois lados. Peaches estava chorando, então é claro que Bailey também começou a chorar, apesar de ter tentado se controlar. Logan apenas a abraçou com força, com os braços em volta de ambas, mas ela sentiu que ele tremia. Ela olhou para Cam, que também estava cercado por pessoas. Viu Karen dar-lhe um soco no peito, como se o punisse por tê-la feito ficar preocupada, depois, sorrindo, Cam abriu os braços e ela foi correndo para abraçá-lo.

— Você está tão magra — Peaches disse enquanto secava as lágrimas.

— É aquela nova dieta — Bailey disse. — A Dieta do Acidente de Avião. Funciona sempre.

— Está com fome? — Logan perguntou, querendo poder *fazer* alguma coisa, mesmo que fosse por meio da comida.

— Estou morrendo de fome. Acho que já comi uma tonelada hoje, mas, alguns minutos depois de comer, eu me sinto faminta de novo.

— Então vamos sair daqui. Vamos comprar alguma coisa no caminho para casa. Vou contar a você o que aconteceu com Tamzin, e você pode nos contar sobre o acidente. Tenho um milhão de perguntas.

Bailey olhou ao redor para procurar Cam de novo. — Ainda não. Não sem Cam, de jeito nenhum. Ainda nem apresentei vocês.

Ela pôde ver que Logan estava relutante, que naturalmente tinha suas reservas a respeito da rapidez com que ela e Cam se envolveram, e ela deu um tapinha em seu braço. — Não se preocupe muito. Estamos, na verdade, em nosso 25º encontro. Ou talvez já seja o trigésimo, não fiz as contas. Mas nós nos conhecemos muito mais do que você pensa.

— Trigésimo encontro? Eu não sabia que você o estava namorando! — Peaches disse de modo surpreso enquanto todos iam para dentro. — Você nunca disse nada!

Cam estava organizando as coisas, Bailey viu, despedindo-se da maioria das pessoas com agradecimentos pelas boas-vindas, dizendo que ele tinha muito o que fazer para acertar tudo. Ele não estava exagerando, mas ela o conhecia agora, viu o ar calmo, porém certeiro, que era tão natural para ele quanto respirar. Mesmo com o rosto cheio de hematomas e a cabeça enfaixada, ele demonstrava autoridade o tempo todo, e as pessoas seguiam as instruções dele sem hesitar ou sem nem ao menos perceber.

Algumas pessoas entraram no escritório da J&L: Bret, Karen, MaGuire. Cam manteve a porta aberta, a mão estendida para Bailey, para que ela, Logan e Peaches também entrassem. Ela se virou imediatamente para Cam, apresentando sua família. Ele e Logan trocaram um aperto de mãos, com atenção da parte de Logan e calma da parte de Cam. Apesar de tudo, apesar de todas as coisas ruins que eles ainda tinham de enfrentar, Bailey, naquele momento, estava feliz.

Bailey estava bem, Cam percebeu. Ela parecera tão frágil pela manhã, como se tivesse se esforçado até o limite de suas forças, que ele não havia conseguido espantar sua preocupação apesar de os alimentos terem feito muito para ajudá-la a se recuperar. — O café está fresco? — ele perguntou a Karen. Ele queria que Bailey estivesse bem antes de ele cuidar de outros assuntos importantes.

— Acabei de passar. — Seus olhos ainda brilhavam com a presença de lágrimas, mas ela sorria. — Quer um pouco?

Karen estava oferecendo café *para* ele? Talvez ele devesse quase morrer com mais frequência, Cam pensou. — Daqui a pouco. Se você não se importar, cuide para que Bailey coma e beba alguma coisa, qualquer coisa da máquina de salgadinhos serve.

Karen sorriu. — Bailey? — ela perguntou com a voz baixa, inclinando-se para perto dele para que mais ninguém os escutasse. — Não é mais Sra. Wingate?

— Ela me deu a maior parte dos alimentos e da água que tínhamos para me manter vivo — ele disse. — E ela ficou sem. Então, sim, eu a chamo de Bailey agora. — Isso tinha sido verdade, pelo menos no primeiro dia. Depois disso, ele cuidou para que ela comesse e bebesse tanto quanto ele.

Ele viu a decisão nos olhos de Karen e soube que ela havia, mentalmente, colocado Bailey na lista de pessoas com quem se importava, o que significava que Bailey comeria, mesmo que Karen tivesse de se sentar sobre ela e fazê-la engolir a comida. Considerando que Bailey estava comendo o dia todo, sem parar, ele não achou que as coisas chegassem àquele ponto.

Ele se aproximou de Bailey, tocou-lhe no braço para chamar a sua atenção. — Vou conversar com Bret por alguns minutos — ele disse.

Ela apertou os dedos dele brevemente, observando o seu rosto assim como ele observava o dela cuidando dele. Ele acreditava que aquele hábito ficaria menos intenso dentro de poucos dias, mas naquele momento eles estavam próximos demais do sofrimento pelo qual haviam passado, ainda em modo de sobrevivência, o que significava que tinham de cuidar um do outro.

Ele olhou para Bret e fez um breve movimento de cabeça. O escritório de Bret era mais próximo, por isso eles entraram ali. Cam fechou a porta, talvez a primeira vez em que a porta tinha sido fechada desde a inauguração da empresa.

Ele se virou para seu melhor amigo, o homem que havia sido como um irmão para ele por anos, e perguntou: — Por que você fez isso?

Bret reclinou-se na cadeira, fechando os olhos e segurando a cabeça com as mãos. Seu rosto tinha envelhecido muito desde a última vez em que Cam o vira, com marcas de expressão que não estavam ali seis dias antes. — Merda — ele disse. — Dinheiro. Foi pelo dinheiro. Estou enrascado com um problemão, metido com gente da pesada... — Ele parou, balançando a cabeça. — Eu sabia que você descobriria. Quando recebemos a notícia de que você estava vivo e que havia saído daquelas malditas montanhas, eu soube. Não teria como você não ter procurado, analisado os destroços, procurado pelas razões do acidente.

Cam manteve a raiva sob controle com muito esforço. Por mais que quisesse bater muito em Bret, literalmente deixá-lo em pedaços, ele queria respostas mais do que qualquer coisa. A dor estava esperando por ele, ele sabia, a dor por ter perdido a amizade que eles tinham, mas teria de se controlar naquele momento. — Pensei que tivesse sido Seth, até MaGuire me contar sobre o transponder e o rádio. Aquilo era muito complicado, envolvia coisa demais, mais do que ele teria conseguido. Você exagerou.

— Sim, eu costumo exagerar. — Bret levantou a mão, seu rosto deixava claro seu arrependimento. — Foi um impulso. Quando Seth telefonou naquele dia, eu vi a chance e estava tão desesperado que resolvi aproveitá-la.

— Como ficou doente?

— Sou alérgico a gatos, lembra? Eu fico longe deles, não posso nem namorar uma mulher que tenha um. Então fui a um abrigo de animais, peguei um gato e o acariciei, esfreguei meu rosto nele.

Cam *sabia* que Bret era alérgico a gatos, sabia havia tanto tempo que não pensou nisso; Bret tinha tanto cuidado de se manter longe deles que Cam nunca o vira sofrer de alergia até o dia em que assumiu o voo de Bailey no lugar de Bret. Mesmo que tivesse pensado nos gatos, não teria suspeitado, porque reações alérgicas acontecem.

— Não me permiti pensar — Bret disse de modo cansado. — Simplesmente fiz. Era uma saída. O dinheiro do seu seguro de vida teria me tirado de grandes problemas. Foi como... se eu só pensasse em conseguir o dinheiro. Mas, quando Karen me disse que o avião tinha desaparecido, de repente tudo se tornou real. Eu o havia matado. Havia assassinado meu melhor amigo. Eu me dei conta e só consegui vomitar.

O mais estranho era que Cam acreditava nele. Bret era impulsivo, costumava se concentrar em objetivos a curto prazo.

— Pensei que o avião pegaria fogo — Bret continuou. — Sempre ficam alguns litros de combustível não utilizado nos tanques. Mesmo que houvesse alguma prova, eu sabia que Seth seria o suspeito, por causa daquele telefonema idiota, mas, tirando isso, não havia nada que o relacionasse ao avião. Eu não pensava que ele seria preso.

— MaGuire comentou que foi você quem disse que o avião não tinha combustível suficiente.

— Sim. Pensei que, se eu apontasse o erro, ninguém suspeitaria de mim. — Bret esfregou as mãos no rosto e olhou para Cam. — E agora? — ele perguntou, levantando-se. — Quando pensei que você estava morto, que eu o havia matado, fiz o que pude para me proteger. Mas você é um piloto muito bom para morrer fácil, não é? Eu não sabia se devia rir ou chorar quando ficamos sabendo. Acho que fiz as duas coisas. Mas concordarei com o que você quiser que eu faça. Posso me entregar se for isso o que quiser.

— É isso o que eu quero. — Cam não se sensibilizou. Não havia volta, não havia como permitir que anos de amizade e de bons momentos o amolecessem, porque a confiança só se perdia uma vez. — Tentativa de assassinato, fraude no seguro... você vai passar um tempão preso.

— É. Se eu não morrer antes disso. Tudo bem. — A expressão de Bret era a de um homem que nunca se perdoaria. Cam não tinha problemas com aquilo, porque ele também nunca perdoaria Bret.

— Mais uma coisa — ele disse.

— O quê? — Bret perguntou.

Cam deu-lhe um soco na cara com o máximo de força que pôde, extravasando sua fúria, como um animal. A cabeça de Bret foi para trás e ele caiu de costas com a cadeira, derrubando o cesto de lixo. Acabou caído no chão no meio do lixo.

— Isso foi por quase ter matado Bailey também — disse Cam.

* * *

Entre todas as pessoas que Bailey esperara encontrar, Seth Wingate não era uma delas. Mas ali estava ele, em pé na porta da casa de seu pai um pouco antes da meia-noite.

Ela estava arrumando as malas, ou, melhor, procurando pelos poucos itens pessoais que haviam restado na casa, porque Tamzin esvaziara seus armários e jogara fora todas as suas roupas, assim como qualquer coisa que ela tinha certeza de que pertencia a Bailey. A casa também havia sido danificada. Bailey estava tão nervosa que pensara em telefonar para a polícia, mas estava esperando para se acalmar antes de fazer isso.

As últimas horas tinham sido completamente estressantes. Ainda era difícil acreditar que Bret havia tentado matar Cam, tudo pelo dinheiro do seguro, e se ela tinha dificuldades para aceitar isso, podia imaginar como Cam devia estar. Bret parecia estar morrendo de culpa, mas isso não mudava os fatos. MaGuire havia cuidado de tudo, apesar de estar tão chocado quanto todas as outras pessoas. Bret fora voluntariamente à polícia com MaGuire para se entregar, mas os aspectos legais envolvidos na dissolução da sociedade e a dúvida acerca de se a empresa sobreviveria ou não ainda não estavam definidos. Se sobrevivesse, seria apenas Transporte Aéreo Executivo, pois não haveria mais J&L.

Bailey tinha algumas ideias sobre isso, mas queria pensar bem nas coisas. Também tinha de reavaliar sua decisão sobre o controle dos fundos fiduciários, agora que sabia que Seth não havia tentado matá-los. Por outro lado, quando descobriu o que Tamzin fizera, sentiu vontade de matar os dois e ver-se livre deles. Uma decisão que não mudara era o fato de não querer passar mais nem uma noite sequer naquela casa que não lhe pertencia.

Logan e Peaches estavam na casa com ela, assim como Cam. Eles estavam ali para ajudá-la a arrumar tudo, mas havia poucas coisas restantes. Cam estava pálido de raiva, mas ambos procuraram se controlar. Peaches estava prestes a fazer um grande escândalo, e Logan ficou de olho nela, enquanto ela entrava e saía dos cômodos.

Agora Seth estava ali e, apesar de ela saber que ele não tentara matá-la, não sentia vontade de lidar com ele naquele momento. Abriu a porta e ficou parada na entrada, sem convidá-lo para entrar. Atrás dela, escutou Cam aproximando-se até parar perto dela.

Mas Seth não fez qualquer movimento para entrar. Apesar de, àquela hora, ele provavelmente já devia ter passado por dois ou três bares, não parecia embriagado. Na verdade, parecia sóbrio, o que a deixou surpresa. Ele vestia roupas simples, calça e uma camisa, com o cabelo preto penteado, seu rosto sem expressão.

— Muitas pessoas pensam que eu causei o acidente — ele disse abruptamente. — Só queria dizer que não fui eu.

— Eu sei — ela disse, tão surpresa que mal conseguia falar.

A surpresa se mostrou nos olhos dele também. Ele hesitou, depois se virou para sair. Bailey começou a fechar a porta, depois parou porque ele havia parado, já pisando no primeiro degrau da escada. Ele se virou.

— Quem foi? — ele perguntou. Ela percebeu que ele detestava ter de falar com ela, mas queria saber. — Foi Tamzin?

Tamzin? Tamzin era má e mesquinha, mas não organizada o bastante para fazer algo como aquilo. — Não, foi o sócio de Cam.

— Bret? — Seth obviamente ficou chocado. — Tem certeza?

— Temos certeza. Ele confessou — Cam disse.

— Filho da puta — Seth murmurou. Ele esboçou um sorriso. — Acredito que eu e Tamzin somos mais parecidos do que eu pensava. Ela pensou que tinha sido eu. Eu pensei que tinha sido ela.

Ele suspirou: — Você merece escutar isto. Fiquei chocado quando percebi que minha irmã automaticamente supôs que eu era um assassino. Olhei bem para mim e não gostei do que vi. — Ele olhou para Bailey, que estava surpresa, e sorriu. — Estou trabalhando no Grupo Wingate. Na sala de correspondências. Grant quer ver se eu levo as coisas a sério.

Bailey segurou-se firme na porta. Precisou fazer isso, ou teria caído de susto. Não soube o que dizer, mas avisou: — Vou passar o controle do fundo fiduciário a outra pessoa, provavelmente um tesoureiro. — Ela não conseguia acreditar que Seth, entre todas as pessoas... será que Jim tinha acertado ao analisar Seth, afinal?

Seth ficou tenso e olhou para ela. — Não faça isso — ele disse. — Quero que você cuide de tudo. Não vou detestar tudo isso se você continuar, e preciso de você como motivação. Foi ideia de meu pai, não foi? Eu compreendi. Ele pensou que eu a odiaria tanto, detestaria tanto saber que você estava controlando meu dinheiro, que faria qualquer coisa para endireitar minha vida. Ele tinha razão, afinal. Ele sempre tinha razão. Ele provavelmente pediu a você que usasse seu bom-senso sobre quando me passar o controle dos bens, não é?

Ela não conseguiu fazer nada além de assentir com a cabeça.

Seth esboçou um sorriso. — Ele confiava em você e não havia ninguém que pudesse conhecer melhor as pessoas do que meu pai. Por isso vou confiar nele, confiar que ele sabia o que estava fazendo. Continue gerenciando os fundos para que eu possa provar que consegui mudar. Um dia, você passará o controle para mim, então sairá de minha vida e nunca mais terei de vê-la de novo.

— Espero ansiosamente por esse dia — ela disse com honestidade.

Ele olhou para a saleta atrás dela e de Cam. Franziu a testa ao ver o estrago, os vidros quebrados, as paredes estragadas. — O que aconteceu aí dentro?

— Tamzin — Cam respondeu.

— Peça para a polícia prendê-la — Seth disse com frieza, depois se virou e desceu os degraus, desaparecendo na escuridão.

Cam tirou a mão de Bailey da porta e a fechou, depois a abraçou.

— Vamos — ele disse, beijando-a na boca quando ela olhou para ele. — Não tem mais nada para você aqui. A partir de agora, você vai viver comigo.

Bailey sorriu, passando as pontas dos dedos sobre os hematomas do rosto dele. Não sentia qualquer ansiedade em relação à sua decisão.

— Tudo bem — ela disse, sentindo-se repentinamente tão feliz que acreditava que poderia flutuar. — Vamos. Estou pronta.

Sobre a autora

Linda Howard é a premiada autora de vários bestsellers da lista do *New York Times*, incluindo *Drop Dead Gorgeous*, *Cover of Night*, *Killing Time*, *To Die For*, *Beije-me Enquanto Durmo*, *Reencontros*, *Matar por Prazer*, *Open Season*, *Mr. Perfect*, *Atração Implacável*, *Now You See Her*, *Revelações* e *Son of the Morning*. Ela vive no Alabama com o marido e seus dois cães da raça golden retriever.